# BERLITZ®

# ESPAÑOL 1

## LIBRO DEL ALUMNO

**Creado por el departamento de investigación pedagógica de las Escuelas Berlitz**

Published under the supervision and authority of the Berlitz School companies.



The Berlitz Method consists of live instruction by native teachers carefully trained in Berlitz teaching techniques and constantly supervised by The Berlitz Schools of Languages of America, Inc. or the Société Internationale des Ecoles Berlitz. The conversational Berlitz Method requires exclusive use of the target language in the classroom from the first lesson and is administered only in conjunction with texts, tapes or other teaching aids prepared or selected by The Berlitz Schools of Languages of America, Inc. or the Société Internationale des Ecoles Berlitz. Berlitz instruction is geared to the development of practical communication skills in the shortest possible time.



U.S. ISBN-02-440820-4

Printed in Switzerland

6th printing – August 1983

Editions Berlitz
1–3, avenue des Jordils
1000 Lausanne 6, Switzerland

# ÍNDICE

## CAPÍTULO 6



## CAPÍTULO 7



## CAPÍTULO 8



## CAPÍTULO 9

Página

Página

Página

# PRÓLOGO

Los principios fundamentales del Método Berlitz, según M. D. Berlitz, creador y fundador de las Escuelas Berlitz, prescriben el "uso constante y exclusivo de la lengua extranjera y la asociación directa de la percepción y el pensamiento con los sonidos y el habla extranjeros".

"Los medios para alcanzar esta meta son:

1. Enseñanza de lo concreto por medio de demostraciones visuales y diálogos.
2. Enseñanza de lo abstracto por medio de asociaciones de ideas.
3. Enseñanza de la gramática a través de ejemplos y como producto de operaciones analógicas.

"Se abandona completamente la traducción como medio para aprender un idioma extranjero. Desde la primera lección, el alumno escucha y habla sólo el idioma que desea aprender. Lo que no puede enseñarse por demostraciones visuales, es aclarado por explicaciones basadas en el principio matemático que resuelve la incógnita X a través de sus relaciones con los valores ya conocidos A y B".

En los prólogos a las primeras ediciones de sus libros de texto, M. D. Berlitz explicaba detalladamente las razones que lo llevaban a rechazar la enseñanza por el antiguo método de gramática y traducción y que lo hacían insistir en el uso exclusivo de la lengua por aprender.

Para M. D. Berlitz era "ilógico" que se gastara la mayor parte de la lección utilizando la lengua materna del alumno. Era su convicción que todo idioma se aprende mejor "desde dentro de su propio marco", pues ésta es la única manera de lograr que el alumno "penetre en el genio de la lengua y se habitúe a pensar en ella". Así se reducen, a la vez, radicalmente las dificultades gramaticales; productos, la mayoría de las veces, de la traducción y comparación con la lengua materna.

Viene al caso explicar aquí, sin embargo, las consecuencias que implica la adopción del procedimiento directo en la programación de cursos de idiomas extranjeros. M. D. Berlitz, intransigente propugnador del método directo, fue el primero en formular las conclusiones prácticas que abarcan todos los aspectos esenciales de un curso de idioma:

1. El objetivo del Método Berlitz es, ante todo, enseñar a entender y hablar. La lectura y la escritura se consideran como fines secundarios. Berlitz enseña el idioma hablado antes del idioma escrito; la lengua como forma oral precede a la lengua como forma literaria.

2. El Método Berlitz enseña el idioma como habilidad técnica de entender y hablar, de leer y escribir, más bien que como mero conocimiento teórico de la lengua. La capacidad de entender y hacerse entender es desarrollada en la clase desde la primera lección.

3. M. D. Berlitz fue el primero en seleccionar una lista mínima de palabras necesarias que fue incorporada a su primer libro. Estableció una lista de palabras de elevada frecuencia coloquial mucho antes de que aparecieran las primeras listas de frecuencia de palabras para el lenguaje literario.

4. El mismo criterio se aplica en la selección de puntos de gramática pertinentes a la conversación, que de hecho constituyen lo que los lingüistas modernos llaman estructuras básicas del idioma.

5. El orden en que se introducen el vocabulario y la gramática está determinado por la necesidad de explicar todos los elementos seleccionados del idioma sin recurrir a la traducción y presentar las situaciones en un aumento gradual de complejidad.

En suma, el principio del método directo determina la prioridad de los objetivos de la enseñanza, la selección léxica y estructural, el orden de presentación del material y la dosis del mismo a suministrar por lección. Es interesante observar que el Método Berlitz, al adoptar la rigurosa disciplina del método directo, satisface los criterios de la instrucción programada.

El material de enseñanza que se ofrece a las Escuelas Berlitz es el siguiente:

1. Un manual del profesor: programación de la enseñanza en clase.
2. Un libro de ilustraciones.
3. Material magnetofónico: ejercicios audiolinguales de repaso.
4. Un libro del alumno: lecturas, ejercicios escritos y cuadros sinópticos.

Todos estos materiales se ponen a la disposición del profesor Berlitz quien, por supuesto, sigue siendo el factor esencial de la enseñanza.

Como sucesor del maestro de lengua de antaño, cual heredero del "maître de langue" o del "Sprachmeister", el profesor Berlitz continúa la tradición de una distinguida profesión.

## CAPÍTULO 1 – REPASO

*¿Qué es esto?*
(Esto) es . . .
– *un* cigarro
un cigarrillo
un diario
un fósforo
un lápiz
un libro
un micrófono
un número
un papel
un periódico
un teléfono

– *una* botella
una caja
una cinta
una grabadora
una llave
una mesa
una página
una pluma
una puerta
una revista
una silla
una taza
una ventana

Es una botella . . .
– de vino
de leche

Es una taza . . .
– de café
de leche

*¿Es un periódico?*
– Sí, es un periódico.
– No, no es un periódico.

*¿De qué color es . . .?*

| *El* libr*o* es . . . | *La* caj*a* es . . . |
|---|---|
| – amarill*o* | – amarill*a* |
| blanc*o* | blanc*a* |
| negr*o* | negr*a* |
| roj*o* | roj*a* |

– azul
gris
marrón
verde

– El libro es rojo *y* blanco.
El vino es rojo *o* blanco.

*¿Cómo es . . .?*
Es . . .

| | |
|---|---|
| – corto/a | – pequeño/a |
| largo/a | grande |

*¿Qué libro es rojo?*
– Est*e* libr*o* es roj*o*.

*¿Qué caja es roja?*
– Est*a* caj*a* es roj*a*.

*¿Qué número es?*
Éste es el número . . .

| | | |
|---|---|---|
| – uno | – cuatro | – ocho |
| dos | cinco | nueve |
| tres | seis | diez |
| | siete | |

*Expresiones:*
– "¿Quiere un cigarrillo?"
"Sí, gracias."
"No, gracias."

– "¡Deme el/la . . . , por favor!"
"Aquí está."
"¡Muchas gracias!"

**¡ESCUCHE LA CINTA NÚMERO 1!**

## ¡BUENOS DÍAS!

*Carmen* – ¡Buenos días, Juan!

*Juan* – ¡Buenos días, Carmen! ¿Cómo está?

*Carmen* – Muy bien, gracias. ¿Y usted?

*Juan* – Bien, gracias.

*Carmen* – ¡Dígame, Juan! ¿Qué es esto? ¿Es un libro?

*Juan* – No, Carmen, no es un libro. Es una grabadora.

*Carmen* – ¿Una grabadora?

*Juan* – Sí, una grabadora y una cinta. ¡Es una cinta Berlitz!

## ¿UN O UNA?

**un** libr*o*

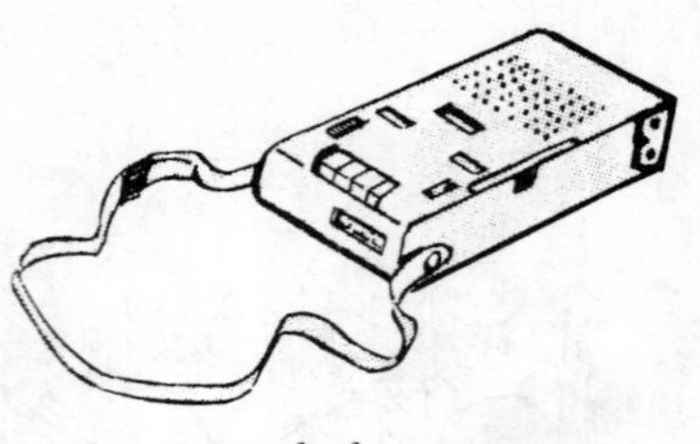

**una** grabador*a*

## EJERCICIO 1

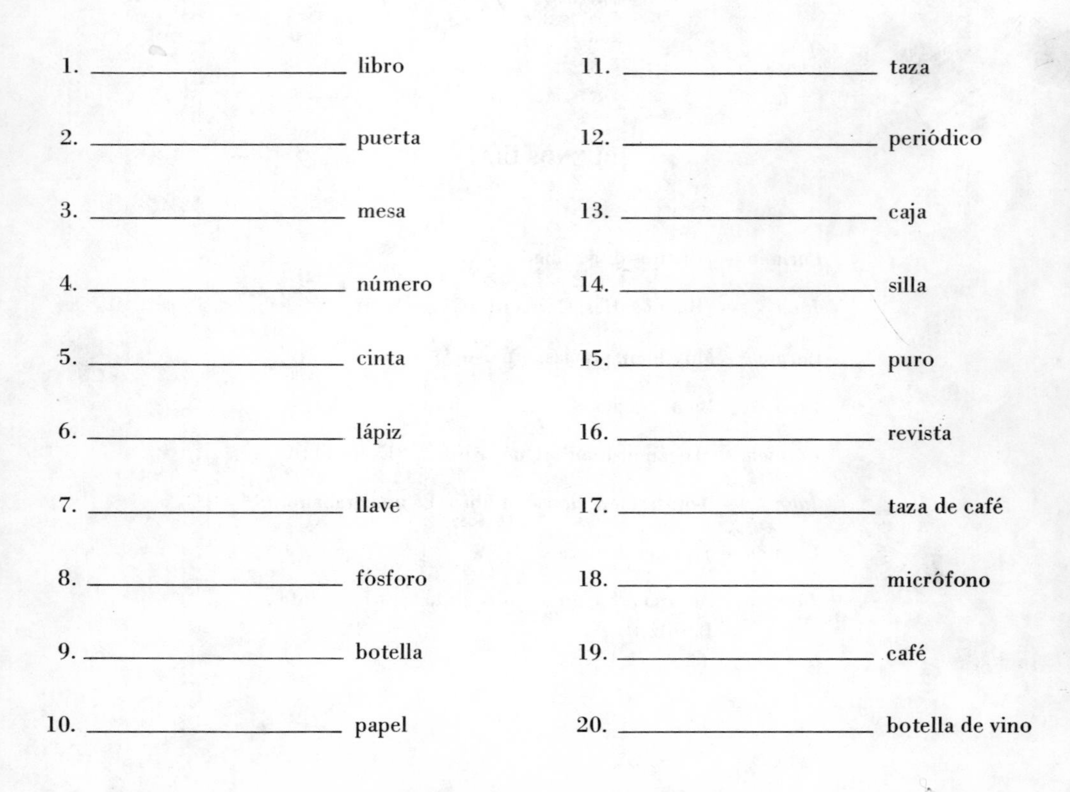

*Ejemplo:* ___*una*___ ventana

1. ______________ libro
2. ______________ puerta
3. ______________ mesa
4. ______________ número
5. ______________ cinta
6. ______________ lápiz
7. ______________ llave
8. ______________ fósforo
9. ______________ botella
10. ______________ papel
11. ______________ taza
12. ______________ periódico
13. ______________ caja
14. ______________ silla
15. ______________ puro
16. ______________ revista
17. ______________ taza de café
18. ______________ micrófono
19. ______________ café
20. ______________ botella de vino

## ¿QUIERE VINO?

*Carlos* – ¿Quiere vino, María?

*María* – No, gracias, Carlos.

*Carlos* – ¿Una taza de café?

*María* – Sí, gracias.

*Carlos* – ¡Mozo! ¡Dos cafés, por favor!

*Mozo* – ¡Sí, señor!

## UNA BOTELLA Y UNA TAZA

Esto es una botella. Es una botella de vino.

El vino es blanco. ¿Es blanca la botella también? No, la botella no es blanca; es verde.

Esta botella es grande–muy grande. Es una botella grande de vino francés.

–¿Quiere Ud. vino?
–Sí, ¡gracias!

Esto no es una botella de vino. Es una taza, una taza de café. Es una taza de café brasileño.

¿Qué es negro, la taza o el café? El café es negro. ¿De qué color es la taza? La taza es blanca. Y, ¿cómo es la taza, grande o pequeña? Es pequeña.

Es una taza pequeña de café negro.

## ¿QUÉ ES ESTO?

¿Es esto un periódico?
*—Sí, es un periódico.*

¿Es esto una revista?
*—Sí, es una revista.*

¿Es esto una revista?
*—No, no es una revista.*

¿Es un periódico?
*—No, no es un periódico.*

¿Qué es?
*—Es un libro.*

¿Es un libro de francés
o de español?
*—Es un libro de español.*

## EJERCICIO 2

### ¿SÍ O NO?

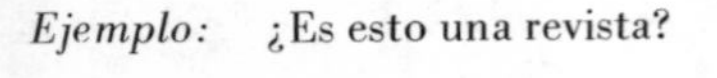

*Ejemplo:* ¿Es esto una revista? *Sí, es una revista.* ____________________

*No, no es una revista.* ____________________

1. ¿Es esto una grabadora? ____________________
 ____________________
2. ¿Es esto un cigarrillo? ____________________
 ____________________
3. ¿Es esto un fósforo? ____________________
 ____________________
4. ¿Es esto una mesa? ____________________
 ____________________
5. ¿Es esto un teléfono? ____________________
 ____________________

## ¿DE QUÉ COLOR ES?

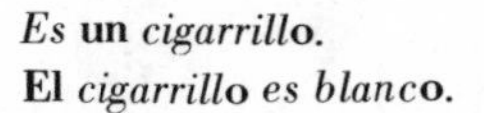

*Es* **un** *cigarrill*o.
**El** *cigarrill*o *es blanc*o.

*Es* **una** *taz*a.
**La** *taza es blanc*a.

| *El libro es . . .* | *La caja es . . .* |
|---|---|
| *blanc*o | *blanc*a |
| *negr*o | *negr*a |
| *roj*o | *roj*a |
| *amarill*o | *amarill*a |

*verde*
*azul*
*marrón*

### EJERCICIO 3

*Ejemplo:* cigarrillo / blanc- *Es un cigarrillo.*
*El cigarrillo es blanco.*

1. mesa / negr- ______________________
______________________
2. lápiz / roj- ______________________
______________________
3. libro / azul ______________________
______________________
4. llave / amarill- ______________________
______________________
5. caja / blanc- ______________________
______________________

## ¿CÓMO ES?

Esto es un perro.
*Este perro* es grande.

Esto es un perro también.
*Este perro* es pequeño.

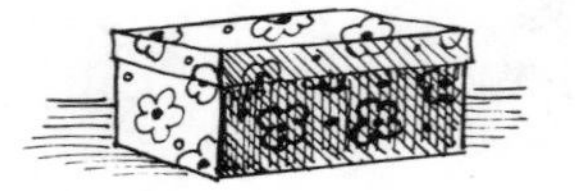

¿Es esta caja grande?
*—No, esta caja no es grande.*
¿Cómo es esta caja?
*—Esta caja es pequeña.*

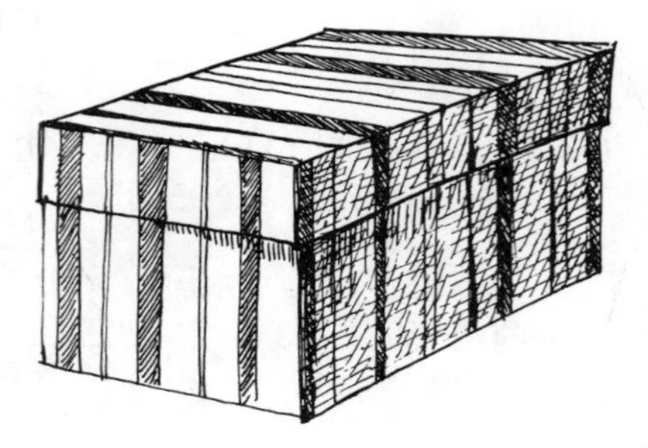

¿Es pequeña también esta caja?
*—No, esta caja no es pequeña.*
¿Cómo es esta caja?
*—Esta caja es grande.*

## ¿CUÁL LÁPIZ Y CUÁL LLAVE?

¿Es largo este lápiz?
*—No, este lápiz no es largo.*

¿Cuál lápiz es largo?
*— Este lápiz es largo.*

¿Es larga esta llave?
*—No, esta llave no es larga.*

¿Cuál llave es larga?
*— Esta llave es larga.*

## ¿QUÉ NÚMERO ES?

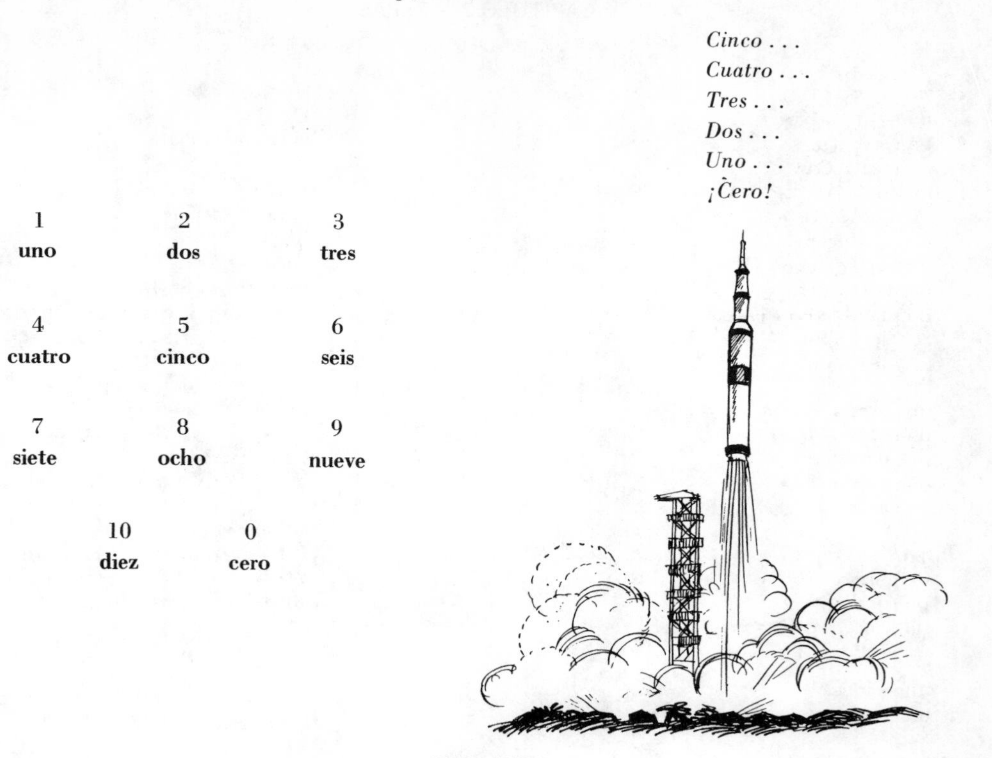

*Cinco . . .*
*Cuatro . . .*
*Tres . . .*
*Dos . . .*
*Uno . . .*
*¡Cero!*

| 1 | 2 | 3 |
|---|---|---|
| **uno** | **dos** | **tres** |
| 4 | 5 | 6 |
| **cuatro** | **cinco** | **seis** |
| 7 | 8 | 9 |
| **siete** | **ocho** | **nueve** |
| 10 | 0 | |
| **diez** | **cero** | |

## EJERCICIO 4

## ¿CUÁL ES EL NÚMERO DE TELÉFONO?

*Ejemplo:* 721-6914 *siete – dos – uno – seis – nueve – uno – cuatro*

1. 223-4190 ____________________

2. 487-6539 ____________________

3. 712-9080 ____________________

4. 306-5439 ____________________

5. 820-8761 ____________________

## CAPÍTULO 2 – REPASO

*¿Qué es esto? Es . . .*
– un auto
un carro
un coche
un mapa
. . . de América
. . . de Europa
un país
un perro
un plano
. . . de Madrid
. . . de Bogotá

– una avenida
una calle
una carretera
una cartera
una escuela

*Ropa:*
– un abrigo
un sombrero
un traje
un vestido

– una camisa
una corbata

*¿Qué perro es pequeño?*
– El perro negro es pequeño.

*¿Qué caja es pequeña?*
– La caja negra es pequeña.

*¿Cuál es el perro pequeño?*
– *Éste* es el perro pequeño.

*¿Cuál es la caja pequeña?*
– *Ésta* es la caja pequeña.

*¿Qué país es? Es . . .*

| | |
|---|---|
| – Argentina | – México |
| España | Venezuela |

*¿Qué ciudad es? Es . . .*

| | |
|---|---|
| – Buenos Aires | – Madrid |
| Caracas | Bogotá |

*¿Qué río es? Es . . .*
– el Paraná
el río de la Plata

*¿En qué país está el Manzanares?*
– Está en España.

*¿Quién es? Es . . .*
– un señor/el Sr. López
una señora/la Sra. (de) López
una señorita/la Srta. López

– un niño (nene)
una niña (nena, niñita)

*¿Qué es Ud.?*
– Yo soy (el) alumno/(la) alumna.

*¿Qué soy yo?*
– Ud. es (el) profesor/(la) profesora.

*¿Quién es el alumno?*
– ¡Soy yo!
¡Es Ud.!
¡Es él!

*¿De qué nacionalidad es . . . ?*

| | |
|---|---|
| – *Él* es . . . | – *Ella* es . . . |
| alemán | alemana |
| colombiano | colombiana |
| español | española |
| francés | francesa |
| inglés | inglesa |
| mexicano | mexicana |

*¿Cuál es su profesión? Soy . . .*

| | |
|---|---|
| – artista | – doctor |
| director | secretaria |

*¿De quién es este coche?*
Éste es el coche . . .
– del profesor/de él
de la profesora/de ella

Es . . .
– mi coche/su coche

¡ESCUCHE LA CINTA NÚMERO 2!

## EL MAPA DE AMÉRICA DEL SUR

Esto es un mapa de América. Es un mapa de América del Sur. Venezuela es un país de América del Sur. Es un país sudamericano. Venezuela es un país grande.

Argentina también es un país sudamericano, y también es grande. Argentina es más grande que Venezuela.

Buenos Aires no es un país, es una ciudad. Buenos Aires está en Argentina.

Santiago también es una ciudad. ¿Es también una ciudad argentina? No, Santiago no es una ciudad argentina. Santiago no está en Argentina. Está en Chile.

Pero, ¿qué es el Paraná? El Paraná es un río. Es un río muy largo. El Paraná es un río muy largo de América del Sur.

## LA CIUDAD DE MÉXICO

Éste no es un mapa: es un plano. Es el plano de la Ciudad de México. La Avenida Juárez está en la Ciudad de México. La Avenida Insurgentes está también en esta ciudad. La Avenida Insurgentes es muy larga.

¿En qué ciudad está el Paseo de la Reforma?

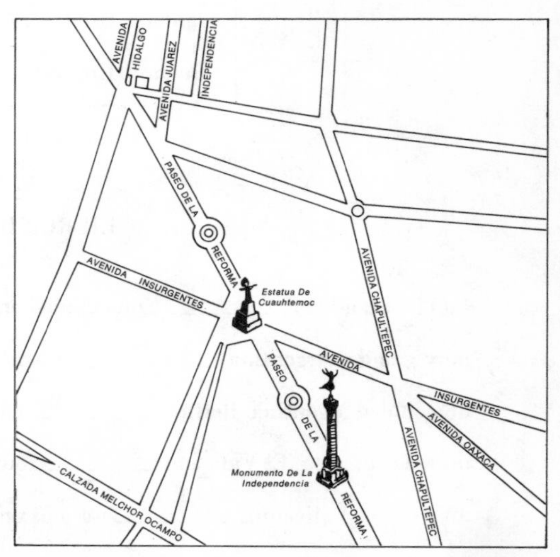

## EJERCICIO 5

*Ejemplo:* Argentina / Venezuela: grande

*Argentina es más grande que Venezuela.*

1. el Misisipí / el Paraná: largo

_______________

2. Puerto Rico / Panamá: pequeño

_______________

3. una calle / una carretera: corta

_______________

4. Buenos Aires / Madrid: grande

_______________

5. un Volkswagen / un Cadillac: pequeño

_______________

## ¿ES O ESTÁ?

| |
|---|
| *Buenos Aires* **es** *una ciudad.* |
| *Buenos Aires* **está** *en Argentina.* |

## EJERCICIO 6

La Plata también __________ una ciudad argentina. __________ una ciudad muy grande. Argentina __________ en América del Sur. Berlín no __________ una ciudad argentina. Berlín __________ en Alemania. Alemania __________ un país europeo. El Vaticano __________ una ciudad, y también __________ un país. El Vaticano __________ un país en un país. ¿En qué país __________ el Vaticano?

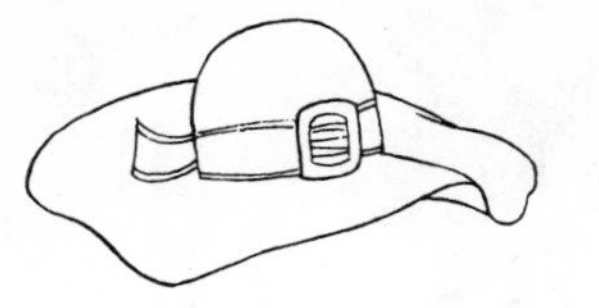

| Este *sombrero* es *blanco.* | Esta *bolsa* es *blanca.* |
|---|---|
| Éste es un *sombrero blanco.* | Ésta es una *bolsa blanca.* |
| **Este sombrero blanco** es grande. | **Esta bolsa blanca** es pequeña. |

## EJERCICIO 7

*Ejemplo:* cigarro *(cubano/a, largo/a)* — *Este cigarro es cubano.*
*Este cigarro cubano es largo.*

1. corbata *(rojo/a, largo/a)* ____________________
____________________
2. carro *(alemán/a, grande)* ____________________
____________________
3. camisa *(francés/a, blanco/a)* ____________________
____________________
4. libro *(español/a, azul)* ____________________
____________________
5. cinta *(español/a, pequeño/a)* ____________________
____________________

## ¡SU ESPAÑOL ES MUY BUENO!

*Roberto, un estudiante de español*
*El Sr. Rodríguez, su profesor de español*
*Regina Santos, una amiga brasileña*

*Roberto* – ¡Buenos días, señor Rodríguez!
*Sr. Rodríguez* – ¡Buenos días, Roberto! ¿Cómo está?
*Roberto* – Muy bien, ¿y Ud.?
*Sr. Rodríguez* – Bien, gracias.
*Roberto* – Señor Rodríguez, ésta es Regina Santos. Regina, éste es el señor Rodríguez. El señor Rodríguez es mi profesor de español.
*Regina* – Mucho gusto, señor Rodríguez.
*Sr. Rodríguez* – Encantado, Regina. ¿Es Ud. colombiana?
*Regina* – No, señor. Soy brasileña.
*Sr. Rodríguez* – Pero, ¡su español es muy bueno, Regina!
*Regina* – ¡Gracias, señor Rodríguez! ¡Muchas gracias!

Roberto es un estudiante de español. Él es francés. Regina también es una estudiante, pero ella no es francesa. Ella es brasileña, pero su español es muy bueno. El Sr. Rodríguez es profesor de español. Él es colombiano. El Sr. Rodríguez es el profesor de Roberto.

| **El Sr. Rodríguez** | *es colombiano.* |
| --- | --- |
| **Él** *es colombiano.* | |

| **La Srta. Santos** | *es brasileña.* |
| --- | --- |
| **Ella** *es brasileña.* | |

## EJERCICIO 8

*¡Responda con* **él** *o* **ella***!*

1. ¿Es alumno o profesor Roberto?

_______________________________________________

2. ¿Es alumna también Regina?

_______________________________________________

3. ¿Es colombiana Regina?

_______________________________________________

4. ¿De qué nacionalidad es?

_______________________________________________

5. ¿Y de qué nacionalidad es Roberto?

_______________________________________________

6. ¿Y el señor Rodríguez?

_______________________________________________

7. ¿Es alumno también el Sr. Rodríguez?

_______________________________________________

8. ¿Cuál es la profesión del Sr. Rodríguez?

_______________________________________________

9. ¿Es profesor de francés o de español el Sr Rodríguez?

_______________________________________________

10. ¿Y Regina?

_______________________________________________

## PAÍS Y NACIONALIDAD

| | |
|---|---|
| América del Sur | suramericano/a |
| – *Argentina* | – *argentino/a* |
| *Brasil* | *brasileño/a* |
| *Colombia* | *colombiano/a* |
| *Venezuela* | *venezolano/a* |
| América del Norte | norteamericano/a |
| – *Canadá* | – *canadiense* |
| *Estados Unidos* | *norteamericano/a** |
| *México* | *mexicano/a* |
| Europa | europeo/a |
| – *Alemania* | – *alemán/a* |
| *España* | *español/a* |
| *Inglaterra* | *inglés/a* |
| *Italia* | *italiano/a* |
| Asia | asiático/a |
| – *Japón* | – *japonés/a* |

## EJERCICIO 9

*Ejemplo:* ¿Qué es París? *Es una ciudad francesa.*

1. ¿Qué es *Düsseldorf?* ______
2. ¿Qué es un *Mercedes?* ______
3. ¿Qué es el *Misisipí?* ______
4. ¿Qué es el *London Times?* ______
5. ¿Qué es *Paris-Match?* ______
6. ¿Qué es un *Camel?* ______
7. ¿Qué es el *Chianti?* ______
8. ¿Qué es *Acapulco?* ______
9. ¿Qué es un *Datsun?* ______
10. ¿Qué es *Buenos Aires?* ______

*también: "estadounidense"

## EL SEÑOR CARTER

¿Quién es este señor? ¿Es el profesor de Juan? ¿Es venezolano? No, este señor no es profesor y no es venezolano. Es inglés.

Pero, ¿cómo se llama él?* ¿Es el señor García? No, éste no es el señor García. *García* no es un nombre inglés; es un nombre español.

Este señor es inglés, y su nombre es inglés también. Su nombre es *Carter.* Éste es el señor Carter.

El señor Carter es inglés, pero no está en Inglaterra. Él está en Caracas. El señor Carter es un ingeniero de una compañía grande en Caracas.

## EJERCICIO 10

*Ejemplo:* 6. *Esto es su corbata.*

1. ______________________________

2. ______________________________

3. ______________________________

4. ______________________________

5. ______________________________

* ¿Cómo se llama él? = ¿Cuál es su nombre?

## CAPÍTULO 3 – REPASO

*¿Qué es esto/eso?*
Es . . .
– un aeropuerto
un avión
un barco
un bolsillo
un café
(un local)
(un expreso)
un cine
un cuadro
un escritorio
un estacionamiento
un garaje
un hotel
un paquete
un pasillo
un teatro
un vaso

– el dinero
el suelo

– una alfombra
una casa
una clase
una estación
una lámpara
una oficina
una pared

Es . . .
– un cuarto
*otro* cuarto

– una cosa
*otra* cosa

*Estar:*
– (Yo) estoy
(Ud.) está

– estoy sentado/a
está parado/a

*¿Dónde está el libro?*
El libro está . . .
– encima de la mesa
debajo de . . .
delante de . . .
al lado de . . .

– detrás de mí – de él
de Ud. de ella

– aquí/ahí

*¿De dónde es Juan?*
–(Él) es de Ecuador.

*¿Qué hace Juan?*
(Él) . . .
– toma el libro
abre . . .
cierra . . .
pone . . .

*¿Adónde va Juan?*
(Él) va . . .
– a la estación
al café
a casa

*¿Con quién va al café Juan?*
Va al café . . .
– conmigo – con él
con Ud. con ella

*¿Cómo toma su café Juan?*
Toma su café . . .
– con leche
sin leche

*¿Es el Paraná un país o una ciudad?*
– No es un país, y no es una
ciudad *tampoco*. Es un río.

*Expresión:*
– "¡De nada!"

¡ESCUCHE LA CINTA NÚMERO 3!

## YO SOY EL PROFESOR

¡Buenos días!

Yo soy el profesor de español de esta escuela. Y ésta es mi clase. Es la clase de español.

Yo estoy en esta clase. Estoy parado delante de la mesa. Pero, ¿quién es la otra persona en esta clase? ¿Quién está sentado delante de mí, en la silla? ¿Es el director? ¿La secretaria? No, no es el director, y no es la secretaria tampoco. Este señor es mi alumno, el señor Leroux. El señor Leroux está en la clase conmigo. Él está sentado delante de mí, y yo estoy parado delante de él.

Pero, ¿dónde está mi libro, el libro del profesor? Ah, sí. Aquí está. Está detrás de mí, encima de la mesa. ¿Y el lápiz? ¿Dónde está el lápiz? ¿Está encima de la mesa también? No, el lápiz no está encima de la mesa. Está debajo de la mesa, en el suelo.

¿Y dónde está el mapa? ¡Claro! El mapa está en la pared, delante del alumno, y detrás de mí. ¿Es un mapa de América del Sur? No, no es un mapa de América del Sur, y no es un mapa de América del Norte tampoco. Es un mapa de Europa.

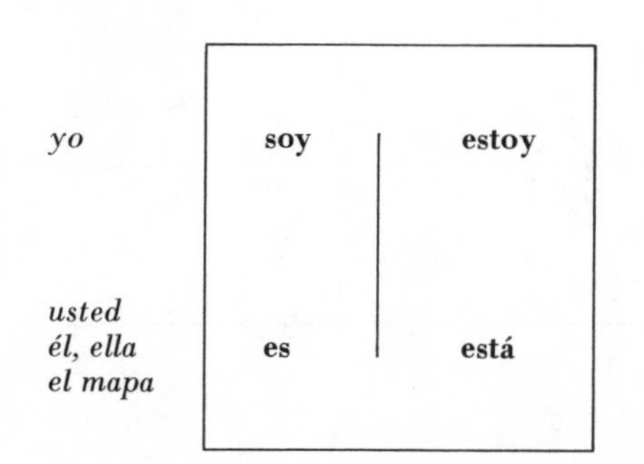

| | | |
|---|---|---|
| *yo* | **soy** | **estoy** |
| *usted*<br>*él, ella*<br>*el mapa* | **es** | **está** |

¡Cuidado!

*con* + *mí* = **conmigo**

## EJERCICIO 11

*(Ilustración página 17)*

1. ¿Es ésta una clase de español o de francés?

2. ¿Quién soy yo, el profesor o el alumno?

3. ¿Cuál es el nombre de mi alumno?

4. ¿Es éste un nombre francés o japonés?

5. ¿Está parado o sentado el Sr. Leroux?

6. ¿Dónde está sentado?

7. ¿Quién está parado?

8. ¿Dónde está el libro de español?

9. ¿Es éste el libro del alumno o del profesor?

10. ¿Dónde está el lápiz?

## EJERCICIO 12

*Ejemplo:* ¿Dónde está el Sr. López?

*Está debajo del coche.*

1. ¿Dónde está sentada la Sra. López?

______________________________________________

2. ¿Dónde está el niño?

______________________________________________

3. ¿Dónde está sentado el perro?

______________________________________________

4. ¿Dónde está la caja grande?

______________________________________________

5. ¿Dónde está la niña?

______________________________________________

## PAÍS Y NACIONALIDAD *(página 14)*

*Este señor es* **de** *Francia.*
*Él es* **francés.**

### EJERCICIO 13

*Ejemplo:* Esta señorita es inglesa. Ella es de *Inglaterra.*

1. Yo soy alemán. Soy de ________________.

2. La secretaria es colombiana. Es de ________________.

3. Ese señor es ________________. Es de Japón.

4. Ud. es la Sra. García. Es ________________. Es de España.

5. El director es ________________. Es de Canadá.

## TAMBIÉN Y TAMPOCO

*Ella toma café.*
*Él toma café* **también.**

*Ella no toma vino.*
*Él* **no** *toma vino* **tampoco.**

### EJERCICIO 14

*Ejemplo:* Yo estoy sentado. *(Ud.)*

*Ud. está sentado también.*

1. El director va a la oficina. *(la secretaria)*

   ______________________________

2. Lima no está en Ecuador. *(Buenos Aires)*

   ______________________________

3. Esa señorita es muy bonita. *(Ud.)*

   ______________________________

4. El profesor no está sentado encima de la mesa. *(yo)*

   ______________________________

5. Buenos Aires es una ciudad grande. *(Bogotá)*

   ______________________________

## CARLOS VA AL RESTAURANTE CON MARÍA

*Carlos y María*

*(En la calle)*

*Carlos* – Buenos días, María.
*María* – Buenos días, Carlos.
*Carlos* – ¿Va Ud. al restaurante conmigo?
*María* – ¡Oh, sí! Pero, . . . ¿a qué restaurante vamos?
*Carlos* – Vamos al Restaurante *Madrid*. Está en la Avenida Juarez, al lado del Hotel "Olimpia". ¡Es un restaurante muy bueno!
*María* – ¡Entonces, vamos! ¡Qué buena idea!

### EJERCICIO 15

1. ¿Va Carlos al cine con María?

______________________________________________

2. ¿Adónde va con ella?

______________________________________________

3. ¿Está el restaurante dentro del Hotel Olimpia?

______________________________________________

4. ¿Dónde está?

______________________________________________

5. ¿Cómo es este restaurante?

______________________________________________

*Este tren no es corto.*
*¡Al contrario! ¡Es muy largo!*

## EJERCICIO 16

## ¿QUÉ ES LO CONTRARIO?

*Ejemplo:* corto *largo*

1. pequeño ____________
2. detrás de ____________
3. debajo de ____________
4. blanco ____________
5. sentado ____________
6. abre ____________
7. aquí ____________
8. toma ____________
9. sin ____________
10. ¡No! ____________

## CAPÍTULO 4—REPASO

*Sustantivos:*

— un autobús
un banco
un bar
un billete
un cine
un coche
un pasaje
un reloj
un taxi
un tren

— una lección
una película

— azúcar (el)
té

— agua (el)
música

*¿Quién es?*
— Es el camarero.

*¿Qué hace Ud.?*
(Yo. . .)

— vengo
traigo
abro
entro
cierro
pongo
escucho

— repito
contesto
tomo
voy
salgo
vuelvo

*¿Qué toma Ud.?*
(Yo) tomo . . .
— una lección
. . . de español
. . . de francés

— una taza de café
un vaso de vino

— un taxi

— el autobús
el coche
el tren
el avión
} *para* Lima

*Por favor, . . .*
— ¡Abra. . . !
¡No lo (la) abra!
¡Ponga . . . !
¡No lo (la) ponga!

*¿Adónde va Ud.?*
Voy . . .
— a la oficina
a mi casa
al pasillo

*¿De dónde viene?*
Vengo . . .
— de la oficina
de mi casa
del pasillo

*¿Cómo viene Ud.?*
Vengo . . .
— en coche
en taxi, etc.

— *a* pie

*¿Qué hora es?*
— Es la una.
Son las dos, tres, etc.

*¿A qué hora viene Ud.?*
*(¿Cuándo viene?)*
Vengo . . .
— ahora
en este momento
en diez minutos

— a *la* una
a *las* dos, tres, etc.

— antes/después de la clase

*¿Para qué viene Ud.?*
— Vengo *para tomar* una lección de español.

*¿Sabe Ud. . . .?*
— ¡No sé!
— (No) sé quién es.
adónde va . . .
qué hace, etc.

*¿Cómo es el vino?*
— El vino es *bueno.*
Es un *buen* vino.

*Expresiones:*
— "Dígame, por favor, . . ."

— "¿Cómo está Ud.?"
"Estoy bien/mal."

¡ESCUCHE LA CINTA NÚMERO 4!

## EN EL CAFÉ DE LA ESTACIÓN

*El Sr. Cortés*
*La Sra. de León*
*El camarero*
*La señorita del cine*

*Camarero* — ¿Toma Ud. café, señora?
*Sra. de León* – Sí, gracias.
*Camarero* – ¿Y Ud., señor?
*Sr. Cortés* – Bueno, yo también tomo un café.

*(El camarero vuelve con dos cafés.)*

*Camarero* – Su café, señora. Su café, señor.
*Sr. Cortés* – ¡Azúcar, por favor! Mozo, por favor, ¡tráigame el azúcar!
*Camarero* – Sí, señor. Un momentito*.

*(El camarero trae el azúcar.)*

*Sr. Cortés* – El café es bueno aquí, ¿verdad?
*Sra. de León* – Sí, es muy bueno.
*Sr. Cortés* – ¿Viene Ud. al cine conmigo, señora? La película del Cine Acapulco es muy buena.
*Sra. de León* – ¡Voy con mucho gusto!

*(en la calle)*

*Sr. Cortés* – Es larga esta calle, ¿verdad?
*Sra. de León* – Sí, es muy larga.
*Sr. Cortés* – Bueno, aquí está el cine. . . Señorita, dos, por favor.
*Señorita* – ¡Pero, señor, son las cinco! ¡Este cine abre a las seis!
*Sr. Cortés* – Bueno. Entonces, vuelvo a las seis. ¿Vuelve Ud. conmigo a las seis, Sra. de León?
*Sra. de León* – Sí, vuelvo con Ud. ¡Pero en taxi, por favor! ¡En taxi! ¡Esta calle es muy larga!

*un momentito = un momento muy corto

## EJERCICIO 17

1. ¿Qué toma el Sr. Cortés, vino o café?

2. ¿Dónde lo toma?

3. ¿Quién está con él?

4. ¿Qué toma ella?

5. ¿Quién trae el café?

6. ¿Toma su café con o sin azúcar el Sr. Cortés?

7. Y después, ¿va el Sr. Cortés al museo con la Sra. de León?

8. ¿Adónde va con ella?

9. ¿Toma el autobús para ir al cine?

10. ¿Cómo va al cine?

11. ¿A qué cine va?

12. ¿Cómo es la película en este cine?

13. ¿A qué hora abre el cine?

______________________________________________

14. ¿A qué hora vuelve el Sr. Cortés?

______________________________________________

15. ¿Cómo vuelve, en taxi o a pie?

______________________________________________

## ¿QUÉ HORA ES?

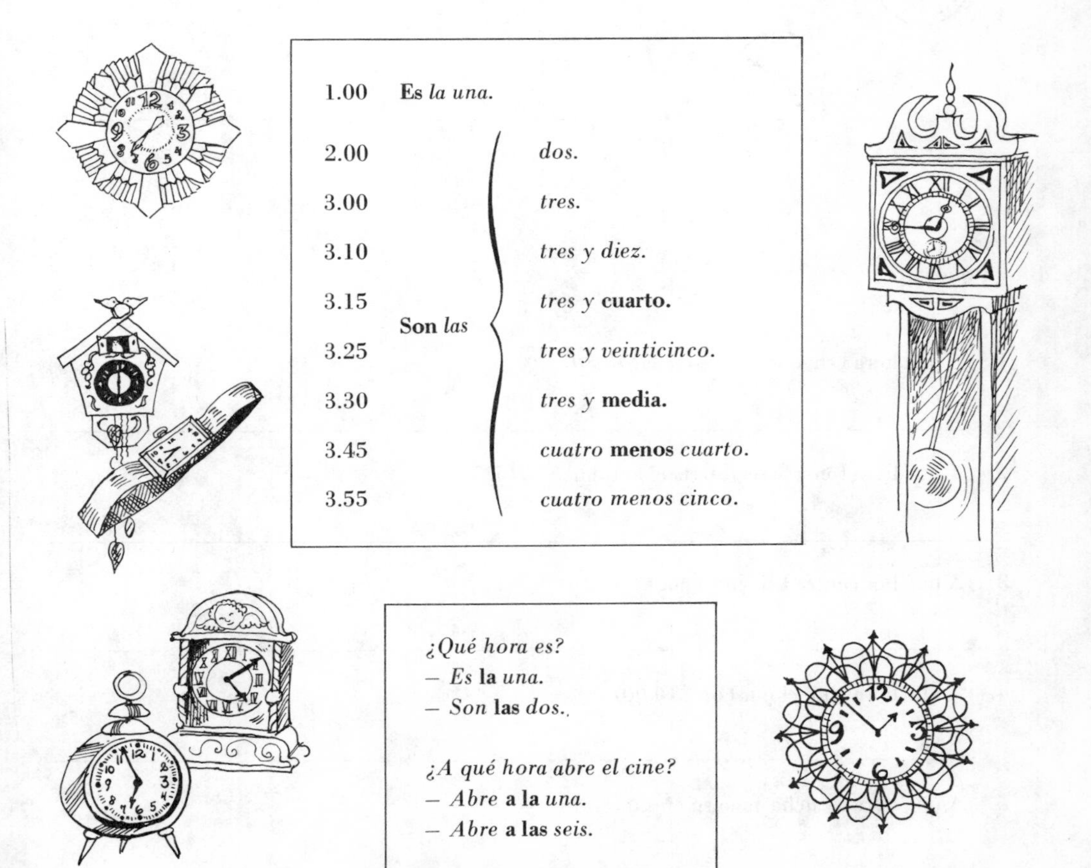

| | | |
|---|---|---|
| 1.00 | **Es** *la una.* | |
| 2.00 | **Son** *las* | *dos.* |
| 3.00 | | *tres.* |
| 3.10 | | *tres y diez.* |
| 3.15 | | *tres y* **cuarto.** |
| 3.25 | | *tres y veinticinco.* |
| 3.30 | | *tres y* **media.** |
| 3.45 | | *cuatro* **menos** *cuarto.* |
| 3.55 | | *cuatro menos cinco.* |

*¿Qué hora es?*
– *Es* **la** *una.*
– *Son* **las** *dos.*

*¿A qué hora abre el cine?*
– *Abre* **a la** *una.*
– *Abre* **a las** *seis.*

## EJERCICIO 18

A. *¿Qué hora es?*

1. ______________________________

2. ______________________________

3. ______________________________

4. ______________________________

5. ______________________________

B. *¿A qué hora . . .?*

1. ¿A qué hora vengo yo a la escuela? *(8.30)*

______________________________

2. ¿A qué hora toma la secretaria el autobús? *(5.15)*

______________________________

3. ¿A qué hora entra Ud. en su clase? *(5.10)*

______________________________

4. ¿A qué hora abre el museo? *(10.00)*

______________________________

5. ¿A qué hora escucha Juan su cinta? *(7.40)*

______________________________

## REPASO DE LOS VERBOS

| *Yo* | *Ud./él/ella* | *Por favor. . . .* | *Para . . .* |
|---|---|---|---|
| cierro | cierra | ¡Cierre! | **cerrar** |
| contesto | contesta | ¡Conteste! | **contestar** |
| entro | entra | ¡Entre! | **entrar** |
| escucho | escucha | ¡Escuche! | **escuchar** |
| fumo | fuma | ¡Fume! | **fumar** |
| llevo | lleva | ¡Lleve! | **llevar** |
| tomo | toma | ¡Tome! | **tomar** |
| abro | abre | ¡Abra! | **abrir** |
| digo | dice | ¡Diga! | **decir** |
| repito | repite | ¡Repita! | **repetir** |
| salgo | sale | ¡Salga! | **salir** |
| vengo | viene | ¡Venga! | **venir** |
| hago | hace | ¡Haga! | **hacer** |
| pongo | pone | ¡Ponga! | **poner** |
| traigo | trae | ¡Traiga! | **traer** |
| vuelvo | vuelve | ¡Vuelva! | **volver** |
| voy | va | ¡Vaya! | **ir** |
| soy | es | ¡Sea! | **ser** |
| estoy | está | ¡Esté! | **estar** |

## EJERCICIO 19

1. Yo entro.

   Ud. ______________________________

   Juan ______________________________

   Por favor, ¡______________________________!

2. El director dice *buenos días.*

   Yo ______________________________

   Ud. ______________________________

   Por favor, ¡______________________________!

3. La secretaria viene a las dos. Ud. ______________________________

Yo ______________________________

Por favor, ¡______________________________!

4. Usted lleva su libro. Yo ______________________________

El alumno ______________________________

Por favor, ¡______________________________!

5. María va a la escuela. Ud. ______________________________

Yo ______________________________

Por favor, ¡______________________________!

## ¡HASTA LUEGO, CARLOS!

*Carlos* – Buenos días, María. ¿Cómo está?
*María* – Muy bien, gracias, Carlos. ¿Y usted?
*Carlos* – Bien, gracias. Pero, dígame, María . . . ¿adónde va usted?
*María* – Voy a la escuela.
*Carlos* – ¡¿A la escuela?!
*María* – Sí, para tomar una lección de español.
*Carlos* – Pero, María. . .
*María* – Aquí está mi autobús. ¡Hasta luego, Carlos!
*Carlos* – ¡María! . . .

## EJERCICIO 20

## ¿PARA QUÉ?

*Ejemplo:* María va a la escuela. Toma una lección de español.

*María va a la escuela para tomar una lección de español.*

1. Yo tomo la llave. Abro la puerta de mi coche.

2. La secretaria abre la puerta. Entra en la oficina.

3. Usted pone la cinta en la grabadora. Escucha una lección de español.

4. El señor Cortés entra en el bar. Toma un café expreso.

5. Yo tomo el tren. Voy a Monterrey.

6. El director sale de la oficina. Vuelve a su casa.

7. Yo voy al aeropuerto. Tomo el avión para Santiago.

8. Usted toma un taxi. Va a la estación.

9. Yo voy al teatro. Escucho la música.

10. Usted abre la puerta. Sale del cuarto.

## EJERCICIO 21

| |
|---|
| Roberto toma *el libro.* |
| Él **lo** toma. |

| |
|---|
| El profesor abre *la puerta.* |
| Él **la** abre. |

¡Responda con **lo** o **la**!

A. *Ejemplo:* Yo escucho la cinta. ___*La escucho*___ en mi casa.

1. Usted toma la revista. ____________ de la mesa.
2. María lleva su libro. ____________ en su bolsa.
3. Yo abro la puerta. ____________ para salir.
4. Ud. cierra su libro. ____________ después de la lección.
5. Juan toma su café. ____________ sin azúcar.

B. *Ejemplo:* ¿Para qué abre Ud. la puerta? *(para salir)*

*La abro para salir.*

1. ¿Adónde llevo yo el libro? *(a la clase de español)*

   ____________________________________________

2. ¿A qué hora toma Roberto su lección? *(a las seis)*

   ____________________________________________

3. ¿De dónde toma usted el periódico? *(de la mesa)*

   ____________________________________________

4. ¿Para qué pongo yo la cinta en la grabadora? *(para escuchar la música)*

   ____________________________________________

5. ¿Para qué toma el director el avión? *(para ir a Buenos Aires)*

   ____________________________________________

## JUAN ES ESTUDIANTE

Este chico es Juan. Juan es un estudiante de la escuela Berlitz. Él viene a la escuela a las seis, abre la puerta, entra en la clase y dice "¡Buenas tardes!" a su profesor. Él trae su libro de español a la clase y lo pone encima de la mesa.

Pero . . . ¿qué hace Juan en esta clase? ¿Toma un café expreso? ¡Claro que no! Juan toma una lección de español. Ésta es una clase de español de la escuela Berlitz. En esta clase Juan repite y contesta en español.

A las siete y media su lección termina. Juan toma su libro de la mesa, va a la puerta y la abre. Dice "¡Adiós! ¡Buenas noches!" a su profesor y sale de la clase.

Después de su lección Juan va al garaje para tomar su coche, y vuelve a casa.

En su casa Juan pone un cassette español en la grabadora. Fuma un cigarrillo y escucha una cinta de español.

## EJERCICIO 22

### ¿QUÉ HACE JUAN?

a. Él va a la escuela a las seis.
b. Abre la puerta y entra en la clase.
c. Trae su libro y lo pone en la mesa.
d. Toma una lección de español.
e. Sale de la escuela después de la lección.
f. Vuelve a su casa y escucha una cinta.

1. *Usted* es Juan. ¿Qué hace Ud.?

a. *Yo voy* ____________________

b. ____________________

c. ____________________

d. ____________________

e. ____________________

f. ____________________

2. *Yo* soy Juan. ¿Qué hago yo?

   a. *Usted* ______
   b. ______
   c. ______
   d. ______
   e. ______
   f. ______

3. Por favor . . .

   a. *¡Vaya* ______
   b. ______
   c. ______
   d. ______
   e. ______
   f. ______

## EJERCICIO 23

*Ejemplo:* Yo abro el libro.

| | |
|---|---|
| *(tomar)* | Yo **tomo** el libro. |
| *(caja)* | Yo tomo **la caja.** |
| *(Juan)* | **Juan** toma la caja. |

1. *(periódico)* *Juan toma . . .* ______
2. *(abrir)* ______
3. *(yo)* ______
4. *(cerrar)* ______
5. *(Por favor)* ______
6. *(usted)* ______
7. *(tomar)* ______
8. *(la cinta)* ______

9. *(llevar a casa)* ____________________

10. *(Por favor)* ____________________

## EJERCICIO 24

*Ejemplo:* Esto es *un coche.* — *¿Qué es esto?*

1. Este coche es *blanco.* ____________________
2. *La Srta. García* está en el coche. ____________________
3. Es el coche de *ella.* ____________________
4. Su coche es *pequeño.* ____________________
5. El coche está *en la carretera.* ____________________
6. Es la carretera *de Rosario a Buenos Aires.* ____________________
7. La Srta. García es *argentina.* ____________________
8. Ella va a *Buenos Aires.* ____________________
9. Ella viene de *Rosario.* ____________________
10. Ella *escucha la radio.* ____________________
11. Ahora son las *cuatro.* ____________________
12. Ella va a Buenos Aires *para ir a un concierto.* ____________________

## CAPÍTULO 5 — REPASO

*Sustantivos:*

— un ascensor
  un billete
  un concierto

— un edificio
  un restaurante
  un viaje

— una cámara fotográfica
  una maleta

*Más ropa:*

— un par de guantes
  de medias
  de zapatos
  un pantalón
  un saco

  una falda
  una blusa

*¿Cuántos son . . . ?*

— 2 más 2 son 4
  5 menos 2 son 3
  5 por 2 son 10

*¿Qué cuenta Ud.?*

Yo cuento . . .

— *los* libros
  *las* páginas

— *mis* billetes
  *sus* llaves

*¿Dónde están los libros?*

— Los libros están en la mesa.

*¿Qué hay en la mesa?*

— En la mesa *hay* un libro.
— En la mesa *no hay* dinero.

*¿Cómo son los/las dos . . . ?*

— *Uno* es grande, *el otro* es pequeño.
— *Una* es larga, *la otra* es corta.

*¿De qué color son los/las . . . ?*

— *Unos* son blancos, *otros* son negros.
— *Unas* son rojas, *otras* son amarillas.

— *Estos* son rojos, *esos* son azules.
— *Estas* son rojas, *esas* son azules.

*¿Cuánto cuesta(n) . . . ?*

Cuesta(n) . . .

— una peseta
  dos pesetas
— un dólar
  tres dólares
— un marco
  dos marcos

El precio es . . .

— un franco
  dos francos
— un peso
  seis pesos
— un centavo
  diez centavos

Es muy caro/barato.
cara/barata

*¿Cuántos kilómetros hay . . . ?*

— Hay 70 Km. de la Plata a Buenos Aires.

*¿Quiénes somos nosotros?*

— Somos profesor y alumnos.

*¿Qué hacemos nosotros?*

Nosotros . . .

— *abrimos* la puerta
  *cerramos* la ventana
  *tomamos* el libro, etc.

*¿Qué hacen ellos/ellas?*

Ellos/Ellas . . .

— *llegan* a la estación
  *toman* el tren
  *hacen* un viaje, etc.

*Partes del cuerpo:*

— la cabeza
  los ojos
  el pelo
  las manos
  los pies
    el pie derecho
    el pie izquierdo

*La familia:*

— los padres
  el padre
  la madre
— un hijo/una hija
  un hermano/una hermana

*¿Cuántos hermanos tiene?*

— Tengo *sólo* un hermano.

¡ESCUCHE LA CINTA NÚMERO 5!

**EN LA OFICINA DEL SEÑOR FUENTES**

En esta ilustración hay dos personas – un señor y una señorita. Son el Sr. Fuentes y su secretaria, la Srta. Teresa. La secretaria está sentada en una silla detrás de su escritorio. ¿Qué hay delante de ella? ¿Qué hay encima del escritorio? Bien . . . encima de la mesa hay un teléfono y una máquina de escribir. Debajo del escritorio hay una cartera grande. Es la cartera de Teresa.

En este cuarto también hay una ventana. La ventana está detrás de Teresa. Pero, ¿qué hay *en* la ventana? ¿Es un nombre o un número? ¡Claro! Es un número, un número de teléfono. Es el número del teléfono de la oficina.

Detrás del Sr. Fuentes está la puerta de la oficina. Y, ¿qué hay debajo de la puerta? Debajo de la puerta, en el suelo, hay un periódico. Es el periódico del Sr. Fuentes.

El Sr. Fuentes llega a su escritorio a las nueve, después de su secretaria. (Ella llega a las ocho y media.) Ahora son las diez. El Sr. Fuentes sale de su oficina y entra en el cuarto de la secretaria. Dice "¡Buenos días!" a Teresa. ¿Qué tiene en las manos el director? ¡Correcto! Tiene cartas. Pero, ¿cuántas tiene? Bueno, contemos las cartas: una, dos, tres, cuatro, cinco. Tiene tres cartas en la mano izquierda y dos en la mano derecha.

## EJERCICIO 25

1. ¿Hay tres personas en esta ilustración?

______________________________

2. ¿Cuántas personas hay?

______________________________

3. ¿Cuántos señores hay?

______________________________

4. ¿Tiene una cartera la secretaria?

______________________________

5. ¿Tiene una cartera el Sr. Fuentes también?

______________________________

6. ¿Cuántas cartas tiene en la mano izquierda?

______________________________

7. ¿Tiene otras cartas en la mano derecha?

______________________________

8. ¿Qué hay encima del escritorio de la secretaria?

______________________________

9. ¿Hay dos teléfonos o sólo uno?

______________________________

10. ¿Cuál es el número de teléfono del Sr. Fuentes?

______________________________

11. ¿Sale del cuarto de la secretaria el director?

______________________________

12. ¿Qué hace él?

______________________________

## ¡NÚMEROS, NÚMEROS, NÚMEROS!

Dos **más** dos son cuatro.
Cinco **menos** dos son tres.
Cinco **por** dos son diez.

Cuatro menos tres **es** uno.
Diez menos diez es **cero.**

### EJERCICIO 26

*Ejemplo:* 5 × 2 *Cinco por dos son diez.*

1. 12 + 27 ______
2. 20 × 4 ______
3. 11 − 6 ______
4. 3 × 7 ______
5. 41 − 27 ______
6. 8 + 7 ______
7. 21 − 7 ______
8. 8 × 5 ______
9. 21 + 33 ______
10. 6 × 4 ______

| | | | | | |
|---|---|---|---|---|---|
| 1 | uno | 11 | once | 21 | veintiuno |
| 2 | dos | 12 | doce | 22 | veintidós |
| 3 | tres | 13 | trece | 23 | veintitrés |
| 4 | cuatro | 14 | catorce | 24 | veinticuatro |
| 5 | cinco | 15 | quince | 25 | veinticinco |
| 6 | seis | 16 | dieciséis | 26 | veintiséis |
| 7 | siete | 17 | diecisiete | 27 | veintisiete |
| 8 | ocho | 18 | dieciocho | 28 | veintiocho |
| 9 | nueve | 19 | diecinueve | 29 | veintinueve |
| 10 | diez | 20 | veinte | 30 | treinta |
| 40 | cuarenta | 101 | *ciento* uno/a | 1.050 | mil cincuenta |
| 50 | cincuenta | 102 | ciento dos | 1.300 | mil trescientos/as |
| 60 | sesenta | 200 | doscientos/as | 2.000 | dos mil |
| 70 | setenta | 300 | trescientos/as | 100.000 | cien mil |
| 80 | ochenta | 500 | quinientos/as | 1.000.000 | un millón |
| 90 | noventa | 900 | novecientos/as | 2.000.000 | dos millones |
| 100 | cien/ciento | 1.000 | mil | 1.000.000.000 | mil millones |

| | |
|---|---|
| 114 | ciento catorce |
| 792 | setecientos noventa y dos |
| 1.613 | mil seiscientos trece |
| 1.976 | mil novecientos setenta y seis |

## EJERCICIO 27

*¿Qué números son?*

1. 341 trescientos cuarenta y uno
2. 782 Setecientos ochenta y dos
3. 1.200 mil doscientos
4. 10.141 diez mil, cien cuarenta y uno
5. 342.619 tres cien mil cuarenta y dos siescientos dicinueve

## ¿CUÁNTO CUESTA, POR FAVOR?

– Perdone, . . .

– ¡Sí, señor!

– ¿Tiene Ud. periódicos de España?

– Tengo *El ABC* y *El Ya* de Madrid.

– ¡Deme *El ABC* y estas dos revistas!

– ¡Muy bien, señor!

– ¡Dígame, por favor! ¿Tiene cigarrillos ingleses?

– Tengo solamente cigarrillos americanos y franceses.

– Bien . . . ¡deme tres paquetes de cigarrillos americanos!
¿Cuánto es, por favor?

– Un periódico . . . dos revistas . . . y tres paquetes de cigarrillos . . .
son noventa y cinco pesos.

– Muy bien. Aquí están. Muchas gracias.

– ¡De nada, señor! ¡Hasta luego!

## ¡MIREMOS ESTOS VERBOS!

| *Infinitivo* | *yo* | *nosotros* | *usted, él, ella* | *ustedes, ellos/ellas* | *Por favor . . .* |
|---|---|---|---|---|---|
| cerrar | cierro | cerramos | cierra | cierran | ¡Cierre! |
| contar | cuento | contamos | cuenta | cuentan | ¡Cuente! |
| contestar | contesto | contestamos | contesta | contestan | ¡Conteste! |
| entrar | entro | entramos | entra | entran | ¡Entre! |
| escuchar | escucho | escuchamos | escucha | escuchan | ¡Escuche! |
| fumar | fumo | fumamos | fuma | fuman | ¡Fume! |
| llegar | llego | llegamos | llega | llegan | ¡Llegue! |
| llevar | llevo | llevamos | lleva | llevan | ¡Lleve! |
| mirar | miro | miramos | mira | miran | ¡Mire! |
| tomar | tomo | tomamos | toma | toman | ¡Tome! |
| | | | | | |
| abrir | abro | abrimos | abre | abren | ¡Abra! |
| decir | digo | decimos | dice | dicen | ¡Diga! |
| repetir | repito | repetimos | repite | repiten | ¡Repita! |
| salir | salgo | salimos | sale | salen | ¡Salga! |
| venir | vengo | venimos | viene | vienen | ¡Venga! |
| | | | | | |
| hacer | hago | hacemos | hace | hacen | ¡Haga! |
| poner | pongo | ponemos | pone | ponen | ¡Ponga! |
| tener | tengo | tenemos | tiene | tienen | ¡Tenga! |
| traer | traigo | traemos | trae | traen | ¡Traiga! |
| volver | vuelvo | volvemos | vuelve | vuelven | ¡Vuelva! |
| | | | | | |
| ir | voy | vamos | va | van | ¡Vaya! |
| | | | | | |
| estar | estoy | estamos | está | están | ¡Esté! |
| ser | soy | somos | es | son | ¡Sea! |

## SINGULAR Y PLURAL

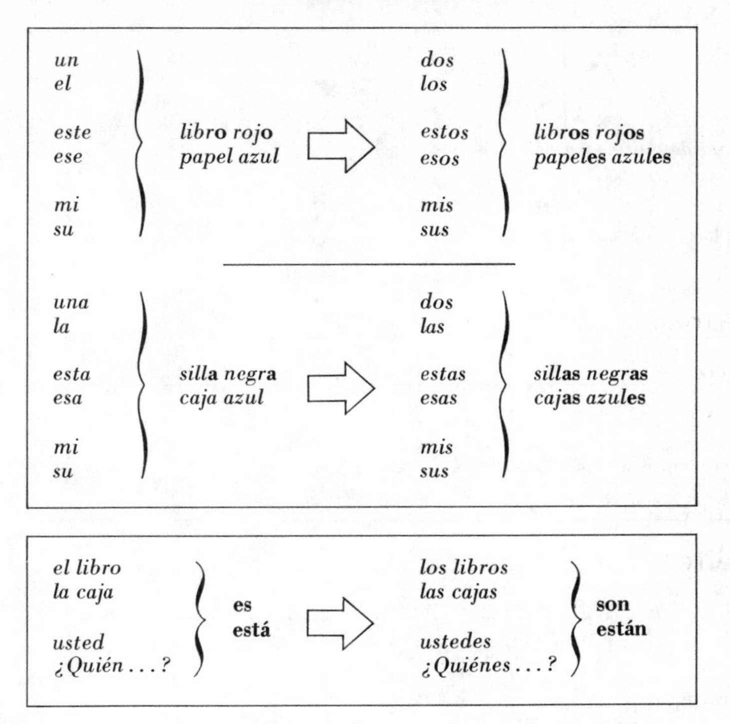


## EJERCICIO 28

*Ejemplo:* Este periódico cuesta un peso.
*Estos periódicos cuestan dos pesos.*

1. Ese señor es de Colombia.
Esos senores son de Colombia.

2. Mi corbata francesa es muy cara.
Mis corbatas francesas son muy caras.

3. Usted va al aeropuerto en su coche.
Ustedes va al aeropuerto en sus coches.

4. ¿Quién está sentado en esa silla?
Quienes estas sentados en esas sillas.

5. ¿Cuál es el nombre de su hermano?
Cuál son los nombres de sus hermanos.

## EJERCICIO 29

*Por favor, ¡complete estas frases!*

1. Yo llego a la oficina a las nueve.

   Usted llega a la oficina a las nueve. ____________________

   Nosotros llegamos a la oficina a las nueve ____________________

   Ellos llegan a la oficina a las nueve ____________________

2. Nosotros volvemos a casa a las cinco.

   Yo volvo a casa a las cinco ____________________

   Ellas vuelve a casa a las cinco. ____________________

   Por favor, ¡vuelva a casa a las cinco. ____________________!

3. Yo no fumo aquí.

   Ellos ____________________

   Nosotros ____________________

   Por favor, ¡____________________!

4. Yo digo "¡Muchas gracias!"

   Él ____________________

   Nosotros ____________________

   Por favor, ¡____________________!

5. El director va a su casa.

   Yo ____________________

   Ellas ____________________

   Por favor, ¡____________________!

### LA FAMILIA MARTÍNEZ

Ésta es la familia Martínez—los padres y los hijos. El señor Martínez y la señora Martínez tienen tres hijos. El nombre del chico es Carlos. Carlos no tiene hermanos, pero tiene dos hermanas. Una se llama María, la otra se llama Margarita.

¿Dónde está la familia Martínez en este momento? ¿En un restaurante? ¿En un concierto? No, en este momento ellos están en su casa.

El señor Martínez, el padre, está sentado en una silla grande. La señora Martínez, la madre, está parada. Ella tiene una taza de café en las manos, y la lleva al Sr. Martínez. Él la toma con la mano derecha y dice "¡Muchas gracias!"

¿Y qué hacen los hijos? Ah sí, Carlos está sentado en el suelo. Hay un libro delante de él. Él mira las ilustraciones en este libro. ¿Y qué hace Margarita, la hija pequeña? Ella está sentada en una silla pequeña. Ella también tiene un libro. Su hermana María no está sentada. Está parada detrás de su hermano y habla por teléfono.

La familia Martínez tiene también un perro. Pero, ¿dónde está el perro? Ah, sí. Ahí está. El perro está sentado en el suelo, debajo de la mesa. Encima de la mesa hay un teléfono y un radio.

## EJERCICIO 30

1. ¿Cuántas personas hay en esta ilustración?

2. ¿Hay también un perro?

3. ¿Dónde está sentado el perro?

4. ¿Está la ventana delante o detrás de la Sra. Martínez?

5. ¿Cuántos teléfonos hay en la ilustración?

6. ¿Quién habla por teléfono?

7. ¿Está sentada María?

8. ¿Quién está sentada en la silla pequeña?

9. ¿Dónde está sentado el padre?

10. ¿Qué lleva la madre al padre?

11. ¿Qué dice él?

12. ¿Con qué mano toma él su café?

| El señor Martínez | La señora Martínez |
| --- | --- |

| Carlos | Margarita | María |
| --- | --- | --- |

## EJERCICIO 31

*Ejemplo:* La señora Martínez es ___*la madre*___ de Carlos.

*Ella es su madre.*

1. Carlos es ______________ de Margarita.

______________________________

2. María y Margarita son ______________ de Carlos.

______________________________

3. María es ______________ de la señora Martínez.

______________________________

4. El señor Martínez es ______________ de Margarita.

______________________________

5. El señor y la señora Martínez son ______________ de María.

______________________________

## EJERCICIO 32

*Ejemplo:* Yo tomo el paquete de cigarrillos.

*(abrir)* *Yo* **abro** *el paquete de cigarrillos.* __________

*(nosotros)* **Nosotros abrimos** *el paquete de cigarrillos.* __________

1. *(puerta)* *Nosotros abrimos . . .* __________
2. *(ellos)* *Ellos . . .* __________
3. *(revistas)* __________
4. *(llevar . . . a la clase)* __________
5. *(yo)* __________
6. *(grabadora)* __________
7. *(él)* __________
8. *(libros)* __________
9. *(nosotros)* __________
10. *(por favor)* __________
11. *(periódicos)* __________
12. *(no llevar)* __________

### EJERCICIO 33

*Ejemplo:* 6. *Esto es la mano izquierda.*

1. ______________________________

2. ______________________________

3. ______________________________

4. ______________________________

5. ______________________________

## CAPÍTULO 6—REPASO

*Sustantivos:*
— el baño
el boleto
el metro
el programa
el pueblo
el radio
el teatro

— la habitación
la plata
la televisión

*¿Dónde está . . .?*
Está . . .
— sobre la mesa
entre las sillas
enfrente de la clase
fuera de la escuela

— Está afuera.

*¿Quién es éste?*
— Es Pablo.

*¿Quiénes son?*
— Son Irene y Pablo.
Son Pablo *e* Irene.

*¿De quién es/son . . .?*
Es . . .
— nuestro libro
nuestra clase
Son . . .
— nuestros libros
nuestras clases

*¿Es Ud. norteamericano o sudamericano?*
— No soy *ni* norteamericano *ni* sudamericano. Soy europeo.

*¿Por dónde sale Ud. de la clase?*
— Salgo *por* la puerta.

*¿Cómo abre la puerta?*
— La abro *así.*

*¿Cómo es su coche?*
— No es bueno, es malo.

*¿Qué/A quién escucha Pedro?*
Escucha . . .
— la radio
la cinta
la música

— *a* María
*a la* secretaria
*al* director

— Él *me* escucha.
Él escucha *a Ud.*

*¿Cuánto tiempo está en la oficina?*
— Estoy en la oficina *desde* las nueve *hasta* las cinco.

¡ESCUCHE LA CINTA NÚMERO 6!

## ¿CUÁNTO CUESTA UN PASAJE?

– Dígame, por favor, ¿a qué hora sale el tren para Buenos Aires?

– Hay dos trenes, señor, uno a las tres y otro a las tres y cuarenta.

– Bien. ¿Cuánto cuesta un pasaje, por favor?

– ¿De ida* o de ida y vuelta*?

– De ida y vuelta.

– Un momento, señor. Ochenta pesos, por favor.

– ¡Otra cosa! Los pasajes para mis hijos cuestan menos, ¿verdad?

– Sí, señor, sólo cuestan cuarenta pesos.

– Muy bien. Entonces, ¡deme tres pasajes, uno para mí y dos para mis hijos!

– Aquí están, señor. Ciento sesenta pesos, por favor.

– Diez, veinte, . . . ciento sesenta pesos.

– Muchas gracias, señor. Y . . . ¡buen viaje!

*de ida = sólo para ir
de ida y vuelta = para ir y volver

## EJERCICIO 34

1. ¿Adónde va este señor?

2. ¿Tiene tres hijos?

3. ¿Cuántos hijos tiene?

4. ¿Cuántos trenes hay para Buenos Aires?

5. ¿A qué horas salen?

6. ¿Toma pasajes de ida este señor?

7. ¿Qué pasajes toma él?

8. ¿Toma cinco pasajes?

9. ¿Cuántos pasajes toma él?

10. ¿Cuesta cien pesos el pasaje del señor?

11. ¿Cuánto cuesta?

12. ¿Cuestan más o menos los pasajes para sus hijos?

## EJERCICIO 35

### EN EL CONCIERTO

¿Qué hace este señor en Buenos Aires?

a. Él va al concierto.
b. Toma su billete.
c. Entra en la sala.
d. Mira el programa.
e. Escucha la música.
f. Sale del edificio.
g. Vuelve a su casa.

1. Este señor es usted. ¿Qué hace *usted*, señor?

a. *Yo voy . . .* ______________________________

b. ______________________________

c. ______________________________

d. ______________________________

e. ______________________________

f. ______________________________

g. ______________________________

2. ¿Y *nosotros*?

a. ______________________________

b. ______________________________

c. ______________________________

d. ______________________________

e. ______________________________

f. ______________________________

g. ______________________________

3. ¿Qué hacen *ellos*?

a. ______________________________

b. ______________________________

c. ______________________________

d. ______________________________

e. ______________________________

f. ______________________________

g. ______________________________

*¡Mire este cuadro!*
*¡Mire* **a** *este señor!*

**¿COSA O PERSONA?**

Ud. mira este cuadro. *(una cosa)*
Ud. mira **a** este señor. *(una persona)*

Por favor, ¡escuche la cinta!
Por favor, ¡escuche **a** la profesora!

Juan lleva el libro a la escuela.
La madre lleva **al** niño a la escuela.

## EJERCICIO 36

"*Estas flores son para usted, María.*"
"*Muchas gracias, Carlos.*"

Cuando ella dice . . . ¿Cómo contesta él?

*Ejemplo:* ¡Muchas gracias! ___c___

1. ¡Buenos días!________
2. ¡Deme un cigarrillo, por favor!________
3. ¿Cómo está usted?________
4. Aquí están diez pesos.________
5. Éste es el Sr. López.________

a. ¡Aquí está!
b. ¡Mucho gusto!
(c.) ¡De nada!
d. ¡Buenos días!
e. ¡Muchas gracias!
f. Bien, gracias. ¿Y usted?

## EJERCICIO 37

### EL IMPERATIVO

A. *Ejemplo:* Yo vengo a su casa.

*Por favor, ¡venga a mi casa!*

1. Yo cierro la ventana.

_______________________________________________

2. Yo abro el libro.

_______________________________________________

3. Yo hago los ejercicios.

_______________________________________________

4. Yo miro este cuadro.

_______________

5. Yo escucho al profesor.

_______________

B. *Ejemplo:* Yo no fumo en el ascensor.

*Por favor, ¡no fume en el ascensor!*

1. Yo no contesto en inglés.

_______________

2. Yo no pongo los pies sobre el escritorio.

_______________

3. Yo no traigo mi perro a la clase.

_______________

4. Yo no voy a la estación a pie.

_______________

5. Yo salgo afuera.

_______________

| *Roberto mira* | *los ejercicios.* |
|---|---|
| | **a** *los señores.* |

*Él* **los** *mira.*

| *Él escucha* | *las cintas.* |
|---|---|
| | **a** *las señoras.* |

*Él* **las** *escucha.*

## EJERCICIO 38

*¡Conteste con* **lo / la; los / las***!*

*Ejemplo:* ¿Cuenta Ud. *su dinero?* *Sí, lo cuento.*

1. ¿Lleva *a sus hijos* al concierto? _______________

2. ¿Tiene *los billetes?* ____________________

3. ¿Escucha *la música?* ____________________

4. ¿Toma *el autobús* para volver a su casa? ____________________

5. ¿Mira *a las personas en la calle*? ____________________

6. ¿Abre *la puerta de su casa?* ____________________

7. ¿Toma *su grabadora?* ____________________

8. ¿Pone *la cinta* en la grabadora? ____________________

9. ¿Escucha *las cintas?* ____________________

10. ¿Hace *los ejercicios?* ____________________

## EJERCICIO 39

*¿Cuál es la forma femenina?*

*Ejemplo:* él ____*ella*____

1. el padre ____________
2. el hermano ____________
3. el alumno ____________
4. el hijo ____________
5. el estudiante ____________
6. el hombre ____________
7. el señor ____________
8. el artista ____________
9. el profesor ____________
10. el chico ____________

## CAPÍTULO 7—REPASO

*Sustantivos:*

— el alfabeto
el apellido
el artículo
el bolígrafo
el calendario
el día
el deporte
el diccionario

— el ejercicio
el esposo
el idioma
el marido
el método
el momento
el problema

— la carta
la dirección
la esposa
la frase
la ilustración
la letra
la máquina
de escribir
la mujer

— la música
la nariz
la palabra
la pregunta
la respuesta
la semana
la tarjeta
la vocal

*Adjetivos:*

— completo
correcto
interesante
nuevo

— prohibido

— chino
italiano

*Los días de la semana:*

— lunes
martes
miércoles
jueves

— viernes
sábado
domingo

— Hoy es lunes.
Mañana es martes.
Ayer *fue* domingo.

*¿Qué día viene Ud. a la escuela?*
Vengo . . .
— el lunes
el martes, etc.

*Verbos:*

— aprender
contestar
decir
enseñar
preguntar
hacer preguntas
leer

*¿Qué hizo el profesor ayer?*
Ayer el profesor . . .
— fue a la escuela
llegó a las nueve
abrió la puerta
entró a la clase
cerró la puerta
habló con sus alumnos
etc.

*¿Qué se hace en la clase?*
En la clase . . .
— se pregunta
se contesta
se habla
se repite
se aprende español
Pero . . .
— no se escribe
no se habla otro idioma

*¿Qué lee Ud.?*
Leo . . .
— una carta
una tarjeta postal
un artículo . . .
*sobre* política
*sobre* deportes

*¿De qué habla Ud.?*
Hablo . . .
— *de* política
*de* deportes

*¿Qué pregunta el señor?*
Pregunta *si* está el director.

*¿Qué contesta la secretaria?*
Contesta *que* el director no está.

*¿Cuándo salió el director?*
Salió . . .
— *hace* dos horas
tres días

*Expresiones:*

— "¡Buenos días!"
"¡Buenas tardes!"
"¡Buenas noches!"
"¡Hasta luego!"

¡ESCUCHE LA CINTA NÚMERO 7!

**LEER NO ES UN PROBLEMA.**

*La señora Carter, una alumna inglesa*
*Su profesor de español*

*Señora* – No entiendo, señor profesor.
*Profesor* – ¿No, Sra. Carter?
*Señora* – Estoy en la décima lección, pero en la clase no hay papel, ni lápices, ni libros.
*Profesor* – No, Sra. Carter . . .
*Señora* – ¡Aprendemos el alfabeto, pero no lo escribimos!
*Profesor* – No, Sra. Carter . . .
*Señora* – No entiendo este método. No entiendo esta escuela. ¡Diez lecciones y no tengo libro!
*Profesor* – No, señora, pero Ud. tiene cintas y tiene también una grabadora. Ud. escucha, . . . y entiende, ¿verdad?
*Señora* – Sí, pero . . .
*Profesor* – ¿No repite las frases?
*Señora* – Sí, pero . . .
*Profesor* – ¿No entiende las preguntas?

*Señora* – Sí, pero . . .
*Profesor* – ¿No contesta Ud. en español?
*Señora* – Sí, señor profesor, pero no tengo libro, no leo frases, no escribo, no hago ejercicios en inglés y español . . .
*Profesor* – ¡Cómo señora! ¿Ejercicios en inglés? ¿En esta escuela? Pero dígame Ud., por favor, ¿qué idioma aprende aquí . . . inglés o español?
*Señora* – Español, pero lo aprendemos sin libros. ¡No leemos una palabra! ¡No escribimos una letra!
*Profesor* – Pero Ud. escucha en español. Luego contesta, . . . y habla en español. Y en este momento, ¿no lee Ud. en español?
*Señora* – Sí, señor profesor . . .
*Profesor* – ¿No lee Ud. esta lección? ¿No la entiende?
*Señora* – Sí, profesor . . .
*Profesor* – ¿Dice Ud. libro, señora? ¡Cómo no! ¡Tome Ud. este libro, y lea! ¡Leer no es un problema!

**EJERCICIO 40**

1. ¿Tomó lecciones de español la señora?

___

2. ¿Cuántas lecciones tomó ella?

___

3. ¿Tiene ella papel y lápiz en la clase?

___

4. ¿Escribe ella en la clase?

___

5. ¿No aprende el alfabeto tampoco?

___

6. ¿Entiende el método Berlitz la señora Carter?

___

7. ¿Habla ella en inglés con el profesor?

___

8. ¿En qué idioma habla con él?

______________________________

9. ¿Qué escucha la señora en su casa?

______________________________

10. ¿Dice el profesor que leer es un problema?

______________________________

## EJERCICIO 41

*Por favor, ¡escriba las formas correctas de estos verbos!*

| *Infinitivo* | *yo* | *usted él/ella* | *nosotros* | *ustedes ellos/ellas* | *Por favor* |
|---|---|---|---|---|---|
| *aprender* | | | | | |
| | *contesto* | | | | |
| | | *dice* | | | |
| | | | *enseñamos* | | |
| | | | | *entienden* | |
| | | | | | *¡Escriba!* |
| *leer* | | | | | |
| | *pregunto* | | | | |
| | | *hace* | | | |
| | | | *somos* | | |
| | | | | *están* | |
| | | | | | *¡Tenga!* |

## LA SECRETARIA Y LA CARTA

*En la oficina.*
*La secretaria habla por teléfono.*

– ¡Diga! ¿Quién habla?
– Habla el Sr. García. ¿Está el director?
– No, Sr. García. En este momento el director no está.
– ¿A qué hora vuelve, por favor?
– No sé, señor García, está en una conferencia en este momento.
– Bueno, ¡no importa!* ¡Hasta luego, señorita!
– ¡Hasta luego, Sr. García! . . . García . . . , García . . . ¡Dios mío!
¡¡La carta para el Sr. García!!

*(La señorita toma un papel y lo pone en la máquina de escribir. Diez minutos después el director entra.)*

– Señorita, por favor, ¡deme la carta para el Sr. García!

*(Ella saca la carta de la máquina.)*

– Aquí está, señor.

*(Él la lee.)*

– Pero, esta carta no está correcta, señorita.
– ¿No está correcta? ¿Cómo, señor?
– No, señorita. El nombre *García* se escribe con acento. Y esta palabra . . . *cantar*. La palabra correcta es *contar*. Luego . . . la compañía del Sr. García no se llama* *García y Compañía*. Se llama *García e Hijos*. ¡Y esta dirección . . . ! No señorita, esta carta no está correcta. ¡Hay muchos errores*! Hay muchos errores en esta carta.

*no importa = no es importante, no es un problema
se llama = su nombre es
error = una cosa que no es correcta

## EJERCICIO 42

1. ¿Habló la secretaria por teléfono?

2. ¿Preguntó "¿Quién habla?"?

3. ¿Con quién habló por teléfono?

4. ¿Escribió la secretaria la carta a mano?

5. ¿Cómo la escribió?

6. ¿Quién entró en el cuarto de la secretaria?

7. ¿Leyó él la carta?

8. ¿Está correcta la carta?

9. ¿Se escribe el nombre García sin o con acento?

10. ¿Está correcta la dirección?

11. ¿Cómo se llama la compañía del Sr. García?

12. ¿Dice el director que hay muchos o pocos errores en la carta?

Los días de la semana:

| domingo<br>lunes<br>martes<br>miércoles<br>jueves<br>viernes<br>sábado |
|---|

## ¿QUÉ DÍA ES HOY?

Encima del escritorio del director hay un calendario. Pero, ¿qué día es hoy? ¿Es domingo hoy? ¿Jueves? No, hoy no es domingo; no es jueves tampoco. Hoy es lunes. Mañana es martes. ¿Qué día fue ayer? ¡Claro! Ayer fue domingo.

Hoy el director está en su oficina. Pero, ayer él no estuvo en la oficina. Ayer estuvo en casa con su familia.

## EJERCICIO 43

*Ejemplo:* Hoy es lunes. Ayer *fue domingo.*
Mañana *es martes.*

1. Mañana es jueves. Hoy ______
   Ayer ______
2. Ayer fue miércoles. Hoy ______
   Mañana ______
3. Hoy es sábado. Ayer ______
   Mañana ______
4. Mañana es lunes. Ayer ______
   Hoy ______

*Aquí se habla español.*

## EJERCICIO 44

*Ejemplo:* *hablar*

En México ___*se habla*___ español.

1. *hablar*

   En Canadá ______________________ dos idiomas: inglés y francés.

2. *escribir*

   ¿Cómo ______________________ su nombre?

3. *aprender*

   En esta escuela ______________________ muchos idiomas.

4. *decir*

   En español ______________________ "¡Hasta luego!" antes de salir.

5. *escuchar*

   Las cintas ______________________ en casa.

## ¿QUÉ HIZO LA SECRETARIA AYER?

Ella habla.

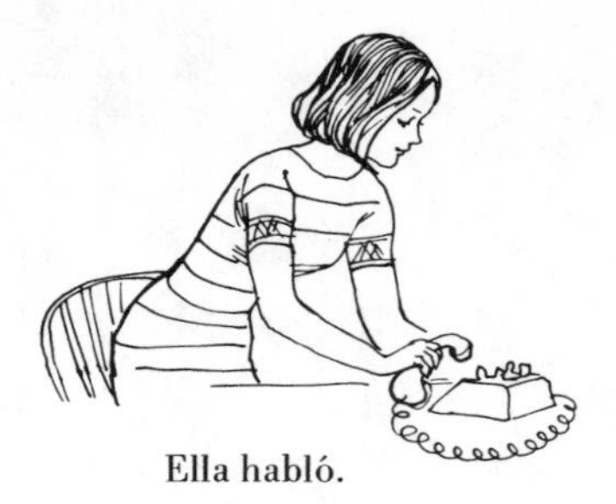

Ella habló.

Ella escribe.

Ella escribió.

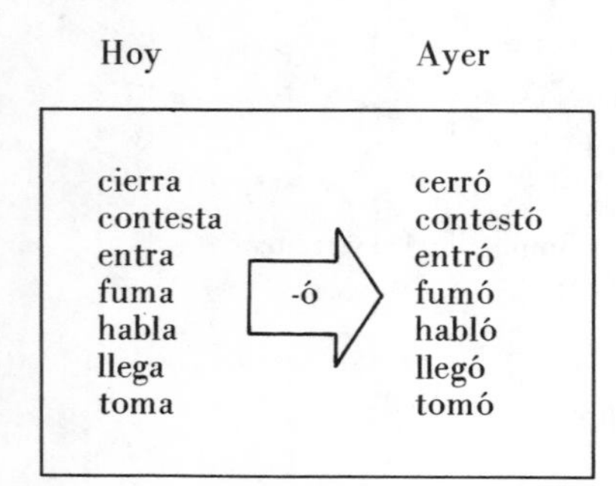

| Hoy | | Ayer |
|---|---|---|
| cierra | | cerró |
| contesta | | contestó |
| entra | | entró |
| fuma | -ó → | fumó |
| habla | | habló |
| llega | | llegó |
| toma | | tomó |

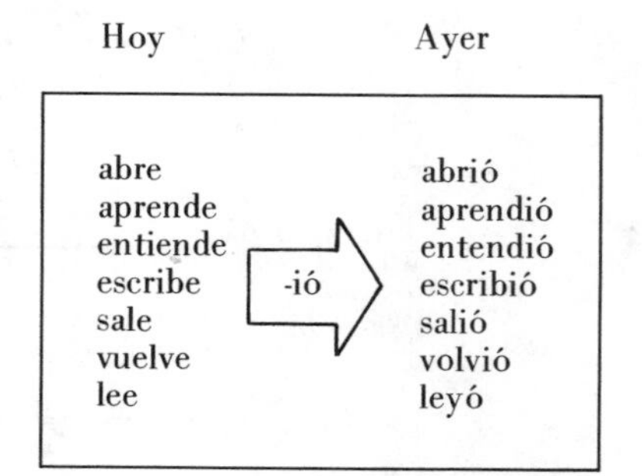

| Hoy | | Ayer |
|---|---|---|
| abre | | abrió |
| aprende | | aprendió |
| entiende | | entendió |
| escribe | -ió → | escribió |
| sale | | salió |
| vuelve | | volvió |
| lee | | leyó |

Irregular:

| Hoy | Ayer |
|---|---|
| dice | dijo |
| hace | hizo |
| pone | puso |

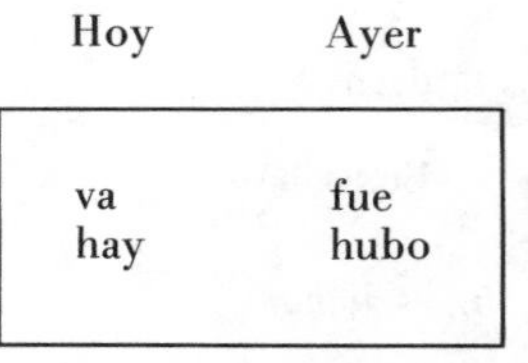

| Hoy | Ayer |
|---|---|
| va | fue |
| hay | hubo |

## EJERCICIO 45

*Ejemplo:* La secretaria escribe una carta.

*La secretaria escribió una carta.*

1. El director abre la puerta de su oficina.

2. Luego la cierra.

3. Juan toma su coche para ir a la ciudad.

4. Él llega a la ciudad antes del concierto.

5. El alumno vuelve a su casa después de su lección.

6. Mi hermano aprende francés.

7. Él hace un viaje muy interesante a Francia.

8. La señora pone el dinero en su cartera.

9. El profesor va a la escuela en el metro.

10. El Sr. López lee un artículo sobre política.

## EJERCICIO 46

### ¿QUÉ HACE LA SECRETARIA HOY?

a. Ella toma el tranvía para ir a la oficina.

b. Llega a la oficina antes del director.

c. En el pasillo escucha el teléfono.

d. Abre la puerta de la oficina con la llave.

e. Entra en la oficina y cierra la puerta.

f. Pone su cartera en la silla.

g. Va al teléfono y contesta en español.

h. Habla con el Sr. Gonzales.

i. Luego va a su escritorio y escribe una carta.

*¿Ayer? ¿Qué hizo la secretaria ayer?*

a. *Ayer ella tomó* ______________________________

b. ______________________________

c. ______________________________

d. ______________________________

e. ______________________________

f. ______________________________

g. ______________________________

h. ______________________________

i. ______________________________

## EJERCICIO 47

### ¿QUÉ HACE EL DIRECTOR HOY?

Hoy el director sale de su casa a las ocho y treinta. Él toma un taxi para ir a la oficina. Llega a su oficina a las nueve. Luego entra en el edificio y toma el ascensor.

En la oficina, él abre la puerta, y dice "¡Buenos días!" a su secretaria. Luego va a su cuarto, pone el sombrero en una silla y va a su escritorio.

La secretaria entra en su cuarto con una carta en la mano. El director toma la carta, la abre y la lee. Luego escribe la respuesta. (Contesta en español.)

A las cinco él toma su sombrero de la silla, dice "¡Hasta mañana!" a su secretaria y sale de la oficina. En la calle toma un taxi para volver a su casa.

*¿Qué hizo el director ayer?*

*Ayer el director salió* ________________________________________

____________________________________________________________

____________________________________________________________

____________________________________________________________

____________________________________________________________

____________________________________________________________

____________________________________________________________

____________________________________________________________

____________________________________________________________

____________________________________________________________

## CAPÍTULO 8 – REPASO

*Sustantivos:*
– el año
el apartamiento
el jardín
el mes
el pañuelo
el piso
el correo
el pasaporte

la escalera
la fábrica
la firma
la planta baja

*Verbos:*
– bajar
dictar
empezar
terminar
subir

*¿En qué mes estamos?*
Estamos en . . .

| | |
|---|---|
| – enero | – julio |
| febrero | agosto |
| marzo | septiembre |
| abril | octubre |
| mayo | noviembre |
| junio | diciembre |

*¿Qué fecha es hoy?*
Hoy es . . .
– el primero de enero
el dos de abril
el tres de diciembre, etc.

*¿Cuánto tiempo estuvo Ud. . . . ?*
Estuve . . .
– 5 horas
2 días
3 semanas, etc.

*¿Qué hizo Ud. ayer?*
Ayer (yo) . . .
– llegué a la escuela a las 9
entré en la clase
cerré la puerta, etc.

– escribí palabras
leí mi libro
aprendí palabras nuevas, etc.

*¿En qué piso vive Ud.?*
Vivo . . .
– en la planta baja
en el primer piso
en el último piso

*Números ordinales:*

| Es el . . . | Es la . . . |
|---|---|
| – primero | – primera |
| segundo | segunda |
| tercero | tercera |
| último | última |

*¿De quién es?*

| El coche es . . . | La carta es . . . |
|---|---|
| – mío | – mía |
| suyo | suya |

*¿Cuál es su profesión?*
Soy . . .
– ingeniero
jefe
obrero
técnico

*¿Cómo es su trabajo?*
Es . . .
– fácil
difícil

*Expresiones:*
– "¡Muchas gracias!"
"¡No hay de qué!"

¡ESCUCHE LA CINTA NÚMERO 8!

# ¿DÓNDE TRABAJA UD.?

*Amanda y Felipe*

*Felipe y Amanda*
*En la calle, frente a la casa de Amanda.*

*Felipe* – Buenos días, Amanda.

*Amanda* – Buenos días, Felipe.

*Felipe* – ¿Adónde va?

*Amanda* – Voy al trabajo. ¿Y Ud.?

*Felipe* – Yo también.

*Amanda* – ¿Dónde trabaja ahora?

*Felipe* – Trabajo con mi hermano, en la fábrica. ¿Toma Ud. el autobús aquí?

*Amanda* – Oh, no. Voy a pie. Son sólo 10 minutos. ¿Y Ud.?

*Felipe* – Yo tomo el autobús.

*Amanda* – ¿No va a la fábrica con su hermano?

*Felipe* – No, no vamos juntos. Pero volvemos juntos en el coche de él.

*Amanda* – ¿Cuántos obreros hay en la fábrica?

*Felipe* – Hay cincuenta obreros. Y Uds. ¿cuántas secretarias son?

*Amanda* – Nosotras somos diez secretarias en nuestra oficina.

*Felipe* – ¿Cuántas horas trabaja Ud., Amanda?

*Amanda* – Trabajo ocho horas, Felipe. ¿Y Uds.?

*Felipe* – Nosotros trabajamos nueve horas. ¿A qué hora se empieza a trabajar en su oficina?

*Amanda* – Se empieza a las 9.

*Felipe* – Nosotros empezamos a las 8 y salimos a las 6. Bueno, Amanda, aquí viene mi autobús. Hasta luego.

*Amanda* – Hasta luego, Felipe.

*(De la cinta 8)*

## EJERCICIO 48

1. ¿Dónde trabaja Felipe?

______________________________________________

2. ¿Con quién trabaja él?

______________________________________________

3. ¿Quién va al trabajo, sólo Felipe o también Amanda?

______________________________________________

4. ¿Cómo va al trabajo Amanda?

______________________________________________

5. ¿Va Felipe al trabajo en el coche de su hermano?

______________________________________________

6. ¿Cómo va él?

______________________________________________

7. ¿Cómo vuelve?

______________________________________________

8. ¿Cuántos obreros hay en la fábrica de Felipe?

______________________________________________

9. ¿Cuántas secretarias hay en la oficina de Amanda?

______________________________________________

10. ¿Quién va al trabajo a las nueve?

______________________________________________

11. ¿Empieza el trabajo de Felipe a las nueve también?

______________________________________________

12. ¿Dónde termina el trabajo a las seis, en la oficina o en la fábrica?

______________________________________________

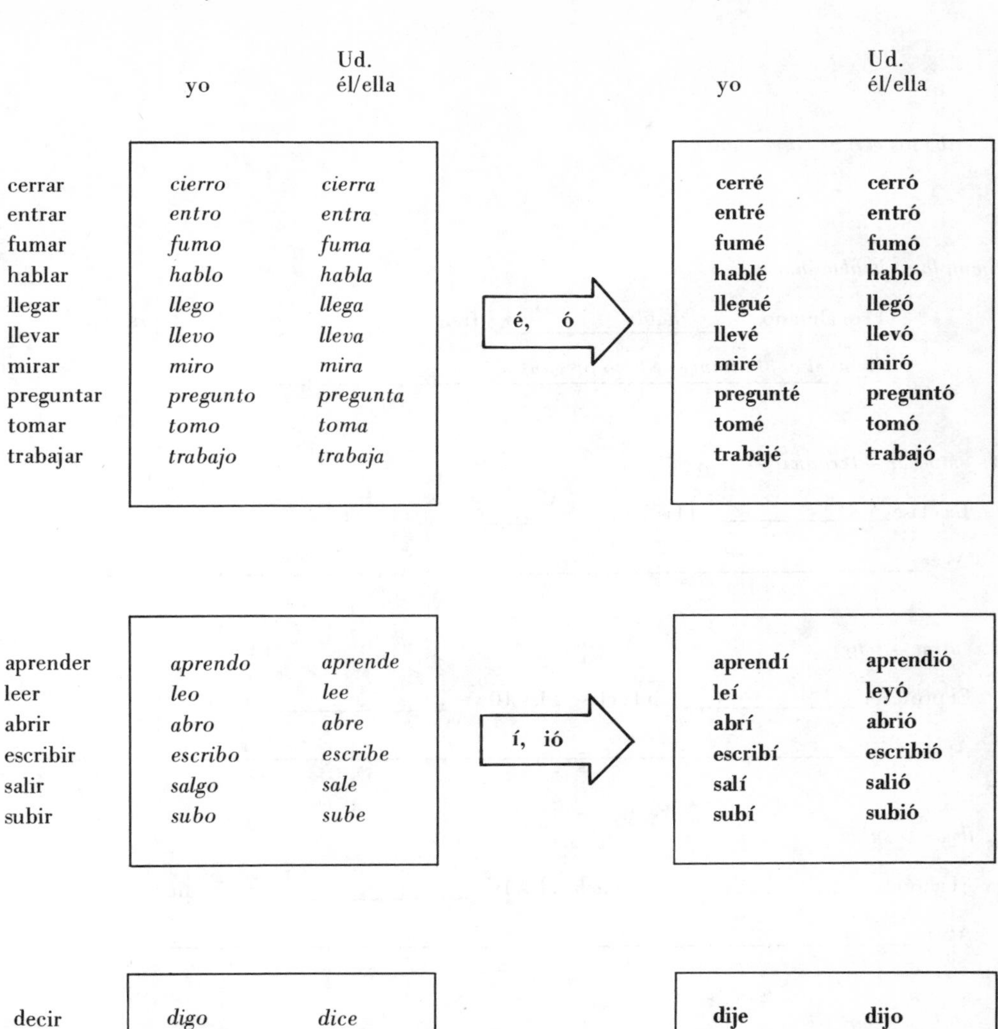

| | Hoy . . . yo | Hoy . . . Ud. él/ella | | Ayer . . . yo | Ayer . . . Ud. él/ella |
|---|---|---|---|---|---|
| cerrar | *cierro* | *cierra* | | **cerré** | **cerró** |
| entrar | *entro* | *entra* | | **entré** | **entró** |
| fumar | *fumo* | *fuma* | | **fumé** | **fumó** |
| hablar | *hablo* | *habla* | | **hablé** | **habló** |
| llegar | *llego* | *llega* | **é, ó** → | **llegué** | **llegó** |
| llevar | *llevo* | *lleva* | | **llevé** | **llevó** |
| mirar | *miro* | *mira* | | **miré** | **miró** |
| preguntar | *pregunto* | *pregunta* | | **pregunté** | **preguntó** |
| tomar | *tomo* | *toma* | | **tomé** | **tomó** |
| trabajar | *trabajo* | *trabaja* | | **trabajé** | **trabajó** |

| | yo | Ud. él/ella | | yo | Ud. él/ella |
|---|---|---|---|---|---|
| aprender | *aprendo* | *aprende* | | **aprendí** | **aprendió** |
| leer | *leo* | *lee* | | **leí** | **leyó** |
| abrir | *abro* | *abre* | **í, ió** → | **abrí** | **abrió** |
| escribir | *escribo* | *escribe* | | **escribí** | **escribió** |
| salir | *salgo* | *sale* | | **salí** | **salió** |
| subir | *subo* | *sube* | | **subí** | **subió** |

| | yo | Ud. él/ella | | yo | Ud. él/ella |
|---|---|---|---|---|---|
| decir | *digo* | *dice* | | **dije** | **dijo** |
| estar | *estoy* | *está* | | **estuve** | **estuvo** |
| hacer | *hago* | *hace* | | **hice** | **hizo** |
| venir | *vengo* | *viene* | | **vine** | **vino** |
| poner | *pongo* | *pone* | **Irregular** → | **puse** | **puso** |
| tener | *tengo* | *tiene* | | **tuve** | **tuvo** |
| traer | *traigo* | *trae* | | **traje** | **trajo** |
| ir | *voy* | *va* | | **fui** | **fue** |
| ser | *soy* | *es* | | **fui** | **fue** |

## EJERCICIO 49

*¡Escriba los verbos correctamente!*

*Ejemplo:* *hablar–hacer*

Este alumno ___*habla*___ francés y ___*hace*___ preguntas.

Ayer *él habló francés e hizo preguntas.*

1. *empezar – terminar*

   La clase __________ a las 10 y __________ a las 11.

   Ayer ______________________________

2. *entrar – salir*

   El profesor __________ en la clase a las 10 y __________ a las 11.

   Ayer ______________________________

3. *llegar – subir*

   El alumno __________ a la escuela a las 10 y __________ al tercer piso.

   Ayer ______________________________

4. *abrir – decir*

   El alumno __________ la puerta de la clase y __________ "¡Buenos días!"

   Ayer ______________________________

5. *traer – poner*

   El alumno __________ su libro a la clase y lo __________ en la mesa.

   Ayer ______________________________

6. *venir – volver*

El alumno _______________ a las 10 y _______________ a su oficina a las 11.

Ayer ____________________________________________________________________________

7. *hablar – escuchar – entender*

El profesor _______________ sólo en español. El alumno _______________ y _______________.

Ayer ____________________________________________________________________________

8. *hacer – contestar*

El profesor _______________ preguntas y el alumno las _______________

Ayer ____________________________________________________________________________

9. *leer – aprender*

El alumno _______________ su libro y _______________ mucho.

Ayer ____________________________________________________________________________

10. *ir – fumar*

Después de la lección el profesor _______________ al pasillo y _______________ un cigarrillo.

Ayer ____________________________________________________________________________

11. *bajar – tomar*

Después de la clase el alumno _______________ a la calle y _______________ el autobús.

Ayer ____________________________________________________________________________

12. *trabajar – dictar*

Él _______________ en su oficina y _______________ muchas cartas.

Ayer ____________________________________________________________________________

*un viaje en tren*

## EJERCICIO 50

## VOY A PUEBLA

*Por favor, ¡cambie estas frases al pretérito!*

1. Yo estoy en la ciudad de México. *Yo estuve* ______________________
2. Yo voy a otra ciudad. ______________________
3. No es un viaje muy largo. ______________________
4. Yo no tomo el avión. ______________________
5. Yo hago el viaje en tren. ______________________
6. El tren sale a las ocho. ______________________
7. A las diez llego a Puebla. ______________________
8. Un taxi me lleva a un hotel. ______________________
9. Yo pregunto sobre las habitaciones. ______________________
10. Digo mi nombre y apellido. ______________________
11. Un botones* viene conmigo. ______________________
12. Él trae mis maletas. ______________________
13. Las pone en mi habitación. ______________________
14. Yo salgo para tomar un vaso de vino. ______________________

*botones—el chico que trae las maletas

## EJERCICIO 51

*¡Cambie al pretérito!*

*Ejemplo:* Juan va al concierto.

*Ayer:* a) *Él* *fue al concierto.*

b) *Yo* *fui al concierto.*

1. Él sube al autobús.

*Ayer:* a) Él ______________________

b) Yo ______________________

2. En el autobús lee una revista.

*Ayer:* a) Él ______________________

b) Yo ______________________

3. También fuma un cigarrillo.

*Ayer:* a) Él ______________________

b) Yo ______________________

4. Él baja del autobús enfrente del teatro.

*Ayer:* a) Él ______________________

b) Yo ______________________

5. Él entra en el teatro.

*Ayer:* a) Él ______________________

b) Yo ______________________

6. Él escucha la música.

*Ayer:* a) Él ______________________

b) Yo ______________________

## ¿TIENE UNA HABITACIÓN?

*Empleado* – Buenas tardes, señora.
*Señora* – Buenas tardes. ¿Tiene una habitación?
*Empleado* – ¿Quiere una habitación con o sin baño?
*Señora* – Con baño, por favor.
*Empleado* – ¿Para cuántas personas, señora?
*Señora* – Sólo para mí.
*Empleado* – Sí, señora. Tenemos una habitación muy bonita para usted.
*Señora* – ¿En qué piso está?
*Empleado* – Está en el quinto piso.
*Señora* – ¿Y cuánto cuesta, por favor?
*Empleado* – Cien pesos por día, señora.
*Señora* – Muy bien, la tomo.
*Empleado* – ¿Cuál es su nombre y su nacionalidad, por favor?
*Señora* – Me llamo* Gomez. Luisa Gomez. Soy mexicana.
*Empleado* – ¿Y su dirección en México, Sra. Gomez?
*Señora* – Avenida Vallarta 20, Guadalajara.
*Empleado* – Y su pasaporte, por favor, señora.
*Señora* – Aquí está.
*Empleado* – Muchas gracias, señora Gomez. Aquí está su llave.
Pedro, lleva a la señora Gomez a la habitación 512.
*Pedro* – ¡Como no, señor! ¡Por aquí, señora!

*me llamo: mi nombre es

## EJERCICIO 52

1. ¿Dónde está esta señora?

2. ¿De qué país viene ella?

3. ¿Cómo se llama?

4. ¿Con quién habla ella?

5. ¿Quiere una habitación para dos personas?

6. ¿Qué quiere?

7. ¿En qué piso está esta habitación?

8. ¿Cuánto cuesta?

9. ¿Es una habitación con o sin baño?

10. ¿Tiene la señora su pasaporte?

11. ¿Cuál es el número de la habitación?

12. ¿Quién lleva a la señora a su habitación?

## CAPÍTULO 9—REPASO

*Sustantivos:*

— el amigo
el baile
el cartero
el cheque
el chofer
el dedo
el pasajero
el policía

— la diferencia
la estampilla
la flor
la historia
la plaza
la verdad

*Verbos:*

— bailar
cobrar
comprar
contar
dar
depositar
descansar
firmar

— ganar
jugar
saber
manejar
mostrar
pagar
recibir

*¿Qué está haciendo Ud.?*
Estoy . . .
— trabaj*ando* en la oficina
ley*endo* una carta
sal*iendo* de mi cuarto

*¿Qué deportes practica Ud.?*
Juego (al) . . .
— tenis
fútbol
básketbol

*¿Cuánto/a/os/as . . . ?*
Tengo . . .
— poco dinero
pocos libros

— poca agua
pocas revistas

No tengo . . .
— ningún periódico
ninguna revista

— menos dinero que Ud.
más dinero que Juan
tanto dinero como Carlos

*¿Tiene Ud. algo en la mano?*
— Sí, tengo *algo* en la mano.
No, *no* tengo *nada*.

— Tengo algo *para* leer.
— No tengo nada *más*.

*¿Hay alguien en la oficina?*
— Sí, hay *alguien*.
No, *no* hay *nadie*.

*¿Cuántas veces viene el cartero?*
Viene . . .
— una vez al día
seis veces por semana

*¿A quién da él las cartas?*

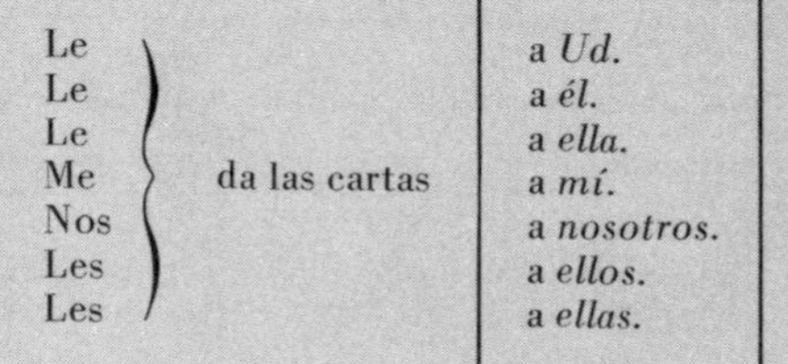


*¿Tiene un coche Juan?*
— Creo que sí.
Creo que no.

*¿Cuándo dice Ud. "Buenos días"?*
— Lo digo *cuando* entro.

*¡Es lo mismo!*
Es . . .
— el mismo trabajo
la misma firma

Estas cosas . . .
— son iguales
no son diferentes

¡ESCUCHE LA CINTA NÚMERO 9!

## LA SEÑORA DE PÉREZ VA A COMPRAR AZÚCAR

*"Hágame un paquete, por favor."*

*La Sra. de Pérez*
*El empleado*

*Empleado* – Buenos días, señora.

*Sra. de Pérez* – Buenos días.

*Empleado* – ¿Qué le doy, señora?

*Sra. de Pérez* – Cinco kilos de azúcar, por favor.

*Empleado* – Aquí los tiene, señora. Cinco kilos de azúcar. ¿Le doy algo más, señora?

*Sra. de Pérez* – Sí. Un kilo de café. Hágame un paquete, por favor.

*Empleado* – Sí, señora. ¿Le mando el paquete a su casa?

*Sra. de Pérez* – Sí, mándeme el paquete a mi casa, por favor. Pero no antes de las 6. ¿Sabe Ud. dónde vivo?

*Empleado* – Sí, señora. En la calle Manzanares, ¿verdad?

*Sra. de Pérez* – Sí, número 18. Gracias y hasta luego.

*Empleado* – Gracias a Ud., señora. Hasta luego.

*(De la cinta 9)*

## EJERCICIO 53

1. ¿Con quién habló el empleado?

2. ¿Qué le dijo a ella?

3. ¿Qué le contestó la señora a él?

4. ¿Cuántos kilos de azúcar compró la señora?

5. ¿Compró algo más? ¿Qué compró?

6. ¿Le hizo un paquete el empleado?

7. ¿Llevó la señora el paquete a su casa?

8. ¿Quién le mandó el paquete a su casa?

9. ¿Recibió el paquete antes o después de las seis?

10. ¿Sabe el empleado la dirección de la señora?

11. ¿En qué calle vive la señora?

12. ¿Cuál es el número de su edificio?

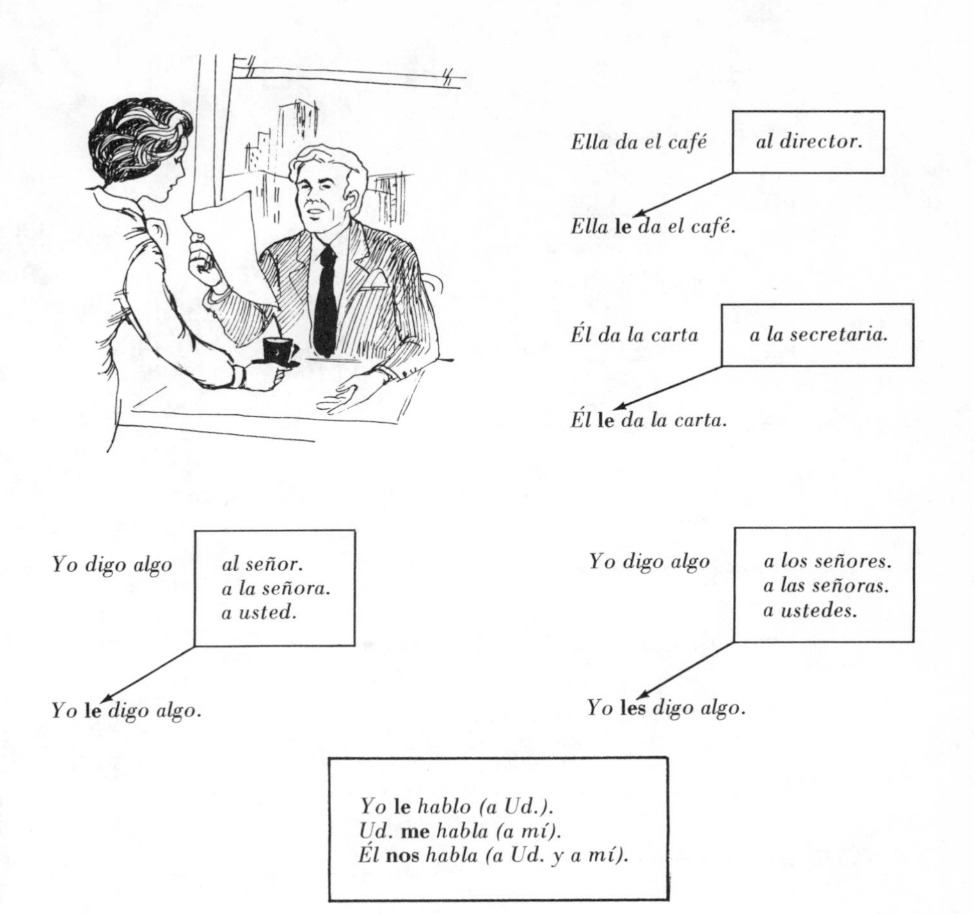

*Ella da el café* | *al director.*

*Ella* **le** *da el café.*

*Él da la carta* | *a la secretaria.*

*Él* **le** *da la carta.*

*Yo digo algo* | *al señor.*
*a la señora.*
*a usted.*

*Yo* **le** *digo algo.*

*Yo digo algo* | *a los señores.*
*a las señoras.*
*a ustedes.*

*Yo* **les** *digo algo.*

*Yo* **le** *hablo (a Ud.).*
*Ud.* **me** *habla (a mí).*
*Él* **nos** *habla (a Ud. y a mí).*

## EJERCICIO 54

*¡Complete las frases!*

*Ejemplo:* Yo le digo algo, pero él no ___*me*___ contesta.

1. Yo no sé quién es ese señor.

   Pero la secretaria ____________________ dice su nombre.

2. Nosotros le decimos "Buenos días".

   Pero él no ______________________ contesta.

3. Yo no sé donde vive Juan.

   Por favor, ¡de ______________________ la dirección!

4. María no la sabe tampoco.

   Por favor, ¡de ______________________ la dirección también!

5. No sabemos en que calle vive.

   Pero ellos ______________________ dicen el nombre.

6. ¿Trae el cartero el correo a Ud. y a mí?

   Sí, él ______________________ trae el correo.

7. ¿Qué da Ud. al chofer de taxi?

   ______________________ doy dinero.

8. ¿Él dice "Buenas tardes" a Ud. y a mí?

   Sí, él ______________________ dice "Buenas tardes".

9. ¿Qué se da al empleado del hotel?

   Se ______________________ dan el nombre y el apellido.

10. ¿Qué da el empleado a Ud.?

    Él ______________________ da la llave de mi habitación.

*En esta cabina hay* **alguien.**
**Alguien** *habla.*

*En esta cabina* **no** *hay* **nadie.**
**Nadie** *habla.*

*María tiene* **algo** *en la mano derecha.*
*Ella* **no** *tiene* **nada** *en la mano izquierda.*

## EJERCICIO 55

*¡Cambie las frases a la forma negativa (o positiva)!*

1. Yo digo algo al director.

_______________________________________________

2. Alguien está hablando por teléfono.

_______________________________________________

3. Yo no tengo nada que hacer.

_______________________________________________

4. Nadie está sentado detrás del escritorio.

_______________________________________________

5. ¡Algo más, por favor!

_______________________________________________

*Ella está hablando por teléfono.*

| | | |
|---|---|---|
| yo | *estoy* | **hablando** |
| usted<br>él/ella | *está* | **aprendiendo**<br>**abriendo** |
| nosotros | *estamos* | **diciendo** |
| ustedes<br>ellos/ellas | *están* | **leyendo**<br>**trayendo** |

## EJERCICIO 56

| **Infinitivo** | **En este momento . . .** |
|---|---|
| *cerrar* | Estoy ___*cerrando*___ la puerta. |
| *entrar* | 1. El profesor está ____________ en la clase. |
| *fumar* | 2. En este momento yo estoy ____________ un cigarrillo. |
| *escribir* | 3. El señor está ____________ su dirección. |
| *hablar* | 4. Estamos ____________ en español. |
| *llegar* | 5. El avión está ____________ al aeropuerto. |
| *subir* | 6. La secretaria está ____________ al tercer piso. |
| *mirar* | 7. Estamos ____________ el mapa. |
| *preguntar* | 8. Estoy ____________ al profesor. |
| *leer* | 9. Los alumnos están ____________ sus ejercicios. |
| *trabajar* | 10. En este momento no estamos ____________ en la oficina. |
| *abrir* | 11. Estoy ____________ la ventana. |
| *salir* | 12. Estamos ____________ del edificio. |
| *aprender* | 13. Estamos ____________ palabras nuevas. |
| *hacer* | 14. Estoy ____________ este ejercicio. |

## EJERCICIO 57

## ¿QUÉ ESTAMOS HACIENDO?

*El Sr. López está jugando con sus hijos.*

*¡Escriba las formas correctas!*

*Ejemplo:* Juega con los niños. — *Está jugando con los niños.*

1. No lee el periódico. ______
2. No fuma un cigarrillo. ______
3. Habla español con sus hijos. ______
4. Les cuenta historias a ellos. ______
5. La madre los mira. ______
6. Los niños aprenden mucho de sus padres. ______
7. Los niños no trabajan. ______
8. Ellos no escriben este ejercicio. ______
9. Yo lo hago. ______
10. Yo contesto. ______

## CAPÍTULO 10—REPASO

*Sustantivos:*
— el armario (placard)
el clóset (ropero)
el lugar
el parque
el paseo
el sueldo
el telegrama

— la agenda
la conversación
la cuenta
la esquina
la llamada telefónica
la parada
la propina
la visita

*Adjetivos:*
— lento/a
importante

*Verbos:*
— esperar
gastar
hacer parar
llamar por teléfono
parar
tocar el timbre
viajar
irse
quedarse

*El verbo "dar":*
— dar una propina al chófer

— dar las gracias
dar los buenos días

— dar un paseo (por la ciudad)

*¿Cuándo viene Ud.?*
Vengo . . .
— por (en) la mañana
por (en) la tarde
por (en) la noche

— ahora mismo

*¿Qué tuve en la agenda ayer?*
— Primero escribí una carta.
Luego hablé por teléfono.
Por último recibí al director.

*¿Qué hicimos ayer?*
Ayer . . .
— llegamos a la escuela
subimos a este piso
aprendimos nuevas palabras

*¿Qué hicieron los alumnos ayer?*
Ayer . . .
— llegaron a la escuela
subieron a este piso
aprendieron nuevas palabras

¡ESCUCHE LA CINTA NÚMERO 10!

## EN LA OFICINA DE LA FÁBRICA

*El Sr. Pérez, ingeniero*
*El Sr. García, director de la fábrica*

*El Sr. Pérez, ingeniero, llega tarde a su oficina*

*Sr. García* – Buenos días, Sr. Pérez.

*Sr. Pérez* – Buenos días, Sr. Director.

*Sr. García* – ¿No está Ud. bien?

*Sr. Pérez* – ¿Yo, Sr. Director? Sí, estoy muy bien. . .

*Sr. García* – ¡Pero son las 11! Y, Ud. sabe, nosotros aquí empezamos a las 9.

*Sr. Pérez* – Tomé un taxi para venir aquí.

*Sr. García* – ¡Ah! ¿No vino en su coche?

*Sr. Pérez* – No. Mi mujer tomó el coche hoy. . . No sé. . . No entiendo para qué. Yo. . .

*Sr. García* – Bueno. Pero Ud. llegó aquí a las 11.

*Sr. Pérez* – Primero fui a la parada del autobús. Esperé 20 minutos y. . .

*Sr. García* – Esperó 20 minutos y el autobús no llegó, ¿no?

*Sr. Pérez* – Así es, Entonces tomé un taxi y. . .

*Sr. García* – Sr. Pérez, son las 11. Por favor, empiece Ud. a trabajar ahora.

# PRONUNCIACIÓN

| | | | |
|---|---|---|---|
| **are — ere — iri — oro — uru** | caro | cartera | camarero |
| | Va para Perú y Uruguay. | | |
| **arra — erre — irri — orro — urru** | perro | cerró | carro |
| | Pero, ¡ése no es mi perro!<br>Este carro es caro.<br><br>Monterrey no está en Inglaterra. | | |
| **ra — re — ri — ro — ru** | revista | ropa | ruido |
| | Recibí el radio de Roma. | | |
| **elle — ye** | ella | llevar | |
| | ¡Vaya Ud.!<br>La llave amarilla es suya. | | |
| **eñe** | España | señora | año |
| | El señor tiene el pañuelo del niño. | | |
| **ia — ía** | Francia | familia | día |
| | María vino hace media hora. | | |
| **ai — aí** | bailar | traiga | |
| | Buenos Aires no es un país. | | |
| **ei — eí** | seis | veinte | treinta |
| | Leí treinta libros. | | |
| **io — ío** | junio | idioma | río |
| | El edificio no es mío. | | |

# EJERCICIO 58

## LE DI LA DIRECCIÓN AL CHÓFER

*El pretérito de* **dar** *es diferente del pretérito de* **hablar.**

| Infinitivos | yo | Ud. |
|---|---|---|
| hablar | hablé | habló |
| dar | di | dio |

*Ponga las frases en pretérito:*

Es sábado. *Fue sábado.*

1. Amanda tiene una visita. ____________
2. Felipe viene a su casa. ____________
3. Él le dice su nueva dirección. ____________
4. Le pregunta por su familia. ____________
5. Le da su nuevo teléfono. ____________
6. Amanda no va al trabajo. ____________
7. Yo tampoco voy al trabajo. ____________
8. Doy un paseo por la ciudad. ____________
9. Compro ropa y zapatos. ____________
10. Gasto 800 pesos. ____________
11. Vuelvo a mi casa en taxi. ____________
12. Pago el taxi. ____________
13. Doy una propina al chófer. ____________
14. Él me da las gracias. ____________

# EJERCICIO 59

## ¿QUÉ HICIERON UDS. AYER?

| Infinitivos | Tiempos | yo | Ud. | nosotros | Uds. |
|---|---|---|---|---|---|
| hablar | *Presente*<br>*Pretérito* | hablo<br>hablé | habla<br>habló | hablamos | hablan<br>hablaron |
| aprender | *Presente*<br>*Pretérito* | aprendo<br>aprendí | aprende<br>aprendió | aprendemos<br>aprendimos | aprenden<br>aprendieron |
| escribir | *Presente*<br>*Pretérito* | escribo<br>escribí | escribe<br>escribió | escribimos | escriben<br>escribieron |

A. *Escriba esto en el pretérito, por favor:*

| Todos los días: | Ayer también: |
|---|---|
| Trabajamos en nuestras profe- | ______________________________ |
| siones. Leemos periódicos y es- | ______________________________ |
| cribimos diferentes cosas. Vol- | ______________________________ |
| vemos a nuestras casas después | ______________________________ |
| del trabajo y descansamos. | ______________________________ |

B. *Ponga estas frases en el plural:*

1. El pasajero habló con el policía.

______________________________________________

2. El policía no abrió las maletas.

______________________________________________

3. Ese señor miró los pasaportes y leyó los nombres.

______________________________________________

4. Él me preguntó algo que yo no entendí.

______________________________________________

## EJERCICIO 60

### AYER DIMOS UN PASEO

| Infinitivos | yo | Ud. | nosotros | Uds. |
|---|---|---|---|---|
| estar | estuve | estuvo | estuvimos | estuvieron |
| tener | tuve | tuvo | tuvimos | tuvieron |
| poner | puse | puso | pusimos | pusieron |
| traer | traje | trajo | trajimos | trajeron |
| hacer | hice | hizo | hicimos | hicieron |
| venir | vine | vino | vinimos | vinieron |
| decir | dije | dijo | dijimos | dijeron |
| dar | di | dio | dimos | dieron |
| ser | fui | fue | fuimos | fueron |
| ir | fui | fue | fuimos | fueron |

A. *Los verbos entre paréntesis están en presente. Póngalos en pretérito, por favor:*

Ayer (nos vamos) ______________________ de paseo fuera de la ciudad. (Damos) ______________________ un paseo al río. Mi hermano, su esposa y yo (vamos) ______________________ en mi coche. (Estamos) ______________________ en el río poco antes de las 11. Primero (ponemos) ______________________ el coche en un buen lugar. Luego (damos) ______________________ una vuelta* a pie y (volvemos) ______________________ para esperar a nuestros amigos.

¡(Esperamos) ______________________ mucho! Por fin a la 1 (llegan) ______________________ los otros. El Sr. Fernández y su esposa (vienen) ______________________ en el coche de él y (traen) ______________________ también a María. Nos (dicen) ______________________ que (tienen) ______________________ problemas con el coche y (están) ______________________ toda la mañana en un garaje.

*dar una vuelta = dar un paseo corto

B. *Escriba los pretéritos:*

1. **ser/ir**

   Ayer _______________ un bonito y soleado día en México; Felipe y Amanda _______________ a pasear al parque.

2. **ir**

   ______________________________ a pasear a los hermosos jardines del parque de Chapultepec.

3. **visitar**

   En la parte alta del parque ________________________ el castillo del mismo nombre, el bonito castillo de Chapultepec.

4. **ver/ser**

   En él _______________ muchas cosas que _______________ del emperador Maximiliano en 1864.

5. **conocer**

   También __________________________________________ la bella carroza que usaba el emperador.

6. **mostrar**

   Los guías les __________________________________ todo lo interesante que había en el castillo.

7. **caminar**

   Toda la tarde _______________ despacio pues querían ver no sólo el castillo sino todo lo que había en el parque.

8. **estar**

   Amanda y Felipe _______________ en el parque muchas horas, todo allí era nuevo para ellos.

9. **tomar/volver**

   ________________________________ el autobús y ________________________________ a su casa.

## EJERCICIO 61

## UN DÍA DE TRABAJO

*Los dos señores tuvieron una conversación importante.*

*Ponga los verbos en pretérito, por favor:*

El señor Alfaro (mira) ___*miró*___ su agenda.

1. ¿Qué (hace)? ¿Qué ______________________________?
2. Su secretaria y él (hacen) ______________________ cuatro llamadas telefónicas.
3. (Llaman) ______________________________ a cuatro firmas diferentes.
4. Luego el señor Alfaro (tiene) ______________________ una visita.
5. Los dos señores (tienen) ______________________ una conversación importante.
6. Después (van) ______________________________ al banco.
7. El señor Alfaro (lleva) ______________________ dos cheques allí.
8. (Deposita) ______________ uno y (cobra) ______________ el otro.
9. (Trae) ______________________________ dinero del banco a su oficina.
10. Por último su jefe y él (reciben) ______________________ la visita del Sr. Ruiz.
11. (Es) ______________________________ una persona importante para ellos.
12. (Hablan) ______________________________ con el Sr. Ruiz hasta las 8.
13. Después (salen) ______________________________ juntos.
14. (Dicen) ______________ "Buenas noches" y (vuelven) ______________ a su casa.

## CAPÍTULO 11 – REPASO

*Sustantivos:*
– el cuchillo
el regalo
el televisor

– la boca
la escritura
la pronunciación

– los anteojos

– las noticias
las tijeras

*Adjetivos:*
– feo/a
hermoso/a
hispanoamericano/a

– algunos/as
todos/as
varios/as

*Verbos:*
– beber
caminar
cantar
comer
conocer
cortar
funcionar
ir de compras

– llamarse
oir
oler
poner atención
pronunciar
usar
vender
ver

*¿Qué flor es?*
Es . . .
– un clavel

– una rosa
una violeta

*¿Cómo huele . . . ?*
– El perfume tiene buen olor.
Huele bien.
– El gas tiene mal olor.
Huele mal.

*¿Cuánto . . . comprará Ud.?*
Compraré . . .
– un kilo de azúcar
medio kilo de mantequilla
una libra de café

– un litro de vino
medio litro de leche

*¿Dónde se compra(n) . . . ?*
Los comestibles se compran . . .
– en una carnicería
en una panadería
en un supermercado
en una tienda de comestibles

*La ropa se compra . . .*
– en una tienda de ropa
en una boutique

*Los zapatos se compran . . .*
– en una zapatería

*¿Qué comemos?*
Comemos . . .
– (el) pan
(el) queso
(la) cebolla
(la) mantequilla
(la) mermelada

– (la) carne . . .
de cerdo
de cordero
de ternera
de vaca

– huevos fritos . . .
con tocino
con jamón

– uvas

*¿Qué bebemos?*
Bebemos . . .
– chocolate
jugo de naranjas

*¿Cómo hace Ud. sus ejercicios?*
Los hago . . .
– bien/mal
con atención

*¿Qué hará Ud. mañana?*
Mañana . . .
– iré a la oficina
tomaré el autobús
diré "Buenos días"
trabajaré todo el día, etc.

*¿Cuándo se dice . . . ?*
Se dice . . .
– al llegar
al recibir un regalo
al irse, etc.

*¿Cuándo . . .?*
– Fue a México *hace un mes.*
– Iré a Colombia *dentro de un mes.*

*¿Ve Ud. al Sr. López?*
– Sí, *lo veo trabajar.*
No, pero *lo oigo hablar.*

¡ESCUCHE LA CINTA NÚMERO 11!

## EL DESAYUNO

*"¿Un jugo de qué, señor?"*

*El camarero*
*Un señor inglés o americano*
*Una señora latinoamericana*

*(En un pequeño café latinoamericano)*

*Camarero* – ¿Va a desayunar, señor?

*Señor* – Sí.

*Camarero* – ¿Qué le traigo?

*Señor* – Tráigame un . . .

*(Gran ruido de tazas y botellas)*

*Camarero* – Perdone, señor, no entendí. ¿Qué me dijo, por favor?

*Señor* – Le dije: un jugo de pomelo.

*Camarero* – ¿Jugo de qué, señor?

*Señor* – Un jugo de pomelo.

*Camarero* – Ah, no. Eso no tenemos.

*Señor* – Entonces, dos huevos.

*Camarero* – Perdón. ¿Dijo Ud. uvas?

*Señor* – No. Dos huevos.

*Camarero* – ¡Ah! ¿Huevos fritos?

*Señor* – Sí. Con tostadas.

*Camarero* – Perdone, pero tostadas no hay. ¿Le traigo bollitos?

*Señor* – Sí, está bien.

*Camarero* – *(Escribiendo)* Dos huevos fritos y dos bollitos. ¿Con mantequilla?

*Señor* – Sí, por favor.

*(Entra una señora)*

*Señora* – Camarero, por favor.

*Camarero* – Sí, señora.

*Señora* – Un exprés y un bollito.

*Camarero* – ¡Cómo no*, señora!

*Camarero* – *(Se va)* Un exprés y un bollito. ¡Perfecto! ¡Pero ése! ¿Qué dijo ése? "Jugo de pomelo; con tostadas y huevos." ¿Qué desayuno es ése?

*cómo no = sí

## EJERCICIO 62

### ¿CÓMO SE LLAMA UD.?

yo me llamo Manuel Ramírez
Ud. se llama Juan Acuña
él se llama Pedro
ella se llama María
nosotros nos llamamos Ramírez
Uds. se llaman Acuña
ellos se llaman López
ellas se llaman Pérez

A. *Escriba los presentes de estos verbos:*

1. *irse*

yo ______________________

Ud. ______________________

él ______________________

nosotros ______________________

Uds. ______________________

ellos ______________________

2. *quedarse*

yo ______________________

Ud. ______________________

ella ______________________

nosotros ______________________

Uds. ______________________

ellas ______________________

B. *Conteste las preguntas:*

1. ¿Se llama María ella? No, ______________________
2. ¿Se queda aquí esa señorita? No, ______________________
3. ¿Y Ud. se va con ella? No, ______________________
4. ¿Me voy con Ud.? No, ______________________
5. ¿Nos vamos juntos? No, ______________________
6. ¿Nos quedamos aquí hasta la una? No, ______________________

## EJERCICIO 63

### ¿VAMOS AL CINE?

| Infinitivos | Tiempo | yo | Ud., él, ella | nosotros | Uds., ellos, ellas | ¡Por favor . . . |
|---|---|---|---|---|---|---|
| **ver** | *Presente*<br>*Pretérito* | veo<br>vi | ve<br>vio | vemos<br>vimos | ven<br>vieron | vea! |
| **oír** | *Presente*<br>*Pretérito* | oigo<br>oí | oye<br>oyó | oímos | oyen<br>oyeron | oiga! |
| **conocer** | *Presente*<br>*Pretérito* | conozco<br>conocí | conoce<br>conoció | conocemos<br>conocimos | conocen<br>conocieron | conozca! |

A. *Ponga en singular:*

Vamos al cine. *Voy al cine.* ______________________.

1. Vemos una película cada semana. ______________________
2. No conocemos al director de esta película. ______________________
3. No oímos bien la música de la película. ______________________
4. Después compramos una cinta con esa música. ______________________

B. *Ponga en pretérito:*

1. Miro dentro de la cartera, pero no veo ningún boleto.

______________________________________________

2. María también mira pero tampoco los ve.

______________________________________________

3. Ella dice algo, pero yo no la oigo.

______________________________________________

4. No le contesto nada.

______________________________________________

## EJERCICIO 64

## OIGO LA MÚSICA PERO MIRO *A* LA SEÑORITA

| Oigo la música. | Miro el coche. |
|---|---|
| Oigo **a** Rosita. | Miro **al** Sr. Pérez. |

*Ponga la palabra* **a** *en los lugares correctos:*

A.

1. Miré _____ la clase.
2. Miré _____ las paredes.
3. Miré _____ mi profesor.
4. Miré _____ los otros alumnos.
5. Miré _____ las cosas de la clase.
6. Miré _____ las personas.

B.

1. Vi _____ algo en la clase.
2. Vi _____ alguien.
3. Vi _____ las sillas.
4. Vi _____ la Srta. Rosa.
5. Vi _____ todo.
6. Vi _____ todos.

C.

1. Escucho _____ l profesor.
2. Escucho _____ sus preguntas.
3. Escucho _____ los niños.

D.

1. Oigo _____ l Sr. Pérez.
2. Oigo _____ mis amigos.
3. Oigo _____ las voces de mis amigos.

E.

1. Conozco _____ esta ciudad.
2. Conozco _____ muchas personas aquí.
3. Conozco _____ la casa de Juan.

F.

1. No veo _____ nada.
2. No veo _____ nadie.
3. No sé _____ nada.

## EJERCICIO 65

### BIEN O MAL

| Este cuchillo es **bueno**. Corta **bien.** |
|---|
| Mi inglés es **malo.** Hablo **mal.** |

A. *Ponga las formas correctas:* **bueno, buena, bien; malo, mala, mal.**

1. Mi nuevo coche es bueno. Funciona muy_______________ .
2. Ud. tiene una buena pronunciación. Ud. pronuncia _______________ el español.
3. Juanito tiene mala voz. Canta muy _______________ .
4. Esa señorita es una _______________ secretaria. Trabaja muy bien.
5. Mi cámara fotográfica no funciona bien. Es _______________ .
6. Estas tijeras son malas. Cortan muy _______________ .
7. La Srta. Smith habla español bien. Su español es _______________ .
8. Yo escribo_______________ . Mi escritura es mala.

B. *Lea estas formas:*

| | | |
|---|---|---|
| un vino **bueno** | o | un **buen** vino |
| un amigo **malo** | o | un **mal** amigo |
| el libro **primero** | o | el **primer** libro |
| el piso **tercero** | o | el **tercer** piso |
| una ciudad **grande** | o | una **gran** ciudad |

C. *Ponga las formas correctas:*

1. *(bueno, etc.)* Ese vino es ___________. Es un ___________ vino. Se vende ___________ .
2. *(malo, etc.)* Ese amigo es ________. Es un ________ amigo. Habla________ de nosotros.

## EJERCICIO 66

*Ponga las formas correctas:*

1. **hablar**

   El español ______________________________ en 20 países.

2. **hablar**

   En Canadá ______________________________ 2 idiomas : inglés y francés.

3. **hablar**

   ¿Qué idioma ______________________________ en Brasil?

4. **aprender**

   ¿Qué idioma ______________________________ en este curso?

5. **hablar**

   En la tienda de comestibles ______________________________ más de un idioma.

6. **comprar**

   Los comestibles ______________________________ en esta tienda.

7. **vender**

   El pan ______________________________ en las panaderías.

8. **vender**

   Los zapatos ______________________________ en las zapaterías.

9. **hacer**

   ¿Qué ______________________________ en las tiendas?

10. **usar**

    Las pesetas ______________________________ en España.

## LOS COMESTIBLES

*Lea con mucha atención estos nombres:*

*tajada: en España – rebanada
tocino: en España – bacon

EJERCICIO 67

CRUCIGRAMA

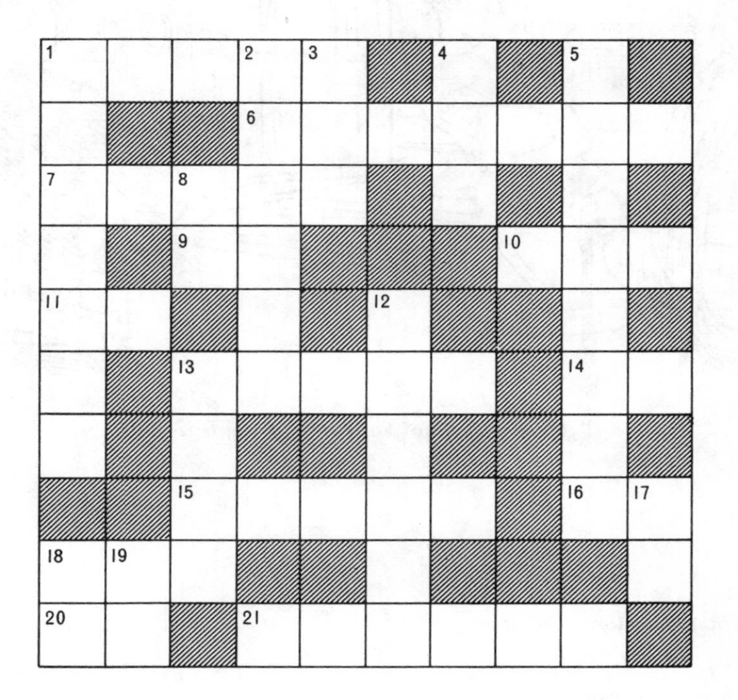


**HORIZONTALES**

1. Verdura.
6. Desayuno, almuerzo, cena.
7. No entran.
9. Yo . . . un ruido.
10. Ese libro es suyo, pero éste es . . .
11. No veo . . . profesor.
13. El (1 vertical) es . . . (5 vertical) que frío.
14. Digo esta palabra cuando no quiero hacerlo.
15. (1 horizontal) se ponen ahí.
16. El vino chileno . . . bueno.
18. Ésta mesa está aquí, . . . mesa está allí.
20. Lo contrario de (14 horizontal).
21. Fruta que comemos con crema.

**VERTICALES**

1. Me gusta comerlo con limón.
2. En la ensalada se pone sal, pimienta, vinagre y . . .
3. Las (1 horizontal) . . . sabrosas.
4. Ayer le . . . la propina al camarero.
5. El (1 vertical) es sabroso cuando se come...
8. Me gusta más . . . dulce que . . . salado.
12. Fruta, helados.
13. "No se adónde va esta carretera; déme el . . .".
17. Igual que el 20 horizontal.
18. Lo mismo que el 16 horizontal.
19. Igual que el 17 vertical.

## DON RUFINO PINO SE VA A ROSARIO . . .

*"¡Oh, don Rufino! Su tren se fue sin Ud."*

*Don Rufino Pino, un señor de 80 años*
*Una señorita*
*Un empleado* de la estación*

*En una estación de Argentina*

*Señorita* – ¡Don Rufino! ¡Don Rufino! ¿Está aquí don Rufino Pino?

*Empleado* – ¿Quién? ¿El Sr. Espino?

*Señorita* – No, el Sr. Pino. Don Rufino Pino.

*Empleado* – Pero, señorita. ¿Quién es este don Rufino Pino?

*Señorita* – Es un señor que viene a tomar el tren para Rosario. Un señor de 80 años.

*Empleado* – No, señorita. Aquí no hay ningún don Rufino.

*empleado = persona que trabaja en una estación, un banco, una oficina, etc.

*Señorita* – ¡Ay! ¿Qué voy a hacer? Don Rufino no tiene un peso en el bolsillo. Ya son las 2 y don Rufino no llega.

*(Sale un tren de la estación)*

*Señorita* – Y ahora se va el tren. ¡El tren para Rosario!

*(Llega un señor de 80 años.)*

*Señorita* – ¡Oh, don Rufino!

*Sr. Pino* – Buenas tardes, señorita. Buenas tardes.

*Señorita* – Su tren se fue sin Ud.

*Sr. Pino* – Sí, lo sé. El tren no me esperó.

*Señorita* – Le traje el dinero y le compré su pasaje.*

*Sr. Pino* – ¡Oh gracias, gracias! Pero el tren se fue . . . ¿Sabe Ud. si hay otro tren hoy?

*Señorita* – Veamos el horario. Aquí está: "Tren expreso a Rosario a las 16."

*Sr. Pino* – Excelente.

*Señorita* – Aquí está su boleto, don Rufino. Tómelo. Póngalo en el bolsillo.

*Sr. Pino* – ¿En el bolsillo? No, ahora no. Tengo muchas cosas en los bolsillos. Después. Démelo después.

*Señorita* – Le traje el diario* y su señora le mandó este libro.

*Sr. Pino* – Bien. Muchas gracias, señorita.

*(El altavoz de la estación: – "Entrando a la estación el tren expreso a Pergamino, Rosario y Córdoba")*

*Señorita* – Llegó su tren, don Rufino. ¡Suba!

*Sr. Pino* – Subiré aquí.

*Señorita* – Buen viaje, don Rufino.

*Sr. Pino* – Adiós, adiós. Y muchas gracias. Gracias por el diario. Gracias por el libro. Gracias por el dinero. Gracias . . .

*(Sale el tren)*

*Señorita* – ¡Don Rufino! ¡Don Rufino! ¡Ay, Dios mío! No tomó el boleto y tampoco le di el dinero. Y ahora va a Rosario y no tiene un peso en el bolsillo.

*(De la cinta 11)*

*pasaje: en España – billete
diario = periódico

## CAPÍTULO 12 – REPASO

*Sustantivos:*

– el bistec
el limón
el mediodía
el menú
el postre
el sándwich

– la chuleta de cerdo
la cuenta
la guía
la tajada
de queso
de jamón
la temperatura
la vuelta

*Adjetivos:*

– abierto/a
caliente
lleno/a
ocupado/a

– cerrado/a
frío/a
vacio/a
desocupado/a

*Verbos:*

– buscar
cambiar
encontrar
una cosa
*a* una persona
pedir
perder
preferir
recomendar

*¿Qué le gusta a Ud.?*
*A mí* me gusta . . .
– el pescado
la sopa
la dulce

– la música clásica

– bailar
viajar
mirar la televisión, etc.

*¿Cómo se pone la mesa?*
En la mesa se pone . . .
– un plato
un tenedor

– una copa
una servilleta

*¿Qué va a comer?*
Me gustaría . . .
– una entrada
luego una sopa, etc.

*¿Qué me recomienda Ud.?*
Le recomiendo el menú del día.

*¿Qué sabor tiene el/la . . .?*
Tiene buen sabor.
Es muy sabroso/a.

El sabor es . . .
– ácido
amargo
dulce

– picante
salado
soso

*¿Cómo se hace una ensalada?*
Se toma una lechuga. Se pone . . .
– sal
pimienta

– aceite
vinagre

*¿Qué le gustaría de postre?*
De postre me gustaría(n) . . .
– fruta:
duraznos
fresas con crema
manzanas

– naranjas
plátanos

– helado

*¿Qué vino es mejor?*
El vino chileno es *mejor que* el vino de California.

*Las comidas:*
– el desayuno (desayunar)
el almuerzo (almorzar)
la cena (cenar)

*Bebidas:*
– agua mineral
cerveza
una gaseosa

*A mí me gustan . . .*
– los tomates
las papas
las zanahorias

*Antes de la comida:*
– "¡Buen apetito!"

¡ESCUCHE LA CINTA NÚMERO 12!

## LA LINDA SECRETARIA

*El Sr. Ruiz, jefe de la firma*
*El Sr. Alfaro, una visita de otra firma*
*La Srta. Donoso, la linda* secretaria*

*En la oficina del Sr. Ruiz, a las 10 de la mañana*

*Sr. Alfaro* – Buenos días, Sr. Ruiz, ¿Cómo está Ud.?

*Sr. Ruiz* – Bien, gracias. ¿Y Ud., Sr. Alfaro?

*Sr. Alfaro* – Muy bien, gracias. Dígame, Sr. Ruiz. Esa señorita es nueva aquí, ¿verdad?

*Sr. Ruiz* – Sí. Es la señorita Donoso.

*Sr. Alfaro* – ¡Es muy bonita, muy bonita!

*Sr. Ruiz* – Sí, no es fea, pero . . .

*Sr. Alfaro* – ¿Pero qué?

*linda = muy bonita

| | | |
|---|---|---|
| *Sr. Ruiz* | – | Escuche. ¿La oye escribir a máquina? Es muy lenta. Y no escribe una página correcta. |
| *Sr. Alfaro* | – | ¡Pero es muy linda! ¡Qué ojos azules tiene! ¡Y ese pelo rubio! ¡Y qué manos, pequeñas y . . . |
| *Sr. Ruiz* | – | Bueno, amigo. Dígame, ¿me trajo las cartas de su firma? |
| *Sr. Alfaro* | – | ¿Las cartas? Están aquí. Las mandamos el martes. |
| *Sr. Ruiz* | – | ¿Ah, sí? Entonces, llamaremos a mi linda secretaria. *(Abriendo la puerta)* ¡Srta. Donoso, venga un momento, por favor! |
| *Srta. Donoso* | – | ¡Sí, señor director! Le traigo su café. *(Entra con el café)* ¿Dónde lo pongo? ¿Está bien aquí? |
| *Sr. Ruiz* | – | ¡Oh, no, señorita! No ponga el café encima de los papeles. Póngalo en el escritorio, por favor. Gracias. |
| *Sr. Ruiz* | – | Vea Ud., amigo. Esto no es un exprés, es un café con leche. |
| *Sr. Alfaro* | – | ¿No le gusta el café con leche? |
| *Sr. Ruiz* | – | Yo no tomo leche. Todos los días pido café exprés. Pero la Srta. Donoso no lo entiende. |
| *Sr. Alfaro* | – | Pero, . . . ¡qué bonita es! |
| *Sr. Ruiz* | – | Bueno. Entonces, las cartas de su firma. *(Abriendo la puerta)* ¡Señorita Donoso, por favor! *(La señorita no contesta)* ¿Ve Ud.? ¡Está hablando por teléfono! |
| *Sr. Alfaro* | – | ¿Y qué tiene de malo? Ese es su trabajo, ¿no? |
| *Sr. Ruiz* | – | Oh, sí. Pero ella, cuando está en la oficina, habla con su madre, habla con su padre, con su hermana, con su amigo Juan, con su amigo Pedro, con su amigo . . . |
| *Sr. Alfaro* | – | ¿Habla con sus amigos? Ah, ahora lo entiendo. Empiezo a entender . . . |
| *Sr. Ruiz* | – | Sí, mi secretaria es muy bonita, pero . . . |

*Habla con su madre, con su padre, con su amigo Juan . . .*

## EJERCICIO 68

### ¿LE GUSTA A UD. BEBER?

A mí me gusta beber café *o* me gusta beber café.

A mí no me gusta beber cerveza *o* no me gusta beber cerveza.

| |
|---|
| (A mí) (no) me gusta |
| (A Ud.) (no) le gusta |
| (A él) (no) le gusta |
| (A ella) (no) le gusta |
| (A nosotros) (no) nos gusta |
| (A Uds.) (no) les gusta |
| (A ellos) (no) les gusta |
| (A ellas) (no) les gusta |

A. *Conteste las preguntas con* **sí** *y con* **no**. *Use las formas largas de* **gustar**:

1. ¿Le gusta a Ud. caminar?

   Sí, ______________________________

   No, ______________________________

2. ¿Me gusta a mí viajar?

   Sí, ______________________________

   No, ______________________________

3. ¿Nos gusta a nosotros trabajar?

   Sí, ______________________________

   No, ______________________________

4. ¿Les gusta a los niños ir a la escuela?

   Sí, ______________________________

   No, ______________________________

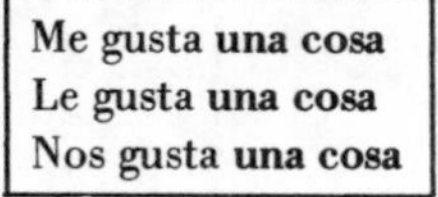
Me gusta **una cosa**
Le gusta **una cosa**
Nos gusta **una cosa**

Me gustan **varias cosas**
Le gustan **varias cosas**
Nos gustan **varias cosas**

B. *Escriba nuevas frases; use las formas cortas:*

*Ejemplos:* Ud. come muchas verduras. *Le gustan las verduras.*

Él no toma cerveza. *No le gusta la cerveza.*

1. Yo como mucho pan. ______
2. No como muchas tostadas. ______
3. Ud. come muchos sándwiches. ______
4. Ud. toma mucho café. ______
5. Ud. no toma café con leche. ______
6. Juan no come mantequilla. ______
7. María compra muchas flores. ______
8. Esos niños no comen queso. ______
9. Ellos comen muchos dulces. ______
10. Yo como mucha carne. ______
11. Yo no como cordero. ______
12. Nosotros comemos muchas chuletas. ______
13. Nosotros no ponemos pimienta en la comida. ______
14. Yo no como platos muy picantes. ______
15. ¿Come Ud. muchas verduras? ______
16. ¿Come Ud. mucha fruta? ______
17. ¿Comen mucho pescado sus amigos? ______
18. Los niños toman muchos helados. ______
19. Los niños comen mucho chocolate. ______
20. Ellos no fuman cigarrillos. ______

## EJERCICIO 69

## ¿PIDIÓ VINO BLANCO O TINTO?

| Infinitivo | Tiempos | yo | Ud. | nosotros | Uds. | ¡Por favor ... |
|---|---|---|---|---|---|---|
| pedir | *Presente*<br>*Pretérito* | pido<br>pedí | pide<br>pidió | pedimos | piden<br>pidieron | pida! |

*Ponga estas frases en pretérito:*

1. Pido una chuleta de cordero. ______________________
2. Me gusta el cordero. ______________________
3. Pido también media botella de vino blanco. ______________________
______________________
4. El cordero y el vino me gustan mucho. ______________________
______________________
5. ¿Qué pide Ud.? ______________________
6. Ud. come pescado frito y toma cerveza. ______________________
______________________
7. ¿Le gusta el pescado? ______________________
8. Juan y María piden lo mismo. ______________________
9. No les gusta la cerveza. ______________________
10. Juan pide la cuenta y paga. ______________________
11. Yo también pido mi cuenta y la pago. ______________________
______________________
12. María pierde sus guantes. ______________________
13. Juan los busca. ______________________
14. Pero no los encuentra. ______________________

## EJERCICIO 70

### ¿SER O ESTAR?

A las 7 de la mañana, la puerta del edificio **está cerrada**. A las 8 **está abierta**. A las 11 de la noche está **cerrada de nuevo**. Mañana a las 8, **estará abierta** otra vez.

A. *Ponga* **ser** *o* **estar**:

La puerta ___*es*___ grande. *(Esto no cambia.)*

La puerta ___*es*___ negra. *(Esto no cambia.)*

La puerta ___*está*___ cerrada. *(Esto cambia todo el tiempo.)*

La puerta ___*está*___ abierta. *(Esto cambia todo el tiempo.)*

1. Este vaso ________ pequeño.
   Este vaso ________ bonito.
   Este vaso ________ lleno.
   Este vaso no ______ vacío.

2. La mesa ________ grande.
   La mesa ________ marrón.
   La mesa no ________ ocupada en este momento.
   La mesa ________ desocupada en este momento.

3. El café de Colombia ________ bueno.
   Este café ________ caliente.
   Después de una hora ________ frío.

4. ¿Cómo ________ Ud. hoy?
   Hoy no ________ muy bien.
   Pero mañana ________ mejor de nuevo.

5. Mi maleta ________________ grande y ________________ llena de ropa.

6. En este restaurante la comida cambia mucho de un día a otro.
   Ayer ________ buena, pero hoy ________ mala.
   ¿Cómo ________ su bistec?

7. Puse azúcar en el café. Ahora ________ dulce.

8. Ellos tomaron el vino. Ahora la botella ________ vacía.

9. La sopa ________ muy caliente. Esperaré unos minutos.
   Después ________ bien.

B. *Complete las frases usando el verbo* **estar**:

Escribo cartas todos los días. Pero en este momento no *estoy escribiendo.*

1. Trabajo todos los días. Pero en este momento no ______________________.
2. Juan lee el periódico todos los días. Pero en este momento no lo ______________________.
3. Ud. oye hablar español todos los días. Pero en este momento no ______________________ hablar español. Lo está leyendo.
4. Almorzamos todos los días. Pero en este momento no ______________________.

## EJERCICIO 71

| Vi a Juan en el momento cuando salí del banco. |
|---|
| = Vi a Juan **al salir** del banco. |

*Escriba frases completas usando* **al**:

1. Ud. vio a la nueva secretaria. (Ud. llegó a la oficina).

______________________________________________

2. (Ud. vio a la nueva secretaria). Ud. le dijo "buenas tardes".

______________________________________________

3. (Entró a la oficina). Habló con el director.

______________________________________________

4. (Ud. se fue). Dijo "hasta mañana".

______________________________________________

5. (Terminó su trabajo). Se fue a su casa.

______________________________________________

## EJERCICIO 72

## LO FÁCIL Y LO DIFÍCIL

A. *Cambie las frases usando* **lo**:

Para aprender bien un idioma, **la cosa importante** es hablar mucho.

*Para aprender bien un idioma, lo importante es hablar mucho.*

1. **La cosa más fácil** en español es la pronunciación.

_______________________________________________

2. **La cosa más difícil** son los verbos.

_______________________________________________

3. Nuestro profesor dijo **la misma cosa.**

_______________________________________________

4. En el restaurante vi el plato de otro señor y dije al camarero: "Tráigame **la misma cosa.**"

_______________________________________________

5. **Las cosas buenas** cuestan caro.

_______________________________________________

B. *Complete las frases:*

Hoy es viernes. El trabajo empezó el lunes. Empezó *hace cinco días.*

1. El trabajo terminó el miércoles. Terminó ______________________.
2. Estamos en diciembre. Mis amigos se fueron en octubre. Se fueron ______________.
3. Son las 10. Estamos aquí desde las 9. Llegamos ______________________.
4. ¿Cuánto tiempo ____________ que empezó Ud. a tomar lecciones?
5. Empecé ______________seis semanas.

# EJERCICIO 73

## TRABAJAREMOS EN CUERNAVACA

| Infinitivos | yo | Ud., él, ella | nosotros | Uds., ellos, ellas |
|---|---|---|---|---|
| **trabajar** | trabajaré | trabajará | trabajaremos | trabajarán |
| **comer** | comeré | comerá | comeremos | comerán |
| **vivir** | viviré | vivirá | viviremos | vivirán |

*Ponga estas frases en el futuro:*

1. Hago un viaje con mi jefe.

   ______________________________

2. Llegamos a Cuernavaca.

   ______________________________

3. Trabajamos aquí hasta noviembre.

   ______________________________

4. Vivimos en un apartamiento muy bonito.

   ______________________________

5. Comemos en varios restaurantes.

   ______________________________

6. Por la tarde salgo a caminar.

   ______________________________

7. Pregunto a un policía dónde está la plaza.

   ______________________________

8. Voy a un café y pido un exprés.

   ______________________________

9. Vuelvo al apartamiento y descanso.

   ______________________________

## UNA CENA EN EL RESTAURANTE

*El Sr. Cordero*
*Carlota, esposa del Sr. Cordero*
*El camarero*

*(El Sr. Cordero está en su oficina. Son las 7. Tiene hambre*, y llama por teléfono a su esposa.)*

*Sra. de Cordero* – ¡Diga! ¿Quién habla?

*Sr. Cordero* – Soy yo, Carlota. Tengo hambre. ¿Vamos a cenar al restaurante esta noche?

*Sra. de Cordero* – ¡Oh, sí! ¡Qué buena idea!

*Sr. Cordero* – Entonces a las 9, en "La Gallina Verde". ¿Sí?

*Sra. de Cordero* – Sí, querido. En "La Gallina Verde", a las 9.

*me gustaría comer algo = tengo hambre

*(A las 9 de la noche, el Sr. Cordero llega al restaurante "La Gallina Verde". La señora no está. El Sr. Cordero espera y espera. Son las 10 y su esposa no llega.)*

*Sr. Cordero* – ¡Qué mujer ésta! ¡Qué mujer! Son ya las 10 y Carlota no llega.

*(Llega la Sra. de Cordero.)*

*Sra. de Cordero* – Hola, querido. ¿Qué tal?

*Sr. Cordero* – ¡Carlota! Estoy esperando desde las 9. ¡Hace una hora que espero!

*Sra. de Cordero* – ¿Qué comemos?

*Sr. Cordero* – ¡Qué comemos! ¡Qué comemos!

*Sra. de Cordero* – Pues sí. ¿Qué comemos? Perdona querido, pero cuando estoy en un restaurante a mí me gusta comer.

*Sr. Cordero* – ¡Camarero, el menú, por favor!

*(Viene un camarero.)*

*Camarero* – Sí, señor. Aquí tiene el menú.

*Sr. Cordero* – A ver. ¿Una entrada* o una sopa? Sardinas, aceitunas, jamón . . .

*Sra. de Cordero* – ¿Una entrada? No. Una sopa para mí. Un caldo de pollo.

*Camarero* – ¿Con huevo, señora?

*Sra. de Cordero* – Sí, con huevo.

*Sr. Cordero* – Para mí también.

*Camarero* – Muy bien, señor. ¿Y de segundo plato? ¿Qué les traigo? ¿Pescado? ¿Un bistec?

*Sra. de Cordero* – A mí me gustaría un bistec.

*Sr. Cordero* – Sí, tráiganos bistec.

*Camarero* – Muy bien. Dos bistecs. ¿Con qué les traigo los bistecs? ¿Con papas* fritas?

*Sra. de Cordero* – No. Yo prefiero arroz.

*Sr. Cordero* – Para mí con verduras.

*Camarero* – Y de postre, ¿helados o fruta?

*Sra. de Cordero* – Yo prefiero un helado.

*Sr. Cordero* – A mí tráigame fresas con crema.*

*Camarero* – Muy bien, señor. Muchas gracias.

*(De la cinta 12)*

*entrada: en España – entremeses
papas: en España – patatas
crema: en España – nata

## CAPÍTULO 13 – REPASO

*Sustantivos:*
– el asiento
el cenicero
el coctel
el estacionamiento
el mecánico
el pedazo
el sobre
el teléfono público

– la cabina
la dificultad
la gente

*Adjetivos:*
– listo/a
ocupado/a

*¿Qué es lo contrario . . .?*
Lo contrario de . . .
– nuevo es viejo
lejos es cerca, etc.

*Verbos:*
– arreglar
dejar
estudiar
irse (de viaje)
marcar
un número
meter
nadar

– necesitar
pensar (en)
romper
sacar . . .
entradas
fotos
un pasaje
vivir

*Verbos modales:*
– poder
*(puedo, puede, podemos, pueden)*
– tener que
*(tengo, tiene, tenemos, tienen que)*
– querer
*(quiero, quiere, queremos, quieren)*

*¿Puede comprar un coche Juan?*
Sí, puede comprar un coche . . .
– tiene mucho dinero

*¿Puede Ud. romper su reloj?*
– Sí, *puedo romperlo,* pero no *quiero* romperlo.

*¿Se puede fumar aquí?*
– Sí, se puede fumar aquí.
No, no se puede fumar aquí.

*Yo no sé que hacer.*
– ¡Vamos al cine!
¡Miremos una película! etc.

*¿Si se quiere escuchar música, que hay que hacer?*
Hay que . . .
– ir a un concierto
poner una cinta en la grabadora, etc.

*¿Por qué toma Ud. un taxi?*
Tomo un taxi porque . . .
– vivo demasiado lejos
no hay autobuses
estoy muy ocupado, etc.

*¿Está comiendo Ud.?*
– *Todavía* no, pero voy a comer.

*¿Ya estamos en diciembre?*
– Sí, ya estamos en diciembre.
No, *no* estamos *todavía* en diciembre.

*¿Qué entendió Ud.?*
– Entendí *todo lo que* dijo.

¡ESCUCHE LA CINTA NÚMERO 13!

## ALÓ

La palabra que se usa para empezar una conversación telefónica, no es la misma en todos los países hispánicos.

La palabra "aló" se usa en toda Sudamérica, menos en Argentina y Uruguay. Los argentinos y los uruguayos empiezan sus llamadas telefónicas diciendo "holá".

En México se dice algo muy diferente: "bueno".

¿Y en España? Los españoles usan "oiga" al llamar y "diga" al contestar el teléfono.

Aprenda Ud. la palabra que para Ud. es más importante. Y recuerde que, si viaja por Hispanoamérica, al usar el teléfono va a oír "bueno", "aló", "holá" y otras cosas más.

## EJERCICIO 74

## LO QUE COMPRÓ

| | | |
|---|---|---|
| Muéstreme *la cosa que* Ud. compró. | = | Muéstreme **lo que** Ud. compró. |
| Muéstreme *las cosas que* Ud. compró. | | |

*Cambie estas frases usando* **lo que***:*

1. Le preguntaré *la cosa que* no entiendo.

_______________________________________________

2. Pídanos *las cosas que* necesita.

_______________________________________________

3. Todas *las cosas que* compré están en esta maleta.

_______________________________________________

4. *La cosa que* hay que hacer, es leer periódicos en español.

_______________________________________________

5. *La cosa que* se necesita para eso, es tiempo.

_______________________________________________

## EJERCICIO 75

## QUIERO IR PERO NO PUEDO

A. *Escriba las frases usando una forma del verbo* **querer: quiero, quiere, queremos, quieren.**

Voy al restaurante para comer.

*Voy al restaurante porque quiero comer.*

1. Nuestros amigos nos llaman para recomendarnos un hotel.

 ______________________________

2. Vamos al hotel para pedir una habitación.

 ______________________________

3. Vamos al restaurante del hotel.

 ______________________________

4. Ud. lee el menú para pedir la cena.

 ______________________________

5. Ud. llama al camarero para pagar la cuenta.

 ______________________________

6. Vamos al cine para ver una película.

 ______________________________

B. *Conteste con una de las formas del verbo* **poder: puedo, puede, podemos, pueden.**

Vaya Ud. con ellos, señorita.

*No, no puedo ir con ellos.*

1. Espere Ud. un momento, señora, por favor.

 No, ______________________________

2. Esperen Uds. aquí.

 No, ______________________________

3. Llame a Juan por teléfono.

   No, ______________________________

4. Él quiere venir con nosotros.

   Pero no ______________________________ después de la cena.

5. Juan y yo queremos encontrarnos esta noche.

   Pero no ______________________________ en mi habitación.

6. Encuéntrese Ud. con nosotros.

   No, ______________________________ con Uds.

C. *Escriba una de las formas del verbo* **tener que: tengo que . . . , tiene que . . . , tenemos que . . . , tienen que . . .**

   La señora me dice: "Espere aquí, por favor".

   *La señora me dice que tengo que esperar.*

1. La señora me dice: "Vaya a ver la ciudad con Carlos".

   ______________________________

2. Ella le dice a Carlos también: "Muestre la ciudad a nuestro amigo".

   Carlos ______________________________

3. Ella nos dice a Carlos y a mí: "Vayan también al museo".

   Carlos y yo ______________________________

4. Nos dice: "Vuelvan antes de las 8".

   ______________________________

5. Ella nos dice: "Cenemos a las 9".

   ______________________________

6. Decimos a la señora: "Salga con nosotros mañana".

   ______________________________

## EJERCICIO 76

### ¡POR FAVOR, HABLE MÁS LENTO!

| Infinitivo | Tiempos | yo | Ud. | nosotros | Uds. |
|---|---|---|---|---|---|
| hablar | *Presente* | hablo | habla | hablamos | hablan |
| | *Imperativo* | - - - | hable | hablemos | hablen |

A. *Por favor, escriba los imperativos para estos presentes:*

Ud. habla más lento. *Hable más lento.*

1. Ud. habla con el empleado. ______
2. Hablamos español aquí. ______
3. Uds. también hablan más lento. ______
4. Ud. no lleva las maletas al hotel. ______
5. Las deja en mi casa. ______
6. Ud. mira el horario. ______
7. Miramos el horario. ______
8. Llamamos un taxi. ______
9. Tomamos este taxi. ______
10. Ud. se queda con nosotros. ______
11. Uds. nos esperan. ______
12. Uds. dejan sus abrigos aquí. ______
13. Dejamos algo para el muchacho. ______
14. Ud. pasa por mi oficina mañana. ______
15. Ud. no llega después de las 5. ______
16. Uds. llegan a las 4. ______

| Infinitivos | Tiempos | yo | Ud. | nosotros | Uds. |
|---|---|---|---|---|---|
| aprender | *Presente* | aprendo | aprende | aprendemos | aprenden |
| | *Imperativo* | - - - | aprenda | aprendamos | aprendan |
| escribir | *Presente* | escribo | escribe | escribimos | escriben |
| | *Imperativo* | - - - | escriba | escribamos | escriban |

B. *Por favor, escriba los imperativos para estos presentes:*

Ud. escribe su apellido. ____________________

1. Escribimos la dirección. ____________________
2. Uds. aprenden una profesión. ____________________
3. Aprendemos más palabras. ____________________
4. Ud. lee el ejercicio. ____________________
5. Ud. ve qué hora es. ____________________
6. Ud. vuelve mañana. ____________________
7. Leemos estas revistas. ____________________
8. Vemos si hay alguien. ____________________
9. Volvemos aquí a las 9. ____________________
10. Vuelven a la oficina. ____________________

**HOTEL BOLÍVAR**

Nombre ____________________

Apellido ____________________

Dirección ____________________

____________________

Profesión ____________________

| Infinitivos | Tiempos | yo | Ud. | nosotros | Uds. |
|---|---|---|---|---|---|
| hacer | *Presente* | hago | hace | hacemos | hacen |
| | *Imperativo* | - - - | haga | hagamos | hagan |
| poner | | (pongo) | ponga | pongamos | pongan |
| tener | | (tengo) | tenga | tengamos | tengan |
| venir | | (vengo) | venga | vengamos | vengan |
| salir | | (salgo) | salga | salgamos | salgan |
| traer | | (traigo) | traiga | traigamos | traigan |
| oír | | (oigo) | oiga | oigamos | oigan |
| decir | | (digo) | diga | digamos | digan |

C. *Por favor, complete las frases:*

Si yo quiero que Ud. haga estas cosas: Yo le digo así:

Salir. Por favor, ______________________

1. Hacer el trabajo. Por favor, ______________________
2. Tener las cartas listas. Por favor, ______________________
3. Venir a mi oficina. Por favor, ______________________
4. Traer las cartas. Por favor, ______________________
5. Ponerlas aquí. Por favor, ______________________
6. Oír lo que dice él. Por favor, ______________________
7. Decir lo que oye. Por favor, ______________________

Yo les digo así:

8. Decir lo que oyen. Por favor, ______________________
9. Salir juntos. Por favor, ______________________
10. No hacer nada más. Por favor, ______________________

## EJERCICIO 77

## LA SEÑORA QUE HABLA . . . Y HABLA

*Por favor, conteste las preguntas usando* **ya** *o* **todavía:**

1. ¿Está hablando ya la señora?

   No, ______________________________

2. ¿Hay ya gente esperando?

   No, ______________________________

3. ¿Está ocupada ya la cabina?

   Sí, ______________________________

*Todavía no habla.*

4. ¿Está hablando ya la señora?

   Sí, ______________________________

5. ¿Hay ya gente esperando?

   Sí, ______________________________

6. ¿Está todavía ocupada la cabina?

   Sí, ______________________________

*Ya está hablando.*

*Ya no habla.*

7. ¿Está hablando todavía la señora?

   No, ______________________________

8. ¿Y la gente, ¿todavía está esperando?

   Sí, ______________________________

9. ¿Está todavía ocupada la cabina?

   No, ______________________________

10. ¿Hay ya otra persona hablando?

   No, 

## EJERCICIO 78

### LA VISITA DE UN AMIGO

*Ponga la palabra* a *si es necesario:*

1. Ayer fui al aeropuerto a esperar _____ mi amigo Juan.
2. Esperé _____ su avión una hora.
3. Esperé _____ mi amigo una hora.
4. Vi llegar _____l avión.
5. Vi bajar _____ Juan.
6. Llamé _____ mi amigo.
7. Llamé _____ un taxi para mi amigo.
8. Llevé _____ Juan al hotel Bolívar.
9. Llevé _____ sus maletas al hotel.
10. Conozco bien _____ ese hotel.
11. Conozco _____ alguien en ese hotel.
12. Conozco _____l gerente del hotel.
13. El gerente recibió _____ mi carta la semana pasada.
14. El gerente recibió bien _____ mi amigo.
15. Juan no conoce _____ esta ciudad.
16. No conoce _____ nadie aquí.
17. Hoy traje _____ mi amigo a comer a mi departamento.
18. Juan trajo _____ un regalo para mi mujer.
19. Mi mujer le dió las gracias _____ Juan.
20. Él habló _____ nuestros amigos de sus viajes.

## UNA LLAMADA DE CONCEPCIÓN A SANTIAGO

*Una señora*
*El empleado de la Compañía de Teléfonos*

*En una oficina de la Compañía de Teléfonos en la ciudad de Concepción, Chile*

*Empleado* – ¿Qué guía busca, señora?

*Señora* – Busco la guía de Santiago.

*Empleado* – Ahí está, señora.

*Señora* – Gracias, señor.

*Empleado* – ¿Encontró su número, señora?

*Señora* – Sí. El 2-5-4-8-3-6 de Santiago. ¿Qué cabina tengo que tomar?

*Empleado* – Tome la cabina 10, señora.

*Señora* – Cabina 10. Gracias, señor. Dígame, por favor, ¿pago después o tengo que pagar ahora?

*Empleado* – La llamada se paga después, señora.

*(La señora entra a la cabina y empieza a hablar.)*

*Señora* – ¿Aló?* ¿Aló? Quisiera hablar con el Sr. Reyes, por favor . . . Sí, Octavio Reyes . . . Yo soy . . . soy . . . una amiga. ¡Aló! ¿Cómo dice? ¿El Sr. Reyes no está? ¿Salió? ¿Vuelve a las 5? ¡Oh! . . .

*(Cuando la señora termina de hablar, sale de la cabina y vuelve al escritorio del empleado.)*

*Empleado* – ¿Ya terminó, señora?

*Señora* – Sí, terminé. ¿Cuánto tengo que pagar?

*Empleado* – A ver. Ud. habló 2 minutos . . . Son 20 escudos*.

*Señora* – ¿Veinte escudos? Tengo un billete de 100. ¿Me puede cambiar?

*Empleado* – Sí, señora. Aquí tiene: 80 escudos.

*Señora* – Muchas gracias, señor. Hasta luego.

*Empleado* – Gracias a Ud. Hasta luego, señora.

* ¿Aló?: en España – ¡Oiga!
escudos = moneda de Chile

*(De la cinta 13)*

## CAPÍTULO 14 – REPASO

*Sustantivos:*
– el museo
el peluquero (el barbero)
el precio
el salón de belleza

– la peluquería (la barbería)
la talla

*Verbos:*
– afeitar
cruzar
disculpar
doblar
hacer un peinado
llevar (ropa)
olvidar
pasar (por)
peinar
querer (amar)
recordar
seguir derecho
subir (una cosa)
valer

*¿Puede Ud. usar este abrigo?*
– Sí, puedo usarlo.
Está *bastante* grande.

– No, no puedo usarlo.
Está demasiado pequeño.

*¿Dónde está el museo?*
– Está *allá* en la Calle de la Moneda.

*¿Hay otro museo en esta ciudad?*
– No, éste es el único museo aquí.

*¿Cuánto tiempo lleva Ud. en este país?*
– Llevo tres semanas aquí.

*¿Para dónde sale el director?*
– Sale para Venezuela.

*¿A cómo está el cambio del franco?*
– El cambio está a veinte y cinco pesos por franco.

*Saludos:*
– "¡Buenos días!"
"¡Buenas noches!"
"¡Hola qué tal!"
"¿Qué hubo?"
"Saludos a su . . ."

*Para ser cortés:*
– "¡Disculpe!"
"¡Discúlpeme!"
"¡Está bien!"
"¡No importa!"

– "¡Con permiso!"
"¡Con su permiso!"
"¡Ud. lo tiene!"
"¡Siga!" ("¡Pase!")

– "¡Buen provecho!"
"¡A su salud!"

– "¡Perdone! ¿Cómo dijo?"

¡ESCUCHE LA CINTA NÚMERO 14!

## CARLOS QUIERE LA DIRECCIÓN

*"Pero dígame, Carlos,*
*¿por qué quiere saber la dirección de mi jefe?"*

*María Donoso, la linda secretaria*
*Carlos Campos, un amigo de ella*

*Carlos* – Buenos días, María.

*María* – Hola, Carlos, ¿cómo está?

*Carlos* – Dígame una cosa, María.

*María* – ¿Sí?

*Carlos* – ¿Puede darme la dirección de su jefe?

*María* – ¡Claro, cómo no! Aquí la tiene. Escríbala.

*Carlos* – Muchas gracias, María.

*María* – Pero dígame, Carlos. ¿Por qué quiere saber la dirección de mi jefe? ¿Para qué la necesita?

*Carlos* – Es porque quiero ir a hablar con él.

*María* – Pero . . . ¡Carlos!

*Carlos* – ¿Sí, María?

*María* – ¿Por qué tiene que hablar con él?

*Carlos* – Me gustaría trabajar en su firma.*

*María* – ¡Cómo! ¿Dice que quiere trabajar en nuestra firma?

*Carlos* – Sí, María. ¿Entiende Ud.? Si trabajo en su firma, podré estar todos los días cerca de Ud.

*María* – ¡Ay, Carlos, qué cosas dice Ud. . . . !

*firma = empresa, compañía

## EJERCICIO 79

## EN EL TREN

A. *Ponga en el pretérito los verbos que están en paréntesis:*

Al llegar a la estación (saco) _______________ un pasaje a Rosario. Lo (meto) _______________ en el bolsillo. Por supuesto que no* lo (rompo) __________ ni lo (pierdo) ___________ Cuando (pasa) ____________________ el revisor* (quiere) ____________________ ver mi boleto. Entonces (meto) ______________________ la mano al bolsillo, (saco) ______________________ el boleto y lo (muestro) _______________ . Después, el conductor (pide) _______________ su boleto a otro señor. Pero éste no (puede) ________________________ mostrarlo porque lo (pierde) _______________ . Así es que (tiene) _______________ que pagar otra vez su pasaje.

B. *Conteste las preguntas usando* **sí, ya . . . ; no, todavía no . . . :**

1. ¿Ya sabe Ud. decir mucho en español?

   Sí, ____________________________________________

2. ¿Ya sabe Ud. pedir un boleto en español?

   Sí, ____________________________________________

3. ¿Ya sabe Ud. decir todo lo que quiere?

   No, ____________________________________________

4. ¿Viajó Ud. alguna vez a Rosario?

   No, ____________________________________________

5. ¿Viajó Ud. en tren muchas veces?

   Sí, ____________________________________________

6. ¿Viajó Ud. a China?

   No, ____________________________________________

*por supuesto que no = claro que no, naturalmente que no
revisor = el hombre que toma los pasajes

## EJERCICIO 80

### EN LA PELUQUERÍA

| Ahora **leeré** el periódico. |
| --- |
| = Ahora **voy a leer** el periódico. |

*Escriba estas frases usando* **voy a, va a***:*

1. Necesito un corte de pelo. ______________________
2. Salgo después del almuerzo. ______________________
3. Busco una peluquería para caballeros*. ______________________
4. Entro en una cerca de mi hotel. ______________________
5. Espero 15 minutos. ______________________
6. Leo una revista. ______________________
7. El peluquero me llama. ______________________
8. Tomo asiento en el sillón*. ______________________
9. Digo: "Un corte de pelo, por favor". ______________________
10. Él me pregunta; "¿Cómo le corto? " ______________________
11. Le contesto "corto" o "largo" o "regular"*. ______________________
12. El peluquero empieza a cortar. ______________________
13. Le digo: "No me corte tanto ahí". ______________________
14. Después le digo: "Córteme más aquí". ______________________
15. Al final le pregunto el precio. ______________________
16. Él me lo dice. ______________________
17. Entonces pago. ______________________
18. Le doy una propina. ______________________

*un caballero = un señor
el sillón = la silla grande
regular = ni largo ni corto

## EJERCICIO 81

### LA PUEDO COMPRAR

A. *Conteste con* **lo, la, los, las:**

¿Puede Ud. comprar la fruta? Sí, *la puedo comprar.*

Sí, *puedo comprarla.*

1. ¿Quieren Uds. pedir la cena ya? No, ______________________ **todavía.**

   No, ______________________ **todavía.**

2. ¿Tienen que esperar a sus amigos? Sí, ______________________

   Sí, ______________________

3. ¿No puede pedir los platos? Cómo no, ______________________

   Cómo no, ______________________

4. ¿Tenemos que pedir el vino? No, ______________________

   No, ______________________

5. ¿Quiere Ud. comer esa fruta? Sí, ______________________

   Sí, ______________________

B. *Conteste con* **me, le, nos, les:**

1. ¿Puede Ud. darme su dirección? Sí, ______________________

   Sí, ______________________

2. ¿Puedo mostrarles mi pasaporte (a Uds.)? Sí, ______________________

   Sí, ______________________

3. ¿Tenemos que decirle algo al empleado? Sí, ______________________

   Sí, ______________________

4. ¿Puede Ud. recomendarnos un hotel? No, no ______________________

   No, no ______________________

## EJERCICIO 82

### ¡VAMOS . . . VAMOS!

| Infinitivo | Tiempos | yo | Ud. | nosotros | Uds. |
|---|---|---|---|---|---|
| ir | *Presente* | voy | va | vamos | van |
| | *Imperativo* | - - - | vaya | vamos | vayan |

A. *¿Cuáles son los imperativos de* **Ud.** *para estas frases?*

I. Ir a la puerta — Por favor, *vaya a la puerta.* ____________

1. abrirla ____________
2. salir al pasillo ____________
3. entrar ____________
4. venir conmigo ____________
5. tomar los abrigos ____________
6. llevarlos al armario ____________
7. sacar la maleta ____________
8. ponerla en la mesa ____________

II. Tomar asiento — Por favor, *tome asiento* ____________

1. escribir su dirección ____________
2. leerla ____________
3. darme el papel ____________
4. dejarlo aquí ____________
5. ver qué hora es ____________
6. decirme la hora ____________
7. irse ____________
8. volver mañana ____________

B. Yc le digo . . .

Por favor, hable más lento. Entonces Ud. *habla más lento.* ______

1. Por favor, haga algo. ______
2. Por favor, no diga nada. ______
3. Por favor, espéreme un momento. ______
4. Por favor, deje todo aquí. ______
5. Por favor, lea esto. ______
6. Por favor, vea estas fotos. ______
7. Por favor, quédese con nosotros. ______
8. Por favor, tráigame lo mismo. ______
9. Por favor, lléveme a la estación. ______
10. Por favor, váyase de aquí. ______

C. Ud. quiere hacer estas cosas junto conmigo: Ud. dice:

salir *salgamos*

1. dar un paseo ______
2. subir a este autobús ______
3. bajar aquí ______
4. hacer algo interesante ______
5. ir a un museo ______
6. ver estos cuadros ______
7. entrar en ese restaurante ______
8. ver el menú ______
9. pedir esto ______
10. comer algo ______
11. volver al hotel ______
12. ir a pie ______

## EJERCICIO 83

## LAS FLORES QUE COMPRÉ

| Éste es el traje. Yo lo compré.<br>Éste es el traje **que** yo compré. | Él dice: "Ese asiento está ocupado".<br>Él dice **que** ese asiento está ocupado. |
| --- | --- |

*Haga frases largas, usando* **que***:*

1. Éste es el telegrama. Lo recibí ayer.

 ______________________________

2. Esas son las flores. Las voy a mandar.

 ______________________________

3. Aquí está la señora. Vino ayer.

 ______________________________

4. Ésta fue la primera palabra. La aprendí en español.

 ______________________________

5. ¿Dónde está ese hotel? Ud. me lo recomienda.

 ______________________________

6. ¿Cuánto vale el coche? Ellos lo quieren vender.

 ______________________________

7. ¿Cuál es el avión? Sale a las 18 horas.

 ______________________________

8. Sé esto: el gerente está muy ocupado.

 ______________________________

9. Creo esto: sólo puedo hablar con él unos minutos.

 ______________________________

## DON RUFINO PINO OLVIDA TODO

¡Ah, el bueno de don Rufino! El tren a Rosario salió a las 2. Pero salió sin él, porque él no llegó a la estación a tiempo para tomarlo. ¿Y por qué? Pues . . . porque olvidó la hora de salida* del tren. También olvidó el dinero para el viaje. Nuestro amigo don Rufino es así. Olvida todo. Pero la señora de don Rufino no olvida nada, así es que mandó a una señorita con el dinero a la estación. La señorita compró un pasaje a Rosario para don Rufino.

Bien. Ahora se puede creer que todo irá bien, ¿verdad? ¡Oh no! ¡No lo crea Ud.! ¡Recuerde cómo es don Rufino! Recuerde que no quiso* recibir su boleto. No quiso meterlo en el bolsillo y tampoco recibió el dinero. La señorita le trajo algo para leer. Don Rufino tomó el libro y el periódico. Pero el dinero y el boleto, no los tomó.

Esperaron mucho tiempo hasta que llegó el tren expreso. Ese tren para muy poco tiempo en esa estación. Por eso don Rufino subió rápidamente* y desde la escalera del coche le dio las gracias a la señorita y le dijo adiós. Naturalmente que olvidó pedirle el boleto y el dinero. El tren salió y don Rufino se fue sin un peso en el bolsillo. En el tren encontró un buen asiento y empezó a leer su libro, como un hombre que no sabe lo que son problemas.

Poco después vino el revisor a pedir los boletos a los pasajeros.

— Buenas tardes, señores pasajeros. Sus boletos, por favor. Gracias, señora. ¿Ud. va a Pergamino? Llega a las 19 horas.

Bien. Ésta es una señora que no tendrá problemas.

— Gracias, señores. ¿Uds. van a Córdoba? Recuerden que tienen que tomar el otro tren en Rosario.

Estos señores tampoco tendrán problemas.

Nuestro amigo el Sr. Pino es el último. ¿Y qué hace? Busca su boleto, naturalmente. Lo busca en un bolsillo, lo busca en otro, lo busca por todos los bolsillos de su traje. Y, ¿lo encuentra? ¡Claro que no! ¿Cómo va a encontrarlo si no lo tiene?

— Disculpe, señor conductor, pero . . . ¡no lo encuentro! No entiendo . . . Recuerdo que la señorita me trajo el boleto y . . .

Pero este revisor es muy buen hombre.

— ¿No encuentra su boleto? No importa, señor. No importa. Tenemos tiempo. Lo puedo ver a la vuelta* del otro coche. Pero, dígame, por favor, ¿va a Pergamino?

— ¿A Pergamino . . . ? Pues . . . creo que no. Creo que no voy a Pergamino.

— Disculpe, señor. Pero, ¿adónde va? ¿Va a Córdoba?

— ¿A Córdoba? No. Creo que no voy a Córdoba . . .

— Oiga, señor. Perdóneme, pero Ud. tiene que saber adónde va. ¿Va a Rosario? ¿a Córdoba? ¿a Tucumán? ¿a Salta? ¿a . . . ?

— ¡Ay, señor revisor! ¡No sé! La verdad es que olvidé pedirle el boleto a la señorita. Y sin el boleto no le puedo decir adónde voy.

*(De la cinta 14)*

*salida = El tren sale a la una. La hora de salida de ese tren es la una.
quiso = pretérito de "quiere"
rápidamente = rápido
a la vuelta = al volver

## EJERCICIO 84

### PRIMER DICTADO

*Escuche y escriba el dictado número uno de su cinta de dictados:*

## CAPÍTULO 15 – REPASO

*Sustantivos:*
– el anillo
el cliente
el despertador
el empleado

– el error
el motor
el mundo

– la cama
la gasolina
la pulsera

*Adjetivos:*
– alto/a
– ancho/a

*¿Qué es necesario . . .?*
Es necesario . . .
– que *yo tenga* tiempo
que *yo sea* punctual
que *yo hable* español

– que *haya* teléfono, etc.

*Verbos:*
– acostarse
adelantarse
andar
atrasarse
desear

– despertar(se)
faltar
levantar(se)
servir (para)
sonar

*¿Cómo funciona su reloj?*
– Está parado.
adelantado
atrasado

– Se adelanta.
Se atrasa.

– Anda bien/mal.

– Tengo que *ponerlo en la hora.*

*¿Qué hora es?*
Es . . .
– casi la una
la una en punto
la una y media
mediodía/medianoche

– Son las cinco menos cuarto.

Son . . .
– casi las cinco
las cinco en punto
las cinco y media
veinte para las seis

Es la una (Son las dos) . . .
– de la mañana
de la tarde
de la noche

*¿Es puntual el tren?*
– El tren llega temprano.
tarde

*¿Cuánto tiempo falta . . .?*
Falta . . .
– media hora
un cuarto de hora

Faltan . . .
– diez minutos

*¿Es grande esta ciudad?*
Es . . .
– *más* grande *que* Roma
*tan* grande *como* Paris
*menos* grande *que* Nueva York

– la ciudad *más grande* de este país

*¿Es bueno este hotel?*
– Sí, es *el mejor* de la ciudad.
No, es *el peor* de la ciudad.

*¿Cuánto dinero pone Ud. en el banco?*
Pongo . . .
– una parte de mi sueldo
la mitad
la tercera parte
la cuarta parte

*¿De qué es el/la . . .?*
Es . . .
– de vidrio
de madera
de plástico

– de metal:
de oro
de plata

– de lana
de algodón
de seda

– de nilón

– de cuero

*¿De qué son nuestros/nuestras . . .?*
– *El mío* es de plata, *el suyo* es de oro.
– *La mía* es de lana, *la suya* es de seda.

¡ESCUCHE LA CINTA NÚMERO 15!

## CARLOS QUIERE A MARÍA

La señorita María es una chica muy bonita, pero no es puntual. ¡Eso sí que no! No llega a tiempo a ninguna parte*.

Sus horas de trabajo, por ejemplo, son desde las 9 hasta las 6. Pero ella llega a la oficina a las 9 y media o un cuarto para las 10 y a veces* más tarde también.

"Discúlpeme por el atraso" – le dice a su jefe – "lo siento*". Pero al día siguiente es la misma cosa. De nuevo se atrasa.

Y con los amigos, por supuesto, es todavía peor. Por ejemplo, con Carlos. ¡Qué le dijo ella a Carlos esta mañana?

"¡Oh, sí, con mucho gusto! Almorzaremos juntos. ¿A la una y veinte? ¿Enfrente del restaurante? Sí, sí. Estaré a la una y veinte."

A la una y veinte Carlos, por supuesto, está ya enfrente del restaurante, con una docena* de rosas rojas en la mano. Lleva su mejor traje, su corbata nueva . . . ¿Y qué hace? Pues . . . espera.

Espera y espera. Son ya las dos y media y él todavía está esperando a María. Y ni mira su reloj, pues Carlos quiere mucho a María.

Por fin, un cuarto para las 3, llega la señorita. Simpática, encantadora*, linda como una flor. "Hola, Carlitos" – le dice. "¡Tengo un hambre! ¡Y es tan tarde ya! Falta poco para que sean las 3 . . . ¿No es un poco tarde para almorzar? . . . ¿Por qué tenemos que almorzar tan tarde . . .? "

Pero Carlos no le dice nada. Ni mira su reloj. Y le da las rosas . . .

¡Carlos quiere tanto a María!

*a ninguna parte = a ningún lugar
a veces = algunas veces
lo siento = disculpe
una docena = 12
encantadora = muy simpática

## ¿QUÉ HORA ES?

| | Es | Son |
|---|---|---|
| 10.00 | | Son las diez. |
| 10.05 | | Son las diez y cinco. |
| 10.15 | | Son las diez y cuarto. |
| 10.20 | | Son las diez y veinte. |
| 10.30 | | Son las diez y media. |
| 10.40 | | Son veinte para las once. |
| 12.45 | Es un cuarto para la una. | |
| 1.00 | Es la una. | |
| 1.30 | Es la una y media. | |

*En la radio, en los aeropuertos y estaciones, etc., la hora se lee así:*

12.00 doce horas
1.00 trece horas
5.15 diecisiete horas y quince minutos (Las diecisiete quince)
8.45 veinte horas y cuarenta y cinco minutos (Las veinte cuarenta y cinco.)

| | | | |
|---|---|---|---|
| 1/2 | un medio (la mitad) | 1/3 | un tercio |
| 1/2 km. | medio kilómetro | 1/4 kg. | un cuarto de kilo |
| 1/2 botella | media botella | 3/4 | tres cuartos |

## EJERCICIO 85

## LO CONTRARIO

*¿Qué es lo contrario de . . . ?*

1. antes ________________
2. delante ________________
3. el primero ________________
4. rápido ________________
5. lleno ________________
6. ocupado ________________
7. fácil ________________
8. diferente ________________
9. frío ________________
10. claro que sí ________________
11. preguntar ________________
12. levantarse ________________
13. mucho ________________
14. empezar ________________
15. alguien ________________
16. Compré algunos. No compré ________

## EJERCICIO 86

### EL DESPERTADOR NO SONÓ

| | | | | | |
|---|---|---|---|---|---|
| yo | me | acuesto | nosotros | nos | acostamos |
| Ud. / él / ella | se | acuesta | Uds. / ellos / ellas | se | acuestan |

A. *Escriba el presente:*

**levantarse**

yo ______

Ud. ______

nosotros ______

ellos ______

**lavarse**

yo ______

Ud. ______

nosotros ______

ellos ______

B. *Escriba el pretérito:*

**acostarse**

yo ______

Ud. ______

nosotros ______

ellos ______

**irse**

yo ______

Ud. ______

nosotros ______

ellos ______

C. *Escriba las frases en pretérito:*

Me acuesto temprano. *Me acosté temprano.*

1. El despertador no suena. ______
2. No me despierto hasta las 10. ______
3. Me quedo en la cama hasta esa hora. ______
4. Me levanto tarde. ______
5. Me voy de la casa a las 11. ______

# EJERCICIO 87

## LAS AVENIDAS SON MÁS ANCHAS

A. *Usemos* **más . . . que** *o* **tan . . . como***:*

La calle es ancha. La avenida es más ancha.

*La avenida es más ancha que la calle.*

1. Yo me levantaré temprano. Ellos se levantarán más temprano.

_______________________________________________

2. Los trenes son rápidos. Los aviones son más rápidos.

_______________________________________________

3. Ese edificio es alto. Este hotel también es alto.

_______________________________________________

4. Él habla bien. Ella no habla tan bien.

_______________________________________________

5. Ese hotel es bueno. El hotel Bolívar es mejor.

_______________________________________________

6. En ese restaurante la comida es mala. Aquí la comida es peor.

_______________________________________________

B. *Escriba* **el mío, la mía, el suyo, el nuestro***:*

1. Aquí están las llaves. Ésta es ______________ y ésa es ______________ .
2. Ud. y yo tenemos guantes. Yo compré ______________________ aquí. ¿Dónde compró ______________?
3. Nuestro tren es rápido. Su tren es lento. ______________________ es más rápido que ______________________.

## EJERCICIO 88

### EL JEFE QUIERE QUE SEAMOS PUNTUALES

| | |
|---|---|
| Por favor, | *hable Ud.* con ellos. |
| Él quiere<br>Él desea<br>Él prefiere<br>Él pide<br>Él necesita<br>Es necesario<br>A él le gusta | *que Ud. hable* con ellos. |

A. *Complete las frases:*

Si le digo: "Hábleme en español",

yo le pido que *me hable en español.*

1. Si le pido: "Dígame su nombre",

   necesito que ______________________

2. Si le digo: "No escriba eso",

   le solicito que ______________________

3. Si le digo: "Léalos en su casa",

   le pido que, por favor, ______________________

4. Si le digo: "Esperemos a Juan",

   es necesario que ______________________

5. Si le digo: "Esperémoslo aquí",

   él necesita que ______________________

6. Si el jefe me dice: "Sea puntual",

   él quiere que yo ______________________

B. *Veamos algunos subjuntivos:*

| Infinitivos | Tiempos | yo | Ud. | nosotros | Uds. |
|---|---|---|---|---|---|
| ser | *Presente*<br>*Subjuntivo* | soy<br>sea | es<br>sea | somos<br>seamos | son<br>sean |
| ver | *Presente*<br>*Subjuntivo* | veo<br>vea | ve<br>vea | vemos<br>veamos | ven<br>vean |
| ir | *Presente*<br>*Subjuntivo* | voy<br>vaya | va<br>vaya | vamos<br>vayamos | van<br>vayan |
| haber | *Presente*<br>*Subjuntivo* | –<br>– | hay<br>haya | –<br>– | –<br>– |
| estar | *Presente*<br>*Subjuntivo* | estoy<br>esté | está<br>esté | estamos<br>estemos | están<br>estén |
| dar | *Presente*<br>*Subjuntivo* | doy<br>dé | da<br>dé | damos<br>demos | dan<br>den |

*Complete las frases siguientes:*

**haber**

En un edificio de 20 pisos, es necesario que *haya* ascensores.

1. **ser**

   Es necesario que los ascensores ______________________ buenos.

2. **estar**

   Es necesario que Ud. ______________________ en la oficina a las 2.

3. **ir**

   Es necesario que nosotros ______________________ a su oficina.

4. **ver**

   Es necesario que yo ______________________ al jefe.

5. **ser**

   Él necesita que yo ______________________ puntual.

6. **dar**

   Por eso, es mejor que no ______________________ un paseo ahora.

## EJERCICIO 89

## EL PUNTO DE VISTA ES DIFERENTE

A. *Lo que desea el jefe:*

La secretaria llega tarde.

El Sr. Ruiz quiere que ___*llegue*___ temprano.

1. Ella no es puntual.

   Él necesita una secretaria que ______________________ puntual.

2. Ella no está en la oficina antes que él.

   Él quiere que ______________________ en la oficina cuando él llegue.

3. Ella se va demasiado temprano.

   Él no quiere que ______________________ tan temprano.

4. Ella no viene ningún sábado.

   Él le pide que ______________________ algunos sábados.

5. Ella no escribe bien a máquina.

   Él necesita una secretaria que ________________ mejor.

6. Ella hace demasiados errores.

   Él le pide que no ________________ tantos errores.

7. Ella no tiene las cartas listas a la hora que él las necesita.

   Él desea que ella ________________ las cartas listas a tiempo.

8. Ella no es bastante amable con la gente.

   Es necesario que ________________ muy amable.

B. *Lo que desea la secretaria:*

1. El jefe llega demasiado temprano.

   A ella no le gusta que el jefe ________________ tan temprano.

2. Él se va demasiado tarde.

   ¿Es necesario que ________________ tan tarde?

3. Él dicta demasiado rápido.

   Ella quiere que él le ________________ más despacio.

4. Él no le dice nada amable.

   Ella desea que le ________________ cosas amables.

5. Él la llama a trabajar los sábados.

   A ella no le gusta que la ________________ a trabajar los sábados.

6. A veces* él le da trabajo para el domingo.

   Ella no quiere que le ________________ trabajo para el domingo.

7. Él no la deja descansar.

   Ella desea que la ________________ descansar.

8. Él fuma puros muy malos.

   A ella le gusta que los hombres ________________ cigarrillos.

*a veces = algunas veces

## "NO ME HABLE DE TRABAJO"

*Enrique* – Dígame, Isabel, ¿qué hora es ya?

*Isabel* – Son sólo 5 para las 9, Enrique. ¿Le gustaría otra taza de café?

*Enrique* – Oh, no. Muchas gracias, Isabel. Es hora de que me vaya.

*Isabel* – Pero, Enrique, todavía no son las 9. Es demasiado temprano para irse.

*Enrique* – Para mí, no. Mañana me tengo que levantar temprano. Tengo que ir a trabajar y es necesario que esté en la oficina temprano. Es necesario que sea puntual.

*Isabel* – Sí, comprendo*. Pero, ¿a qué hora se levanta?

*Enrique* – Tengo que levantarme a la 7 de la mañana.

*Isabel* – ¿A las 7? ¡Pero eso no es nada! Para mí es mucho peor.

*Enrique* – No entiendo. ¿Por qué peor?

*Isabel* – Pero, porque tengo que levantarme mucho más temprano que Ud. ¿No sabe que estoy trabajando?

*comprender = entender

*Enrique* – ¡Ah! ¡Así que Ud. también tiene que ir a la oficina!

*Isabel* – ¡Pero claro! Y mi trabajo . . .

*Enrique* – Hágame el favor, Isabel, no me hable de trabajo.

*Isabel* – ¿Pero, por qué? ¿Es que no le gusta trabajar?

*Enrique* – Por supuesto que me gusta trabajar. Pero también me gusta descansar. Y si no me acuesto temprano, al día siguiente* no sirvo para nada.

*Isabel* – ¿Ah sí? Bueno . . . entonces, es mejor . . .

*(El reloj da las nueve)*

*Enrique* – Perdón, ¿qué me dijo, Isabel?

*Isabel* – Digo que, si tiene que irse, es mejor que se vaya ahora mismo. Aquí tiene su sombrero, Enrique.

*Enrique* – Oh, gracias, Isabel.

*Isabel* – Buenas noches, Enrique.

*Enrique* – Buenas noches, Isabel.

*(Enrique sale y cierra la puerta)*

*Isabel* – ¡Uf! ¡Qué hombre tan antipático*! *(Bostezando)* Bueno. Es mejor que yo también me vaya a la cama . . .

*(De la cinta 15)*

*al día siguiente = en el próximo día
antipático = lo contrario de simpático

## EJERCICIO 90

### SEGUNDO DICTADO

*Escuche y escriba el dictado número dos de su cinta de dictados:*

**NOTA:** Las palabras que sirven para hacer preguntas se escriben con acento: qué, quién, cuál, cuándo, cómo, etc.

## CAPÍTULO 16 – REPASO

*Sustantivos:*
– el ama de casa
(la muchacha)
el comedor
el cuarto de baño
el disco
el dormitorio

– la ayuda
la cocina

– los anteojos para el sol

*Adjetivos:*
– sucio/a
limpio/a

– pesado/a
solo/a

*Verbos:*
– ayudar
cocinar
dormir
hacer visitas
limpiar

– lavar
planchar
preparar
volver a hacer

– bañarse
cansarse
ponerse (ropa)

– quitarse (ropa)
rasurarse

Por favor, . . .
– ¡Párese!
¡Siéntese! etc.

Entonces . . .
– ¡Parémonos!
¡Sentémonos! etc.

*¿Qué hace Ud. en la mañana?*
En la mañana . . .
– me desperto a las siete
me levanto inmediatamente
(en seguida)
me lavo la cara con jabón
me afeito
me lavo los dientes . . .
con un cepillo
con pasta dentífrica
me doy una ducha
me seco con una toalla
me peino
me visto

*¿Qué ha hecho . . . ?*
Esta semana . . .
– he trabajado
– he viajado, etc.

Hasta ahora . . .
– he escrito dos cartas
he visto a unos clientes

Todavía *no* . . .
– he llamado al director
he leído el periódico

*¿Cuándo trabaja Ud.?*
Trabajo . . .
– durante el día
todo el día

*¿Quién lava su coche?*
– Lo lavo *yo mismo.*

*¿Arregla su coche Ud. mismo?*
– No, yo *hago arreglarlo.*

*¿Qué se ve en el cielo?*
Se ve(n) . . .
– la luna
el sol

– las estrellas
las nubes

*El sol . . .*
– sale por el este
se pone por el oeste

*La luz:*
– Hay mucha/poca luz.
Hay luz fuerte.
Hay luz eléctrica.

– Está claro/oscuro.

– Yo prendo/apago la luz.

*¿Dónde está esta ciudad?*
Está . . .
– al este
al oeste
al norte
al sur
} de Buenos Aires

*¿Cuándo . . . ?*
– anteayer
ayer por la mañana
anoche
pasado mañana

– siempre/nunca

¡ESCUCHE LA CINTA NÚMERO 16!

## ¡PERO UD. NUNCA TIENE TIEMPO PARA MÍ!

*"¡Qué malo es Ud. conmigo, Carlos!"*

*Carlos* – Hasta luego, María. ¿Cuándo nos vemos?

*María* – Bueno, no sé. Yo . . .

*Carlos* – Si Ud. quiere, mañana por la mañana pasaré por su casa y la llevaré a la oficina. Como* papá se va de viaje, yo iré en coche.

*María* – ¡Pero Ud. me dijo que mañana tiene que ir a la universidad!

*Carlos* – Oh, es verdad. Entonces, ¿mañana a la hora de almuerzo, como hoy?

*María* – ¿Al almuerzo? No puedo. Tengo que ir al salón de belleza.

*Carlos* – ¿Ah, sí? No importa, puedo esperarla con el coche enfrente del salón.

*María* – Pero, es que no sé a qué hora voy a estar lista.

*Carlos* – Entonces, ¿mañana por la noche?

*María* – No, Carlos. Lo siento. Mañana no nos podemos ver.

*Carlos* – ¿Y por qué no?

*como = porque

*María* – ¡Es imposible*! Tengo que escribirle a mi hermana. Hace varias semanas que está esperando mi carta.

*Carlos* – Y no puede . . .

*María* – ¡Ay, no, Carlitos! No puedo. De verdad que no puedo.

*Carlos* – Mañana es miércoles. El jueves, entonces.

*María* – Mire, Carlos. El jueves tengo que ir a la ópera.

*Carlos* – ¿A la ópera? ¿Pero estará libre a mediodía entonces?

*María* – No, Carlos. Lo siento.

*Carlos* – Caramba. Ni siquiera a mediodía. Y dígame, ¿con quién va a la ópera?

*María* – ¡Oh, Carlos . . . ! ¡Ahí viene mi autobús! Ud. ya tiene mi nueva dirección, ¿no?

*Carlos* – No, María, no la tengo. Y no tengo ni siquiera el número de su teléfono.

*(El autobús para junto a* ellos)*

*María* – Tengo que tomar este autobús. ¿Por qué no sube conmigo, Carlos?

*Carlos* – Pero Ud. sabe que tengo que ir al banco a cobrar mi cheque. Y ya son casi las 4.

*María* – ¡Qué malo es Ud. conmigo, Carlos! ¡Ni siquiera tiene unos minutos para mí!

**NOTA: ni siquiera**

Veamos cuánto dinero tengo en el bolsillo.

¿Tengo un billete de 50? No, no tengo un billete de 50.
¿Tengo un billete de 10? No, no tengo tampoco un billete de 10.
¡No tengo *ni siquiera* un peso!

*imposible = no se puede hacer
junto a = al lado de

## EJERCICIO 91

## UN DÍA MUY OCUPADO

**Futuro**

| voy a, va a, ... | **yo** | **Ud.** | **nosotros** | **Uds.** |
|---|---|---|---|---|
| poner | pondré | pondrá | pondremos | pondrán |
| tener | tendré | tendrá | tendremos | tendrán |
| venir | vendré | vendrá | vendremos | vendrán |
| salir | saldré | saldrá | saldremos | saldrán |
| hacer | haré | hará | haremos | harán |
| decir | diré | dirá | diremos | dirán |

A. *Complete las frases:*

**ir**

Hoy el Sr. López no ___*irá*___ a almorzar.

1. **tener**

   Él ______________________ mucho que hacer hasta la tarde.

2. **tener**

   Pero a la una creo que ______________________ algo de tiempo.

3. **salir**

Entonces ________________ un momento a comprar algo para comer.

4. **hacer/volver**

No ________________ otras compras y ________________ en pocos minutos.

5. **tenir/salir**

Yo también ________________ mucho que hacer y ________________ tarde.

6. **dar/venir**

Yo no ________________ ningún paseo, ni ________________ a su casa.

7. **decir/ir**

Al terminar mi trabajo ________________ "hasta mañana" a mis amigos y me ________________ .

8. **poner**

Al llegar a mi casa ________________ , ________________ el radio para escuchar las noticias.

9. **comer/descansar**

Luego ________________ algo y ________________.

B. *Escriba lo contrario de estas palabras:*

1. alto ________________
2. arriba ________________
3. largo ________________
4. bueno ________________
5. mejor ________________
6. salir ________________
7. subir ________________
8. meter ________________
9. abrir ________________
10. cerca ________________
11. bien ________________
12. hermoso ________________
13. caro ________________
14. temprano ________________
15. todo ________________
16. comprar ________________
17. quedarse ________________
18. grande ________________
19. pedir ________________
20. perder ________________

## EJERCICIO 92

## NO PODRÉ IR A CENAR CON ELLOS

| Infinitivo | Tiempos | yo | Ud. | nosotros | Uds. |
|---|---|---|---|---|---|
| **querer** | *Presente*<br>*Pretérito*<br>*Futuro* | quiero<br>quise<br>querré | quiere<br>quiso<br>querrá | queremos<br>quisimos<br>querremos | quieren<br>quisieron<br>querrán |

*Escriba estas frases:* *a. en pretérito,*
*b. en futuro:*

Tengo que quedarme en la oficina. a. *Tuve que quedarme en la oficina.*

b *Tendré que quedarme en la oficina.*

1. Tengo que terminar el trabajo. a. ______

   b. ______

2. No puedo ir a cenar con ellos. a. ______

   b. ______

3. Ellos no pueden esperar más. a. ______

   b. ______

4. Ellos quieren comer algo. a. ______

   b. ______

5. ¿Puede Ud. encontrar un taxi? a. ______

   b. ______

6. ¿Tenemos que ir a pie? a. ______

   b. ______

## EJERCICIO 93

## DE LA MAÑANA A LA NOCHE

*Ponga las formas correctas de los verbos:*

**despertarse**

Todos los días yo *me despierto* ______ Ud. *se despierta* ______

Ayer yo *me desperté* ______ " *se despertó* ______

Mañana yo *me despertaré* ______ " *se despertará* ______

1. **levantarse**

Todos los días yo ______ Ud. ______

Ayer yo ______ " ______

Mañana yo ______ " ______

2. **desayunarse**

Todos los días yo ______ Ellos ______

Ayer yo ______ " ______

Mañana yo ______ " ______

3. **trabajar**

Todos los días yo ______ Ellos ______

Ayer yo ______ " ______

Mañana yo ______ " ______

4. **irse**

Todos los días yo ______ Ellos ______

Ayer yo ______ " ______

Mañana yo ______ " ______

## EJERCICIO 94

### ¿HAN APRENDIDO MUCHO HOY?

**Perfecto**

| Infinitivos | yo | Ud. | nosotros | Uds. |
|---|---|---|---|---|
| hablar<br>aprender | he hablado<br>he aprendido | ha hablado<br>ha aprendido | hemos hablado<br>hemos aprendido | han hablado<br>han aprendido |

A. *Escriba los infinitivos:*

__________ escrito   __________ puesto   __________ tomado

__________ abierto   __________ visto   __________ estado

__________ roto   __________ dicho   __________ ido

__________ vuelto   __________ hecho   __________ tenido

B. *Escriba los verbos en perfecto:*

Ayer Juan tomó una lección. — Esta semana *ha tomado* varias lecciones.

1. Ayer Juan vino a la escuela. — Esta semana __________ a la escuela.
2. Ayer Juan habló inglés. — Este mes __________ mucho inglés.
3. Ayer Juan estuvo ocupado. — Hasta ahora __________ muy ocupado.
4. Ayer Juan tuvo una visita. — Este año __________ muchas visitas.
5. Ayer fuimos puntuales. — Siempre __________ puntuales.
6. Ayer dijimos todo en español. — Siempre __________ todo en español.

C. *Use* **todavía no**:

¿Entró Ud. en el cine? — No, todavía no *he entrado.*

1. ¿Vio esa película? — No, todavía no __________
2. ¿Llegaron ya sus amigos? — No, todavía no __________
3. ¿Sacó ya su entrada? — No, todavía no __________

## EJERCICIO 95

## DISCÚLPEME

*Escriba la respuesta correcta para cada situación:*

a. ¿Cómo está Ud.?
b. Con permiso
c. Discúlpeme
d. Disculpe, señor
e. Es suyo
f. El gusto es mío
g. Lo siento
h. No importa
i. Perdón
j. ¿Qué dijo?

Al pasar, Ud. toca el pie de un señor.

Ud. le dice: *Discúlpeme.*

1. Hay dos señores hablando en el pasillo, y Ud. tiene que pasar entre los dos.

   Ud. les dice: ______

2. Alguien le pregunta algo a Ud. Ud. no oye bien la pregunta.

   Ud. le dice: ______

3. Ud. quiere preguntar algo a un señor que está leyendo el periódico.

   Ud. le dice: ______

4. Alguien le dice "discúlpeme".

   Ud. le contesta: ______

5. Alguien le dice "mucho gusto".

   Ud. le contesta: ______

6. Alguien le dice "con su permiso".

   Ud. le contesta: ______

7. Su teléfono está descompuesto. Una persona quiere usarlo.

   Ud. le dice: ______, pero el teléfono no funciona.

8. Ud. encuentra a su jefe en la calle y lo saluda.

   Ud. le dice: ______

9. Ud. llega tarde a su oficina y ve a su jefe.

   Ud. le dice: ______, pero mi coche está averiado*.

*averiado = no está en orden, no funciona bien

## QUÉ PASA, ¿ NO HAY ELECTRICIDAD?

*El Sr. José Jiménez (llamado "don Pepe")*
*Esperanza, la muchacha de servicio*

*(El. Sr. Jiménez vuelve a su casa cansado después de un largo día de trabajo. Al entrar se encuentra con que toda la casa está oscura.)*

*Sr. Jiménez* – ¡Pero qué es esto! ¡Luz, luz, por favor! ¡Esperanza! ¿Dónde está? ¿Por qué no viene? ¿Por qué no hay luz?

*Esperanza* – *(Desde lejos)* Voy, voy, don Pepe. Ya voy.

*Sr. Jiménez* – ¡Esperanza!

*Esperanza* – Sí, don Pepe. Aquí estoy.

*Sr. Jiménez* – ¿Qué pasa con la luz? ¿Por qué no se enciende*? No se ve nada en esta casa.

*encender = dar la luz

*Esperanza* – Lo siento, don Pepe. Es que estamos sin electricidad.

*Sr. Jiménez* – ¿Y Ud. todavía no ha llamado a la compañía?

*Esperanza* – Claro que llamé. Pero todavía no han venido.

*Sr. Jiménez* – Oiga, Esperanza. No tengo mucho tiempo. Voy a salir enseguida. Tengo que lavarme inmediatamente.

*Esperanza* – Sí, don Pepe. Claro que puede lavarse. Le voy a dar una vela. ¿Tiene Ud. un fósforo?

*Sr. Jiménez* – Sí. *(Prende la vela)* Listo, gracias. Con esta vela sí puedo ver. Ahora me voy a bañar.

*Esperanza* – Oh, lo siento. No va a poder bañarse; no hay agua.

*Sr. Jiménez* – ¡Cómo! ¿Tampoco hay agua?

*Esperanza* – No hay agua caliente, don Pepe.

*Sr. Jiménez* – ¿Y cómo puede ser? ¿Por qué no hay?

*Esperanza* – Es que hoy he lavado mucho. Le lavé todas las camisas.

*Sr. Jiménez* – ¡Qué bueno, Esperanza! Es lo que necesito. Por favor, tráigame una camisa limpia en seguida.

*Esperanza* – No puedo, don Pepe.

*Sr. Jiménez* – No entiendo por qué.

*Esperanza* – ¡Ay, lo siento, lo siento tanto, don Pepe! Pero las camisas no están planchadas.

*Sr. Jiménez* – ¡Cómo! ¿No me ha planchado ninguna camisa?

*Esperanza* – No, don Pepe.

*Sr. Jiménez* – ¡Caramba! Sin camisa limpia no voy a poder salir. ¿Y por qué no me plancha al menos una?

*Esperanza* – Pero si no puedo. ¿Cómo quiere que planche? Cuando no hay luz, ¡no hay electricidad!

*(De la cinta 16)*

## EJERCICIO 96

### TERCER DICTADO

*Escuche y escriba el dictado número tres de su cinta de dictados:*

## CAPÍTULO 17 – REPASO

*Sustantivos:*
– el árbol
el campo
el centro
el gato
el lago
el mar

– la arena
la costumbre
la edad
la hoja
la montaña
la pelota
la playa

– las vacaciones

*Verbos:*
– acabar
celebrar
correr
dejar un recado
durar
estar apurado
felicitar
invitar
seguir
tardar (en)

– apurarse
caerse

*¿Qué hace Ud.?*
– Empiezo *a* leer.
Dejo *de* leer.
Sigo *leyendo*.

*¿Dónde trabaja Ud. ahora?*
– Trabajo en la firma López.
Antes *trabajaba* en la firma Rodríguez.

*¿Cuándo toma Ud. sus vacaciones?*
– Las tomaré pronto, en agosto.

*El tiempo:*
¿Cuánto tiempo *hace que* . . . ?
– Hace un año que viajé a Perú.

*¿Desde cuándo está en su trabajo?*
– He trabajado aquí desde 19 . . .

*¿Hasta cuándo trabajará Ud. hoy?*
– Trabajaré hasta las seis.

*¿Cuánto tiempo va a quedarse en Madrid?*
– Voy a quedarme aquí por cuatro semanas.

*¿En qué estación estamos?*
Estamos . . .
– en primavera
en verano
– en otoño
en invierno

*¿Qué se hace en primavera?*
En primavera . . .
– se va de paseo
se da un paseo por el campo, etc.

*¿Qué hace Ud. en verano?*
En verano . . .
– voy a la playa
me baño en el mar
tomo el sol
*me pongo* tostado, etc.

*¿Qué pasa en otoño?*
En otoño . . .
– las hojas *se ponen* rojas
las noches se ponen frías

*¿Qué pasa en invierno?*
En invierno . . .
– hace frío
se va a la montaña
se esquia, etc.

*Días de fiesta:*
– La Navidad
El Año Nuevo
– El Día del Trabajo
el cumpleaños

*¿Cuándo nació?*
– Nací el 4 de octubre de 19 . . .

*Expresiones:*
– "¡Feliz Navidad!"
"¡Feliz Año Nuevo!"

– "¡Feliz cumpleaños!"
"Le deseo . . . ."

**¡ESCUCHE LA CINTA NÚMERO 17!**

## LAS COSTUMBRES ESTÁN CAMBIANDO

Para la gente hispanoamericana el día empieza con un desayuno ligero*. Una taza de café y algo de pan es suficiente. El almuerzo, en cambio, es una comida grande con dos o tres platos seguidos de un postre y café. Se toman también algunas bebidas. En países como España, Chile y Argentina, que tienen muchos y buenos vinos, casi todos toman vino al almuerzo. La cena hispánica es tan importante como el almuerzo. Es también una comida caliente de dos o tres platos.

Se dice y se repite que en nuestros tiempos las costumbres están cambiando en todas partes. En el mundo español han cambiado muchas cosas en los últimos veinte años. Antes, cuando las ciudades no eran tan grandes y no había tantos problemas de transporte, para almorzar la gente dejaba el trabajo por dos horas o más e iba a sus casas. Las oficinas y tiendas cerraban a las 12 y volvían a abrir a las 3. Actualmente* pocas personas tienen más de una hora para almorzar. En las grandes ciudades, casi todos almuerzan cerca de sus lugares de trabajo. Con esto el almuerzo hispánico ha perdido algo de su antigua* importancia y ceremonia, pero también se ha hecho más corto el día de trabajo.

Sin embargo*, en el mundo hispánico se sigue viviendo más de noche que en otros países. Se pueden hacer compras hasta las 8 de la noche y hay muchos espectáculos* que terminan a la 1 de la mañana.

En toda Hispanoamérica generalmente se almuerza tarde (a la 1 o 2), se trabaja hasta tarde, se cena tarde, (a las 8, 9 o 10) y la gente se acuesta tarde también.

*ligero = aquí, es lo contrario de "pesado"
actualmente = ahora, en estos tiempos
antiguo = viejo, de tiempos pasados
sin embargo = pero
espectáculo = cine, teatro, etc.

## EJERCICIO 97

### ELLA ME LO HACE HACER . . .

A El ama de casa no sirve la comida ella misma. Ella me *la hace servir.*

1. Ella no limpia las alfombras ella misma. Ella me ______
2. Ella no hace las camas ella misma. Ella me ______
3. Yo no arreglo mi reloj yo mismo. Yo ______
4. No lavamos el coche nosotros mismos. Lo ______

### . . . Y YO LE AYUDO

B. El ama de casa hace el trabajo. Yo *le ayudo a hacerlo.*

1. El ama de casa cocina. Yo ______
2. Ella prepara el almuerzo. Yo ______
3. Ella limpia la casa. Yo ______
4. Ella viste a los niños. Yo ______

### ALGUNAS FECHAS DEL CALENDARIO

C. Si decimos que hoy es miércoles:

1. ¿Qué día fue ayer? ______ 2. ¿Y anteayer? ______
3. ¿Qué día será mañana? ______ 4. ¿Y pasado mañana? ______
5. Los días de la semana son: ______

______

6. Los meses del año son: ______

______

7. Escriba las estaciones: ______

______

## EJERCICIO 98

### LO SUPE POR LA SECRETARIA

| Infinitivo | Tiempos | | Ejemplos |
|---|---|---|---|
| **haber** | *Presente* | hay | Hoy hay pollo frito. |
| | *Pretérito* | hubo | Ayer hubo cordero al horno. |
| | *Futuro* | habrá | Mañana habrá pescado. |

| Infinitivo | Tiempos | yo | Ud. | nosotros | Uds. |
|---|---|---|---|---|---|
| **saber** | *Presente* | se | sabe | sabemos | saben |
| | *Pretérito* | supe | supo | supimos | supieron |
| | *Futuro* | sabré | sabrá | sabremos | sabrán |

A. *Escriba los pretéritos:*

1. **haber**

   Ayer, como siempre, ______________________ demasiadas conversaciones en mi oficina.

2. **saber**

   Así, nosotros ______________________ que nuestro gerente se va a Europa.

3. **saber**

   ¿Cómo lo ______________________ Ud. también?

4. **saber**

   Lo ______________________ por la secretaria de nuestro gerente.

B. *Ponga los verbos en el futuro:*

1. **haber**

   Sabemos también que el lunes ______________________ una reunión* entre él y mi jefe.

2. **saber**

   Después de esa reunión ______________________ muchas más noticias.

*reunión = reunir, juntarse, reunión de personas

## EJERCICIO 99

### AHORA Y ANTES

| Infinitivo | Tiempo | yo, Ud. | nosotros | Uds. |
|---|---|---|---|---|
| **tomar**<br>**comer**<br>**vivir** | *Imperfecto* | **tomaba**<br>**comía**<br>**vivía** | **tomábamos**<br>**comíamos**<br>**vivíamos** | **tomaban**<br>**comían**<br>**vivían** |

Los imperfectos *irregulares* son:

| | | | | |
|---|---|---|---|---|
| **ser**<br>**ver**<br>**ir** | *Imperfecto* | **era**<br>**veía**<br>**iba** | **éramos**<br>**veíamos**<br>**íbamos** | **eran**<br>**veían**<br>**iban** |

A. *Complete estas frases:*

Ahora María *trabaja* en una gran firma. Antes *trabajaba* **en una pequeña firma.**

1. Ahora *tiene* un buen puesto.

   Antes no ______________________ **un buen puesto.**

2. Ahora *es* secretaria del jefe.

   Antes no ______________________ **secretaria del jefe.**

3. Ahora *almuerza* en el centro.

   Antes ______________________ **en su casa.**

4. Ahora *gana* bastante.

   Antes ______________________ **muy poco.**

5. Ahora *va* al trabajo en su coche.

   Antes ______________________ **al trabajo en autobús.**

6. Ahora *llega* temprano.

   Antes ______________________ **siempre tarde.**

7. Ahora *hace* sus compras en el centro.

   Antes las ______________________________ ____________________ cerca de su casa.

8. Ahora sólo *trabaja* 8 horas.

   Antes ______________________________________________ 9 horas o más.

9. Ahora *habla* por teléfono sólo con Carlos.

   Antes ______________________________________________ con muchos amigos.

10. Ahora se *va* a las 5 p.m.

    Antes se ______________________________________________ a las 6 p. m.

B. *Ponga el verbo en plural:*

1. Todos los días yo daba un paseo.

   ______________________________________________

2. Algunas veces yo iba a ese café.

   ______________________________________________

3. Ahí me encontraba con mis amigos.

   ______________________________________________

4. Siempre era yo el primero en llegar.

   ______________________________________________

5. Mi amigo tomaba café.

   ______________________________________________

6. Él hablaba de las chicas.

   ______________________________________________

7. ¿Qué decía?

   ______________________________________________

8. Decía que su oficina no estaba completa sin secretaria.

   ______________________________________________

## EJERCICIO 100

## ESTOY MUY CANSADO

*Usemos el verbo* **estar.**

| | |
|---|---|
| El vaso se cayó y se rompió. | Ahora *está roto.* |
| Los niños ya se acostaron. | Ya *están acostados.* |

*Practique completando estas frases:*

| | | |
|---|---|---|
| 1. | El puro se apagó. | Ahora ______ |
| 2. | Las hojas se pusieron amarillas. | Ahora ______ |
| 3. | El vino se puso agrio. | Ahora ______ |
| 4. | La camisa se ensució. | Ahora ______ |
| 5. | Esperanza la lavará. | Mañana ______ limpia. |
| 6. | Me cansé. | Ahora ______ |
| 7. | Alguien ha apagado las luces. | Ahora ______ |
| 8. | María ya ha escrito todas las cartas. | Ya ______ |
| 9. | Alguien ha prendido las luces. | Ahora ______ |
| 10. | Alguien ha abierto la puerta. | Ahora ______ |
| 11. | Nos hemos parado varias veces. | Ahora también ______ |
| 12. | María todavía no se ha sentado. | Todavía no ______ |
| 13. | Nuestros relojes se han descompuesto. | Ahora ______ |
| 14. | Los niños ya se han vestido. | Ya ______ |
| 15. | El coche se descompuso. | Ahora ______ |

## ¡QUE LINDA ESTÁ LA PLAYA HOY!

*Carlos* – ¡Mire María qué bonita está la playa hoy!

*María* – Sí, ¡qué linda está! Qué buena fue su idea de venir aquí.

*María* – No entiendo. Hoy es domingo y no hay nadie en la playa.

*Carlos* – Es muy temprano todavía.

*María* – ¡Qué día más bonito tenemos hoy!

*Carlos* – Es verdad. Se ve que estamos en primavera.

*María* – Estamos en primavera pero hace tanto calor como en verano.

*Carlos* – Bueno, María. ¡A nadar! ¡Vamos al agua!

*María* – ¡Todavía no!

*Carlos* – ¡Vamos, María! ¡Al agua! ¡A nadar! Venga al agua conmigo.

*María* – Bueno. Corramos al agua. ¡A ver quién llega primero! ¡Oh, qué espanto! ¡Qué fría está!

*Carlos* – ¡Si no está tan fría!

*María* – ¿Cómo que no está fría? ¡Está . . . helada!

*Carlos* – Déme la mano.

*María* – No, Carlos. Déjeme entrar sola al agua. No quiero mojarme la cabeza. ¡Ay, qué fría, qué fría, qué fría está¡ Carlos, el agua está tan fría que no me puedo quedar más, me voy a salir ahora mismo.

*Carlos* – Yo también voy a salir pronto. ¡Oh! María. ¿Dónde tenemos las toallas?

*María* – Las puse en la caja de plástico, junto con la comida.

*Carlos* – Ahora tengo un hambre . . . ¿Qué hay para comer?

*María* – Traje sándwiches.

*Carlos* – ¡Mm! . . . ¡Sándwiches! ¿Y de qué son?

*María* – Unos son de pollo y los otros de jamón.

*Carlos* – ¡Mm . . . Están muy sabrosos!

*María* – Ya lo creo que están sabrosos. ¡Los hice yo!

## EJERCICIO 101

## CUARTO DICTADO

*Escuche y escriba el dictado número cuatro de su cinta de dictados:*

**NOTA:** *La* **z** *se cambia en* **c** *antes de* **e** *o* **i**:

empezar – empecé
hizo – hice – hicimos
luz – luces
diez – dieciocho

## CAPÍTULO 18 – REPASO

*Sustantivos:*
– el clima
el coñac
el espejo
el hielo
el impermeable
el médico
el polo
el termómetro

– la calefacción (central)
la farmacia

*Adjetivos:*
– mojado/a
enfermo/a
resfriado/a

*Verbos:*
– describir
indicar
transbordar
usar (ropa)

– cambiarse (ropa)
confirmarse
mojarse
resfriarse

*¿Qué estaba haciendo Ud . . . ?*
– Yo *estaba trabajando* cuando el director entró.

*¿Qué le gustaría hacer?*
– Me gustaría hacer un viaje *alrededor* del mundo.

*¿Está prohibido estacionar?*
– Sí, aquí *no se debe* estacionar.

*¿Cómo está el tiempo?*
Hace . . .
– buen/mal tiempo
viento/sol/calor
diez grados bajo cero

Está lloviendo/nevando.

Está nublado:
– *Parece* que va a llover.
. . . que va a nevar.

*¿Cuándo hace calor en ese lugar?*
Hace calor . . .
– rara vez
a veces
a menudo
generalmente

*¿Se usa abrigo en invierno?*
– Sí. *Si no, uno* se resfría.

*Estoy resfriado:*
– Tomo medicinas.
(aspirina, vitamina C)
Tomo limonada.

– Llamo al médico.

*Expresiones:*
– "Tenga la bondad de . . ."
"Haga el favor de . . ."

– "¡Qué día tan hermoso!"

¡ESCUCHE LA CINTA NÚMERO 18!

## PARA NOSOTROS AGOSTO NO ES EN VERANO

Se dice que en invierno hace frío y en verano hace calor. Pero esta verdad, como tantas otras, no es una verdad absoluta.

España tiene muchos climas diferentes. En las costas* el clima es muy agradable. En verano hace bastante calor; pero en invierno no hace mucho frío. En Castilla, en cambio, hay fuertes diferencias entre las estaciones. En verano hace mucho calor; en invierno hace mucho frío y a veces nieva bastante.

La mayoría* de los países hispanoamericanos están en la zona tropical. En las costas de América tropical hace siempre mucho calor y las estaciones son sólo dos: la estación seca y la estación de lluvias.

El clima de las ciudades de los países tropicales cambia poco de una estación a otra. Para los que viajan a esos países, conocer la altitud* de las ciudades es más importante que saber la estación del año. En las ciudades que están a gran altitud, como por ejemplo México, Bogotá, Quito, La Paz, el clima es bastante fresco* y agradable casi todo el año.

Chile, Argentina y Uruguay—los tres países del sur—tienen clima europeo, con estaciones bien diferentes. Pero en el calendario de estos países, las estaciones están al contrario de las europeas. El verano es desde diciembre hasta marzo y el invierno desde junio hasta septiembre.

En Chile se puede esquiar desde junio hasta agosto, cuando hace gran calor en Norteamérica y Europa.

*la costa = la parte de un país que está cerca del mar
la mayoría = el número más grande
altitud = Bogotá está a una altitud de 3.100 metros sobre el nivel del mar.
clima fresco = clima sin gran calor

## EJERCICIO 102

### ¡MIRE EL TERMÓMETRO!

| | | |
|---|---|---|
| *En un lugar* | **hace** | frío o hace calor. |
| *Una persona* | **tiene** | frío o tiene calor. |
| *Una cosa* | **está** | fría o está caliente. |

*Por favor, complete estas frases:*

1. Cuando el termómetro de mi cuarto marca 16 grados (centígrados), yo no ________ ni frío ni calor. En el cuarto no ________ ni frío ni calor. Las paredes no ________ ni frías ni calientes.
2. Cuando el termómetro marca 25 grados, en la ciudad ________ calor. Pero en la playa no ________ calor. Si Ud. ________ calor entonces, puede irse a la playa. La arena ________ caliente, pero el agua no.
3. Cuando el termómetro marca 32 grados, ________ calor en todas partes. Todas las cosas que están al sol ________ calientes. Toda la gente ________ calor.
4. Cuando el termómetro indica* 10 grados bajo 0, todo el mundo ________ frío. Los cuartos que no tienen calefacción ________ fríos.
5. En este momento estamos a 13 grados sobre cero*. ¿________ Ud. calor? Yo ________ un poco de frío.
6. En el día de ayer ________ mucho calor. Pero hoy ________ bastante frío. Y parece que mañana ________ frío también.

*indicar = mostrar, marcar

## EJERCICIO 103

## HABLANDO DE PELÍCULAS

| | |
|---|---|
| siempre | no . . . nunca |
| algo | no . . . nada |
| algún | no . . . ningún |
| alguien<br>todos | no . . . nadie |
| en alguna parte | no . . . en ninguna parte |
| (y) también | no . . . (ni) tampoco |

*Escriba con negativos, usando* **Ud.** *donde sea posible:*

He ido *siempre* a ese cine por la noche.

*Ud. no ha ido nunca a ese cine por la noche.*

1. Voy *siempre* a ver películas italianas.

______________________________

2. Mañana haré *algo* interesante.

______________________________

3. Iré de compras y *también* iré al cine.

______________________________

4. Generalmente voy con *alguien* al cine.

______________________________

5. Creo que *algunas* películas son malas.

______________________________

6. Creo que hay películas que gustan *en todas partes.*

______________________________

7. Creo que hay películas que *siempre* traen *algo* para *todos.*

______________________________

## EJERCICIO 104

### ¡REPITAMOS . . . REPITAMOS!

*Escriba dos formas del pretérito de cada uno de estos verbos:*

| | Yo . . . | Ud., él, ella . . . |
|---|---|---|
| traer | ________ | ________ |
| decir | ________ | ________ |
| venir | ________ | ________ |
| poner | ________ | ________ |
| poder | ________ | ________ |
| tener | ________ | ________ |
| estar | ________ | ________ |
| andar | ________ | ________ |
| haber | ________ | ________ |
| saber | ________ | ________ |
| ser | ________ | ________ |
| ir | ________ | ________ |
| dar | ________ | ________ |
| pedir | ________ | ________ |
| preferir | ________ | ________ |
| leer | ________ | ________ |
| creer | ________ | ________ |
| querer | ________ | ________ |
| hacer | ________ | ________ |
| seguir | ________ | ________ |

## EJERCICIO 105

## ESTÁBAMOS TRABAJANDO EN MI HABITACIÓN

*Complete las frases:*

1. **estar/ser**

   Cuando estuve en ese hotel, mi habitación ____________ en el quinto piso y ____________ muy grande y clara.

2. **ser/haber**

   La mesa ____________ muy grande y ____________ una excelente máquina de escribir.

3. **tener/poder**

   Yo ____________ todo lo necesario y ____________ descansar y trabajar.

4. **llegar/leer**

   Cuando el Sr. López ____________ yo ____________ unas cartas.

5. **entrar/trabajar**

   Cuando la secretaria ____________ ya ____________ .

6. **sonar/dictar**

   El teléfono ________ cuando el Sr. López ____________ una carta a la secretaria.

7. **contestar/contestar**

   Yo ____________ el teléfono y le dije al jefe que ____________ varias cartas.

8. **decir/escribir**

   También le ____________ que ____________ una respuesta a su carta.

9. **pedir/almorzar**

   Después ____________ el menú al camarero y a la 1 ya ____________ en mi habitación.

10. **llamar/terminar**

    Cuando el jefe ____________ a las 4 ya ____________ el trabajo.

## CARLOS TAMBIÉN ESTÁ RESFRIADO

*"Aquí tiene las medicinas, María."*

*María* – At . . . at . . . ¡Atchís!

*Carlos* – ¡Salud!

*María* – Gracias . . . ¡Ay!

*Carlos* – ¿Qué le pasa, María?

*María* – ¡Estoy muy resfriada! Yo se lo dije, Carlos. El agua estaba demasiado fría . . . ¡Atchís!

*Carlos* – María, por favor, vaya a ver al médico.

*María* – ¿Ir al médico, por un resfriado? ¡Oh, no! Tomaré algo y se me pasará.

*Carlos* – ¿Tiene alguna medicina en la casa?

*María* – No, pero iré a la farmacia y compraré lo que necesito.

*Carlos* – ¿Ir a la farmacia? ¡No, María! Ud. está demasiado enferma para salir de la casa. Déjeme ir a mí.

*María* – Ay, Carlitos. ¿De veras* que no le importa ir? ¡Qué bueno es Ud. conmigo!

*Carlos* – Pero Ud. no salga de la casa, ¿eh? Espéreme aquí.

*María* – Sí, no saldré. Le esperaré.

*Carlos* – *(Saliendo del cuarto)* Compraré limones, vitamina C, aspirinas, penicilina . . .

*María* – ¡Un momento, Carlos!

*Carlos* – ¿Qué pasa?

*María* – Está lloviendo, Carlos. Lleve mi paraguas.

*Carlos* – ¿Su paraguas? ¡No! ¿Qué importa? La farmacia está muy cerca. Y un poco de lluvia no le hace mal a nadie.

*María* – Cuídese, Carlos. No se moje.

*Carlos* – Sí, María. No se preocupe.

*(Pasan 5 minutos y Carlos todavía no vuelve, pasa media hora, pasan 40 minutos . . .)*

*Carlos* – *(Entrando al cuarto)* Aquí . . . ¡atchís! . . . aquí estoy.

*María* – ¡Carlitos! Viene completamente mojado . . .

*Carlos* – ¡Atchís! Y aquí tiene . . . at . . . at . . . ¡atchís! . . . las medicinas.

*María* – ¡Carlos, ahora parece que Ud. también está resfriado!

*(De la cinta 18)*

* ¿De veras? = ¿Es verdad?

## EJERCICIO 106

## CRUCIGRAMA

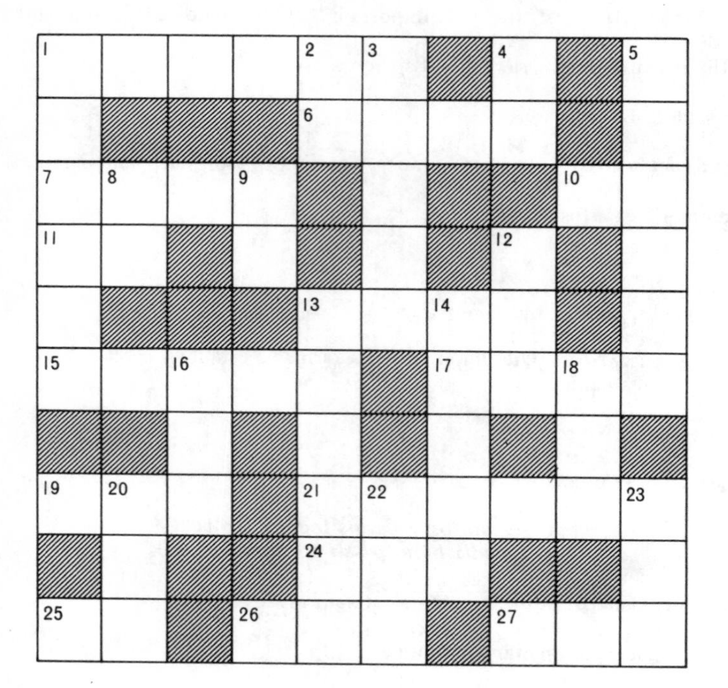


### HORIZONTALES

1. Una de las estaciones del año.
6. La primavera es . . . estación.
7. Argentina está al . . . de Chile.
10. Cuando hace calor quiero . . . a la playa.
11. En primavera, no hace . . . frío . . . calor.
13. Cada . . . del árbol es verde en verano.
15. Chile está al . . . de Argentina.
17. En invierno hay que . . . abrigo.
19. Hay que . . . una propina al chófer.
21. Me vienen a visitar a menudo.
24. Ayer él . . . un paseo.
25. Una respuesta muy corta para muchas preguntas.
26. Se pone antes de muchas palabras en el plural.
27. Lo contrario de "bien".

### VERTICALES

1. El . . . es peor cuando hace frío.
2. Igual al 25 horizontal.
3. Estación del año.
4. . . . lluvia no me gusta.
5. Él va a . . . porque tiene mucho trabajo.
8. Lo contrario del 2 vertical.
9. No . . . verdad pero . . . necesario.
12. Se escribe antes de montañas y estaciones.
13. Le prefiero como postre cuando hace calor.
14. Un mes del año, pero no julio.
16. Está después de uno de los polos.
18. Lo que se dice al contestar el teléfono.
20. Doce meses, o también cuatro estaciones.
22. Tomé . . . vacaciones en enero.
23. Empieza la mañana cuando sale.

## EJERCICIO 107

## QUINTO DICTADO

*Escuche y escriba el dictado número cinco de su cinta de dictados:*

**NOTA:** *El acento fuerte en la antepenúltima sílaba siempre se marca:*

médico, ópera, séptima, máquina, teléfono, termómetro, fotográfico

## CAPÍTULO 19 – REPASO

*Sustantivos:*
– el barquito
  el centímetro
  el chiste
  el cuento
  el fuego
  el guía

– el Aconcagua
  los Andes

– la camarera
  la casita
  la chica
  la excursión
  la lavandería

*Adjetivos:*
– contento/a
  descortés
  joven
  peligroso/a
  triste
  vendado/a

*Verbos:*
– hacer daño
  limpiar en seco
  perder (el tren)
  tener . . .
    hambre/sed
    cuidado
    razón
  tratar (de)

– descomponerse
  enojarse
  quemarse

*¿Dónde estuvo Ud.?*
Estuve . . .
– *en casa de* mi hermano
  en casa del dentista

*¿Adónde va Ud.?*
– Voy para acá.
    para allá.

*¿Qué acaba de hacer Ud.?*
– Acabo de escribir una carta.

*¿Hace lavar su coche?*
– Sí, hago lavarlo.
– No, se lava el coche *uno mismo.*

*¿Es posible abrir la ventana?*
– Sí, es posible.
– No, no es posible.

*¿Cuántos habitantes tiene Buenos Aires?*
– Tiene *más o menos* ocho millones de habitantes.

*Expresiones:*
– "¡A la salud!"
  "¡Tiene razón!"
  "¡Está equivocado!"
  "¡Estamos de acuerdo!"

¡ESCUCHE LA CINTA NÚMERO 19!

*¿arvejas o guisantes?*

*¿estampilla o sello?*

## ¿ESPAÑOL O CASTELLANO?

El español es el idioma de más de 200 millones de personas. Su nombre varía*, en algunos países se llama "español", en otros se prefiere llamarlo "castellano"*.

Ud. quizás* nos preguntará "¿Pero dónde se habla el mejor español?"... El mejor español se habla en las ciudades de Castilla, en España, y en el resto de los países de habla española en sus capitales, por regla general.

Este idioma, que es lengua nacional de 20 países, no tiene un centro; tiene muchos centros. No pertenece* a ningún país exclusivamente; pertenece a todo el mundo hispánico.

El español que hablan las personas cultas es esencialmente el mismo en todas partes. Hay pequeñas variaciones de pronunciación, pero más importantes son las variaciones en algunos nombres de cosas que se usan todos los días.

*¿papas o patatas?*

*¿cartera o bolso?*

*variar = cambiar
castellano = lengua nacional de España y de la América Hispana
quizás = es posible
no pertenece = no es propio: Este libro no pertenece al profesor.

## EJERCICIO 108

## EL BARQUITO EN EL LAGUITO

*¿Recuerda Ud. la pronunciación de estas sílabas?*

ca, que, qui, co, cu
za, ce, ci, zo, zu
cua, cue, cui, cuo
ga, gue, gui, go, gu
güa, güe, güi
*(ü se pronuncia u)*

*Escriba los diminutivos:*

| | | | |
|---|---|---|---|
| mesa | *mesita* | lago | *laguito* |
| barco | *barquito* | paraguas | *paragüitas* |
| 1. agua | ______ | 6. copa | ______ |
| 2. amigo | ______ | 7. niño | ______ |
| 3. árbol | ______ | 8. pedazo | ______ |
| 4. cabeza | ______ | 9. perro | ______ |
| 5. caja | ______ | 10. poco | ______ |

*Mire también estos juguetes*:*

| | | | | | |
|---|---|---|---|---|---|
| coche | – | cochecito | tren | – | trencito |
| avión | – | avioncito | barco | – | barquito |
| carro | – | carrito | casa | – | casita |

*juguetes = cosas con las que juegan los niños

## EJERCICIO 109

## EMPECÉ Y TERMINÉ

Ayer leí una frase.

| | | | |
|---|---|---|---|
| **empezar** | Yo | *empecé a leer* | una frase. |
| **seguir** | Yo | *seguí leyendo* | una frase. |
| **dejar** | Yo | *dejé de leer* | una frase. |
| **terminar** | Yo | *terminé de leer* | una frase. |

*Por favor, complete estas frases:*

1. Ayer llovió mucho.

   a. **empezar** En la mañana ______________________________

   b. **seguir** ______________________________ hasta mediodía.

   c. **dejar** A mediodía ______________________________

   d. **volver** Por la tarde ______________________________

2. Yo fumé durante muchos años.

   a. **empezar** Yo ______________________________ cuando tenía 18 años.

   b. **dejar** A los 25 años ______________________________ porque me enfermé.

   c. **volver** Pero ______________________________ dos años después.

   d. **seguir** Entonces ______________________________ hasta el año pasado.

   e. **dejar** Ahora ______________________________ definitivamente.

3. Ayer Ud. escribió cartas todo el día.

   a. **empezar** Por la mañana Ud. ______________________________ las más importantes.

   b. **dejar** A las dos ______________________________ para ir a almorzar.

   c. **volver** Por la tarde ______________________________ más cartas.

   d. **seguir** ______________________________ hasta la noche.

   e. **terminar** A las 8 ______________________________ la última.

## EJERCICIO 110

## MI PERRO ME INVITABA

*Complete esta historia usando el imperfecto:*

1. **ser/pasar**

   Cuando yo ________________ niño, mi familia y yo ________________ los veranos en el sur.

2. **subir/bajar**

   Algunos años ________________ a las montañas y otros ________________ al mar.

3. **pasarlo/ser**

   En el mar ¡qué bien ________________ ! Todos los días ________________ días de sol.

4. **hacer/llover**

   No ________________ nunca demasiado calor y tampoco ________________ en todo el verano.

5. **gustar**

   Lo que más me ________________ era nadar.

6. **querer/estar**

   Cuando mis padres ________________ ir a las montañas, yo no ________________ muy contento.

7. **ser**

   En las montañas, el que mejor lo pasaba ________________ mi perro.

8. **tener**

   Él ________________ una pasión por subir a los cerros*.

9. **salir/estar**

   Todas las mañanas cuando yo ________ de la casa, ahí ________ el perro esperándome.

10. **invitarme**

    Y con sus ojos y sus ladridos* ________________ a salir de excursión.

*cerro = montaña
ladrido = la voz del perro

## EJERCICIO 111

## PERO MI RELOJ ESTABA ATRASADO

El reloj se atrasó.

Cuando lo miré *estaba atrasado.* ______

*Por favor, complete estas frases:*

1. Juan tuvo que apurarse para no perder el tren.

   Cuando lo encontré en la calle, ______

2. Sus zapatos se mojaron.

   Cuando volvió a la oficina, sus zapatos ______

3. Él puso los zapatos junto a la calefacción.

   Cuando los volvió a buscar, ______

4. Pedimos café y el camarero tardó en venir.

   Cuando lo trajo, ______

5. Hicimos todo el trabajo en una tarde.

   Cuando llegó el jefe, el trabajo ______

6. Cuando Juan recibió el dinero se puso muy contento.

   Cuando fui a verlo, ______

7. Cuando le dijeron que había errores se enojó mucho.

   Cuando hablé con él, todavía ______

8. Me preguntó la hora, pero mi reloj se paró a las 3.

   Cuando quise ver la hora, encontré que mi reloj ______

## EJERCICIO 112

## NO HABÍA MÁS TRENES ESA NOCHE

*Escriba los imperfectos que faltan:*

A. **ser/estar/faltar**

Tomé un taxi para venir aquí porque ya ____________________ casi las 8.

____________________ atrasado. ____________________ sólo 5 minutos para empezar la lección.

B. **estar/necesitar/costar/tener**

Fui a comprar un radio nuevo porque mi radio viejo ____________________

descompuesto y ____________________ oir las noticias. Encontré uno que

me gustó, pero no lo compré porque ____________________ demasiado, más de

200 pesos y ____________________ solamente 150.

C. **tener/querer/saber/apurarse/poder/haber**

Fui a la estación en taxi porque ____________________ una maleta muy grande.

No ____________________ mucho tiempo. ____________________ que estar ahí antes

de las 5. No q____________________ atrasarme. ____________________ llegar temprano

para encontrar un buen asiento. ____________________ que si no me ____________________

no ____________________ tomar otro tren, pues no ____________________ más trenes

esa noche.

## VERBOS MUY USADOS

### 1. hacer

| | |
|---|---|
| – hacer preguntas<br>errores<br>un viaje<br>un favor | Hága el favor de decirme. |
| – hacer hacer | Haga planchar este traje.<br>Haré arreglar el motor.<br>Hice parar el taxi. |
| – hacer (+ tiempo) | Llegué hace 3 días.<br>Hace una hora que estoy esperando. |
| – hacer (frío, etc.) | Hoy hace sol y no hace viento; por eso hace calor. |

### 2. pasar

| | |
|---|---|
| – pasar algo a alguien | ¿Puede Ud. pasarme la sal, por favor? |
| – pasar por un lugar | El autobús no pasa por el centro. |
| – pasar (entrar o salir) | Dije "con permiso" y pasé. "Pase Ud." |
| – pasar(se) (terminar) | El mal tiempo pasó. |
| – pasar (algo anormal) | ¿Qué pasa?<br>¿Qué le pasó a Juan? |
| – pasar un tiempo | Voy a pasar el verano en la playa. |
| – pasarlo bien (mal) | La fiesta estuvo muy buena; lo pasamos muy bien. |

### 3. seguir

| | |
|---|---|
| – seguir a alguien | El perro seguía al niño a todas partes. |
| – seguir (ir más lejos) | ¡Siga leyendo! |

4. **tener**

| | |
|---|---|
| – tener sed<br>frío<br>calor<br>hambre | ¡Tengo hambre! |
| – tener que hacer | No puedo ir porque tengo mucho que hacer. |
| – tener razón | Creo que él (no) tiene razón. |
| – tener edad | Él tiene 10 años y ella tiene 8.<br>¿Qué edad tiene Ud.? |
| – tener metros, etc. | La mesa tiene 3 metros de largo. |
| – tener cuidado | ¡Cuidado! Hay que tener cuidado con la puerta del ascensor. |

5. **poner**

| | |
|---|---|
| – poner la mesa | La mesa ya está puesta. |
| – poner el reloj en hora | El reloj está puesto en la hora exacta. |
| – ponerse la ropa. | Me puse el abrigo. |
| – ponerse verde<br>amarillo<br>rojo<br>difícil<br>peligroso<br>viejo<br>interesante<br>contento<br>triste | El niño oyó eso y se puso triste. |

6. **volver**

| | |
|---|---|
| – volver a un lugar | ¡Vuelva mañana! |
| – volver a hacer (hacer de nuevo) | Si el teléfono no contesta, vuelva a llamar más tarde. |

## NUESTRAS VACACIONES DE ENERO

*María* – Buenos días, doña Carlota.

*Carlota* – Buenos días, María. ¿Cómo está Ud.?

*María* – Bien, gracias, ¿Y Ud., señora? ¿Y su esposo?

*Carlota* – Bien. Sí, él está muy bien, gracias. ¡Cómo pasa el tiempo!

*María* – ¡Qué bueno que pase tan rápido! Ya estamos en octubre y en noviembre voy a tomar mis vacaciones.

*Carlota* – Noviembre es demasiado pronto para nosotros. Este año vamos a salir en enero.

*María* – ¿Y adónde irán, señora?

*Carlota* – ¿Mi marido y yo? Iremos a la playa como de costumbre.

*María* – Pero su esposo me ha dicho que quiere ir a los Andes.

*Carlota* – ¿A los Andes? Sí, sé que prefiere las montañas.

*María* – Su esposo dice que quiere vacaciones de alta montaña.

*Carlota* – Lo sé, lo sé. Pero a mí las montañas no me gustan en absoluto.

*María* – ¡Oh, señora, pero las montañas son tan lindas! Los Andes son tan hermosos en verano como en invierno.

*Carlota* – Pero a mí no me sientan bien. Lo que yo necesito es el mar. A mí me encanta la playa, puedo pasar horas y horas tomando sol. ¡Oh, el sol en la playa! Este año quiero tomar mucho, mucho sol.

*María* – Pero señora, su esposo dice que quiere hacer excursiones a las montañas todos los días.

*Carlota* – ¿Excursiones todos los días? ¡Hm! A mi marido le encantan las excursiones, es verdad, pero él olvida que a mí no me gustan. No me gustan en absoluto.

*María* – Bueno, creo que no se puede estar de acuerdo en todo.

*Carlota* – Oh, no. Yo no sirvo para las excursiones, yo necesito descansar. Quiero dormir mucho durante mis vacaciones.

*María* – Pero su esposo dijo que. . .

*Carlota* – ¡Oh, María, mi marido dice siempre tantas cosas! ¡No le haga caso*! La verdad es que a él también le gustará la playa. ¡Y el mar le hará tanto bien! Allí podrá nadar todos los días.

*María* – ¿Entonces, no irán a los Andes?

*Carlota* – ¿A los Andes? No. . . . Oh, María, Ud. todavía no está casada, todavía no conoce bien a los hombres . . . Iremos al mar . . . Iremos a una linda playa, a la misma del año pasado.

*(De la cinta 19)*

*Este año la señora Carlota quiere tomar mucho sol en una linda playa.*

*no le haga caso = no lo escuche, no le ponga atención

## EJERCICIO 113

### SEXTO DICTADO

*Escuche y escriba el dictado número seis de su cinta de dictados:*

**NOTA:** *La i fuerte con otra vocal, tiene acento:*

día, río, todavía, María, país, vacío

## CAPÍTULO 20 – REPASO

*Sustantivos:*
– el aire
  el cable
  el cambio
  el camino
  el depósito
  el domicilio
  el formulario
  el servicio
  el viajero
  el vuelo

– la copia
  la corrida de toros
  la estación de servicio
  la localidad
  la ópera

*Adjetivos:*
– numerado/a
  directo/a
  solo/a

*Verbos:*
– llenar (un formulario)
  preguntar por
  reservar
  revelar (fotos)
  revisar
  visitar
  volar

*¿Es Ud. soltero/a?*
– Sí, soy soltero/a.
– No, soy casado/a.

*¿Cuánto cuesta un pasaje?*
– Un pasaje *de ida* cuesta . . .
  Un pasaje *de ida y vuelta* cuesta . . .

*¿Dónde aceptan cheques de viajeros?*
– Los aceptan *en todas partes.*

*Necesito una habitación:*
*¿Para cuántas personas?*
– Sólo para mí.
  Para dos personas.

*¿Para cuándo?*
– Para esta noche.
  Para el próximo jueves.
  Para el 27.

*¿Por cuánto tiempo?*
– Por una noche.
  Por tres días.
  Por el momento.

¡ESCUCHE LA CINTA NÚMERO 20!

## EJERCICIO 114

## ¿CONOCE UD. LAS SEÑALES DEL TRÁNSITO?

*Conteste estas preguntas:*

1. ¿Va hacia la derecha esta calle?

2. ¿Es mejor andar lento o rápido?

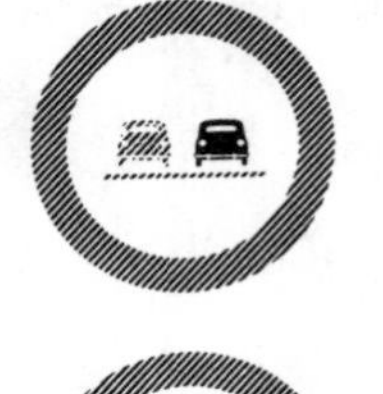

3. ¿Está prohibido pasar a otro coche en una curva?

50

4. Cuando se ve esta señal, ¿se puede manejar* a 50 kilómetros por hora?

5. ¿Se puede andar a menos de 50 kilómetros?

6. ¿Se puede andar a 50 millas por hora?

7. ¿Se puede dejar el coche al lado de esta señal?

*manejar = conducir

## FRASES PARA EL TURISTA

**En el taxi:**

Quisiera ir a la ciudad.
. . . al centro.
. . . al hotel "Bolívar".
. . . al aeropuerto.

¿Cuánto es?
¿Cuánto cobra por ir a . . . ?
¿Cuánto es por hora?
. . . día?

**En el hotel:**

Necesito . . . Quisiera . . .

. . . una habitación con baño.
. . . una habitación con ducha*.

¿Para quién . . . ? Para mí solo.
. . . dos personas.

¿Para cuándo? ¿Ahora mismo?
¿Para esta noche?
¿Para mañana?

¿Por cuánto tiempo? ¿Por una noche?
¿Por 3 días?
¿Hasta el lunes?

**En la peluquería:**

Un corte de pelo corto.
. . . largo.
. . . regular.

No me corte demasiado.
Aféiteme.

**En el salón de belleza:**

lavar (un champú)
"mise en pli"
una permanente
un peinado

**En el banco:**

Quisiera cambiar: ¿A cuánto está el cambio?
¿Es el mejor cambio?
¿Dónde hay que firmar?

*ducha: en México y Venezuela – regadera

## EJERCICIO 115

### CRUCIGRAMA

| | | | | | | | | | |
|---|---|---|---|---|---|---|---|---|---|
| 1 | | 2 | | 3 | | 4 | 5 | | 6 |
| | | | | | | 7 | | 8 | |
| 9 | | | | | | | | 10 | |
| | | | | 11 | 12 | | | | |
| 13 | | | 14 | | 15 | | | 16 | |
| | | 17 | | | | | | | |
| | 18 | | | | 19 | | | | 20 |
| 21 | | | | | | | | 22 | |
| | | | | 23 | | | 24 | | |
| | 25 | | | | | | 26 | | |

### HORIZONTALES

1. Hacen viajes.
7. El ascensor va de uno a otro.
9. Una dimensión.
10. Forma del verbo "ser."
11. El infinitivo del primer verbo que Ud. aprendió.
13. Vestidos, trajes, blusas, camisas.
15. Llega más rápido que una carta.
17. Puede estar delante de *avión y viajero* pero no delante de *maleta y ciudad.*
18. Cuando la tengo quiero beber.
19. Parte del nombre de una ciudad.
21. Oye: escucha, ve: . . .
22. Usted: su; yo: . . .
23. No me gusta . . . que veo.
24. Otra forma del verbo "ser."
25. Dinero americano
26. Igual al 10 horizontal.

### VERTICALES

1. Lo que pueden hacer los pájaros.
2. Donde llegan los aviones.
3. Están más lejos que éstos.
4. "Aída"
5. Con esta palabra todo se puede hacer.
6. Número.
8. Igual al último vertical.
12. País de Latinoamérica.
14. Mi reloj no está parado.
16. Lo hacemos en este momento.
18. Igual al 5 vertical.
20. Lo contrario de *con.*
21. Igual al 22 horizontal.
23. Se puede poner delante de *maleta* y *ciudad.*
24. Aquí . . . terminan las palabras cruzadas.

## ¿ME ESCRIBIRÁ TODOS LOS DÍAS?

*(María debe tomar el avión para Madrid. Carlos ha venido por ella para llevarla al aeropuerto en el coche de su hermano.)*

*Carlos* – María, ¿terminó ya de hacer sus maletas?

*María* – Sí, Carlos, ya están listas. Las puse allá.

*Carlos* – Voy a llevarlas al coche inmediatamente. ¿A qué hora parte* su avión?

*María* – A las catorce y veinte.

*Carlos* – ¿Ah, sí? ¡Ya es la una y media, María! Estamos atrasados.

*(Carlos trata de hacer andar el motor, pero este no quiere prender. Pasan varios minutos y Carlos sigue tratando.)*

*María* – ¡Ay, Dios mío! Parece que voy a perder el avión.

* ¿A qué hora parte? = ¿A qué hora sale?

*Carlos* – Bajemos María, no perdamos más tiempo. Haré parar un taxi. ¡Taxi! ¡Taxi!

*(El taxi para)*

*Carlos* – Al aeropuerto. Rápido, por favor, que estamos atrasados.

*Chófer* – Sí, señor.

*Carlos* – María, tenga cuidado con su cartera. Está abierta.

*María* – Ay, sí, gracias.

*Carlos* – Llegamos, María.

*María* – ¡Gracias a Dios que llegamos a tiempo!

*(Carlos y María se bajan del taxi. Pocos minutos más tarde las maletas están ya en manos de los empleados. María ha mostrado su pasaporte, y se ha hecho todo lo necesario para el viaje. Ahora sólo falta que llamen a los pasajeros a subir al avión.)*

*Carlos* – Dígame, María. ¿Cuánto tiempo se va a quedar en Madrid?

*María* – Dos o tres meses.

*Carlos* – ¡Tanto! ¿Por qué tanto?

*María* – Mi hermana me necesita en Madrid, Carlos. Es preciso que esté con ella, al menos dos meses.

*Carlos* – Dos meses. Van a ser dos meses muy largos.

*María* – Pero yo le escribiré, Carlos.

*Carlos* – ¿De veras? ¿No se olvidará?

*María* – Sí, sí. Le escribiré. . .Le escribiré todos los días.

*Carlos* – ¡Oh, María!

*Carlos* – No esté triste, María. Los dos meses pasarán volando.

*María* – ¿Y Ud. me escribirá, Carlos? ¿No me olvidará?

*Voz del altoparlante* – ¡Atención, por favor! Señores pasajeros de Iberia con destino a Buenos Aires, Montevideo, Río de Janeiro y Madrid, sírvanse pasar al avión por la puerta de control número 5.

*Carlos* – Adiós, María.

*María* – Adiós, Carlos.

## DOS PALABRAS A NUESTROS ALUMNOS

*Querido alumno de la Escuela Berlitz:*

Ud. acaba de terminar nuestro Primer Curso y ya no es un principiante* en la lengua* castellana.

En las primeras páginas de este libro, hay un prefacio sobre el Método Berlitz, escrito en español, solamente para los profesores. En estas últimas páginas del libro seguiremos también hablando de nuestro método y, naturalmente, lo haremos en español, pero esta vez ya podemos hablarle directamente a Ud., pues hoy Ud. ya no está en el curso elemental de español. Ahora Ud. ya habla y entiende nuestro idioma; ya sabe leer y escribir en español.

*¡Felicitaciones!*

Ud. ha oído nuestro lema, ¿verdad? "Loqui Loquendo Discitur". "Sólo hablando se aprende a hablar". Era un lema de los antiguos romanos. Y es una verdad que M.D. Berlitz supo comprender. Ahora Ud. también sabe que él tenía razón. Por eso le pedimos que lo repita a todos los que quieren aprender otro idioma. "Sólo hablando se aprende a hablar".

Quizás Ud. ha estado ya en un país donde se habla español, o quizás se está preparando para viajar a alguno de los países de nuestro vasto* mundo hispánico. Si es así, le felicitamos por su deseo de aprender el idioma antes de partir.

En nuestro Segundo Curso, se continúa* el estudio de la lengua y el estudio de la cultura hispánica. En él hablaremos de la geografía de Hispanoamérica, de sus escuelas, su arte, sus industrias, y de la vida en las grandes ciudades hispánicas. Tenemos un segundo libro, habrá más cintas para escuchar en su casa, uno o más profesores que hablarán con Ud. y que lo ayudarán a hablar cada vez mejor. Un día Ud. llegará por fin a México o Caracas, a Madrid, Bogotá, Buenos Aires, o Santiago, o a otro de los muchos centros que tiene el mundo hispánico, y ese día Ud. no será sólo un turista; será casi como un hispano que vuelve a su país.

**FIN**

*principiante = la persona que empieza a hacer algo
lengua = idioma
vasto = muy grande
continúa = sigue

## VERBOS

| Infinitivo | Presente | Subjuntivo e Imperativo | Pretérito |
|---|---|---|---|
| hablar | hablo<br>habla<br>hablamos<br>hablan | hable<br>hable<br>hablemos<br>hablen | hablé<br>habló<br>hablamos<br>hablaron |
| comer | como<br>come<br>comemos<br>comen | coma<br>coma<br>comamos<br>coman | comí<br>comió<br>comimos<br>comieron |
| vivir | vivo<br>vive<br>vivimos<br>viven | viva<br>viva<br>vivamos<br>vivan | viví<br>vivió<br>vivimos<br>vivieron |

## VERBOS

| Infinitivo | Presente | Subjuntivo e Imperativo | Pretérito |
|---|---|---|---|
| abrir | abro<br>abre<br>abrimos<br>abren | abra<br>abra<br>abramos<br>abran | abrí<br>abrió<br>abrimos<br>abrieron |
| andar | ando<br>anda<br>andamos<br>andan | ande<br>ande<br>andemos<br>anden | anduve<br>anduvo<br>anduvimos<br>anduvieron |
| caer | caigo<br>cae<br>caemos<br>caen | caiga<br>caiga<br>caigamos<br>caigan | caí<br>cayó<br>caímos<br>cayeron |
| cerrar* | cierro<br>cierra<br>cerramos<br>cierran | cierre<br>cierre<br>cerremos<br>cierren | cerré<br>cerró<br>cerramos<br>cerraron |

*Se conjugan como "cerrar": despertar, empezar, nevar, pensar, recomendar, sentarse

## REGULARES

| Imperfecto | Futuro | estoy, está, ... | he, ha, ... |
|---|---|---|---|
| hablaba<br>hablaba<br>hablábamos<br>hablaban | hablaré<br>hablará<br>hablaremos<br>hablarán | hablando | hablado |
| comía<br>comía<br>comíamos<br>comían | comeré<br>comerá<br>comeremos<br>comerán | comiendo | comido |
| vivía<br>vivía<br>vivíamos<br>vivían | viviré<br>vivirá<br>viviremos<br>vivirán | viviendo | vivido |

## IRREGULARES

| Imperfecto | Futuro | estoy, está, ... | he, ha, ... |
|---|---|---|---|
| abría<br>abría<br>abríamos<br>abrían | abriré<br>abrirá<br>abriremos<br>abrirán | abriendo | abierto |
| andaba<br>andaba<br>andábamos<br>andaban | andaré<br>andará<br>andaremos<br>andarán | andando | andado |
| caía<br>caía<br>caíamos<br>caían | caeré<br>caerá<br>caeremos<br>caerán | cayendo | caído |
| cerraba<br>cerraba<br>cerrábamos<br>cerraban | cerraré<br>cerrará<br>cerraremos<br>cerrarán | cerrando | cerrado |

| Infinitivo | Presente | Subjuntivo e Imperativo | Pretérito |
|---|---|---|---|
| conocer | conozco<br>conoce<br>conocemos<br>conocen | conozca<br>conozca<br>conozcamos<br>conozcan | conocí<br>conoció<br>conocimos<br>conocieron |
| contar* | cuento<br>cuenta<br>contamos<br>cuentan | cuente<br>cuente<br>contemos<br>cuenten | conté<br>contó<br>contamos<br>contaron |
| creer | creo<br>cree<br>creemos<br>creen | crea<br>crea<br>creamos<br>crean | creí<br>creyó<br>creímos<br>creyeron |
| dar | doy<br>da<br>damos<br>dan | dé<br>dé<br>demos<br>den | di<br>dio<br>dimos<br>dieron |
| decir | digo<br>dice<br>decimos<br>dicen | diga<br>diga<br>digamos<br>digan | dije<br>dijo<br>dijimos<br>dijeron |
| describir | describo<br>describe<br>describimos<br>describen | describa<br>describa<br>describamos<br>describan | describí<br>describió<br>describimos<br>describieron |
| dormir | duermo<br>duerme<br>dormimos<br>duermen | duerma<br>duerma<br>durmamos<br>duerman | dormí<br>durmió<br>dormimos<br>durmieron |
| escribir | escribo<br>escribe<br>escribimos<br>escriben | escriba<br>escriba<br>escribamos<br>escriban | escribí<br>escribió<br>escribimos<br>escribieron |
| estar | estoy<br>está<br>estamos<br>están | esté<br>esté<br>estemos<br>estén | estuve<br>estuvo<br>estuvimos<br>estuvieron |

*Se conjugan como "contar": acostarse, almorzar, costar, encontrar, jugar, mostrar, recordar, sonar, volar

IRREGULARES

| Imperfecto | Futuro | estoy, está, ... | he, ha, ... |
|---|---|---|---|
| conocía<br>conocía<br>conocíamos<br>conocían | conoceré<br>conocerá<br>conoceremos<br>conocerán | conociendo | conocido |
| contaba<br>contaba<br>contábamos<br>contaban | contaré<br>contará<br>contaremos<br>contarán | contando | contado |
| creía<br>creía<br>creíamos<br>creían | creeré<br>creerá<br>creeremos<br>creerán | creyendo | creído |
| daba<br>daba<br>dábamos<br>daban | daré<br>dará<br>daremos<br>darán | dando | dado |
| decía<br>decía<br>decíamos<br>decían | diré<br>dirá<br>diremos<br>dirán | diciendo | dicho |
| describía<br>describía<br>describíamos<br>describían | describiré<br>describirá<br>describiremos<br>describirán | describiendo | descripto |
| dormía<br>dormía<br>dormíamos<br>dormían | dormiré<br>dormirá<br>dormiremos<br>dormirán | durmiendo | dormido |
| escribía<br>escribía<br>escribíamos<br>escribían | escribiré<br>escribirá<br>escribiremos<br>escribirán | escribiendo | escrito |
| estaba<br>estaba<br>estábamos<br>estaban | estaré<br>estará<br>estaremos<br>estarán | estando | estado |

| Infinitivo | Presente | Subjuntivo e Imperativo | Pretérito |
|---|---|---|---|
| haber | he | haya | hube |
| | ha / hay* | haya | hubo |
| | hemos | hayamos | hubimos |
| | han | hayan | hubieron |
| hacer | hago | haga | hice |
| | hace | haga | hizo |
| | hacemos | hagamos | hicimos |
| | hacen | hagan | hicieron |
| ir | voy | vaya | fui |
| | va | vaya | fue |
| | vamos | vayamos | fuimos |
| | van | vayan | fueron |
| leer | leo | lea | leí |
| | lee | lea | leyó |
| | leemos | leamos | leímos |
| | leen | lean | leyeron |
| oir | oigo | oiga | oí |
| | oye | oiga | oyó |
| | oímos | oigamos | oímos |
| | oyen | oigan | oyeron |
| perder | pierdo | pierda | perdí |
| | pierde | pierda | perdió |
| | perdemos | perdamos | perdimos |
| | pierden | pierdan | perdieron |
| poder | puedo | pueda | pude |
| | puede | pueda | pudo |
| | podemos | podamos | pudimos |
| | pueden | puedan | pudieron |
| poner | pongo | ponga | puse |
| | pone | ponga | puso |
| | ponemos | pongamos | pusimos |
| | ponen | pongan | pusieron |
| preferir | prefiero | prefiera | preferí |
| | prefiere | prefiera | prefirió |
| | preferimos | prefiramos | preferimos |
| | prefieren | prefieran | prefirieron |

*Ejemplo: 1) Él ha trabajado. 2) Aquí hay mucho trabajo.

## IRREGULARES

| Imperfecto | Futuro | estoy, está, ... | he, ha, ... |
|---|---|---|---|
| había<br>había<br>habíamos<br>habían | habré<br>habrá<br>habremos<br>habrán | habiendo | habido |
| hacía<br>hacía<br>hacíamos<br>hacían | haré<br>hará<br>haremos<br>harán | haciendo | hecho |
| iba<br>iba<br>íbamos<br>iban | iré<br>irá<br>iremos<br>irán | yendo | ido |
| leía<br>leía<br>leíamos<br>leían | leeré<br>leerá<br>leeremos<br>leerán | leyendo | leído |
| oía<br>oía<br>oíamos<br>oían | oiré<br>oirá<br>oiremos<br>oirán | oyendo | oído |
| perdía<br>perdía<br>perdíamos<br>perdían | perderé<br>perderá<br>perderemos<br>perderán | perdiendo | perdido |
| podía<br>podía<br>podíamos<br>podían | podré<br>podrá<br>podremos<br>podrán | pudiendo | podido |
| ponía<br>ponía<br>poníamos<br>ponían | pondré<br>pondrá<br>pondremos<br>pondrán | poniendo | puesto |
| prefería<br>prefería<br>preferíamos<br>preferían | preferiré<br>preferirá<br>preferiremos<br>preferirán | prefiriendo | preferido |

| Infinitivo | Presente | Subjuntivo e Imperativo | Pretérito |
|---|---|---|---|
| querer | quiero<br>quiere<br>queremos<br>quieren | quiera<br>quiera<br>queramos<br>quieran | quise<br>quiso<br>quisimos<br>quisieron |
| repetir* | repito<br>repite<br>repetimos<br>repiten | repita<br>repita<br>repitamos<br>repitan | repetí<br>repitió<br>repetimos<br>repitieron |
| romper | rompo<br>rompe<br>rompemos<br>rompen | rompa<br>rompa<br>rompamos<br>rompan | rompí<br>rompió<br>rompimos<br>rompieron |
| saber | sé<br>sabe<br>sabemos<br>saben | sepa<br>sepa<br>sepamos<br>sepan | supe<br>supo<br>supimos<br>supieron |
| salir | salgo<br>sale<br>salimos<br>salen | salga<br>salga<br>salgamos<br>salgan | salí<br>salió<br>salimos<br>salieron |
| ser | soy<br>es<br>somos<br>son | sea<br>sea<br>seamos<br>sean | fui<br>fue<br>fuimos<br>fueron |
| tener | tengo<br>tiene<br>tenemos<br>tienen | tenga<br>tenga<br>tengamos<br>tengan | tuve<br>tuvo<br>tuvimos<br>tuvieron |
| traer | traigo<br>trae<br>traemos<br>traen | traiga<br>traiga<br>traigamos<br>traigan | traje<br>trajo<br>trajimos<br>trajeron |
| valer | valgo<br>vale<br>valemos<br>valen | valga<br>valga<br>valgamos<br>valgan | valí<br>valió<br>valimos<br>valieron |

*Se conjugan como "repetir": pedir, seguir, servir, vestir

## IRREGULARES

| Imperfecto | Futuro | estoy, está, ... | he, ha, ... |
|---|---|---|---|
| quería<br>quería<br>queríamos<br>querían | querré<br>querrá<br>querremos<br>querrán | queriendo | querido |
| repetía<br>repetía<br>repetíamos<br>repetían | repetiré<br>repetirá<br>repetiremos<br>repetirán | repitiendo | repetido |
| rompía<br>rompía<br>rompíamos<br>rompían | romperé<br>romperá<br>romperemos<br>romperán | rompiendo | roto |
| sabía<br>sabía<br>sabíamos<br>sabían | sabré<br>sabrá<br>sabremos<br>sabrán | sabiendo | sabido |
| salía<br>salía<br>salíamos<br>salían | saldré<br>saldrá<br>saldremos<br>saldrán | saliendo | salido |
| era<br>era<br>éramos<br>eran | seré<br>será<br>seremos<br>serán | siendo | sido |
| tenía<br>tenía<br>teníamos<br>tenían | tendré<br>tendrá<br>tendremos<br>tendrán | teniendo | tenido |
| traía<br>traía<br>traíamos<br>traían | traeré<br>traerá<br>traeremos<br>traerán | trayendo | traído |
| valía<br>valía<br>valíamos<br>valían | valdré<br>valdrá<br>valdremos<br>valdrán | valiendo | valido |

**VERBOS**

| Infinitivo | Presente | Subjuntivo e Imperativo | Pretérito |
|---|---|---|---|
| ver | veo | vea | vi |
| | ve | vea | vio |
| | vemos | veamos | vimos |
| | ven | vean | vieron |
| venir | vengo | venga | vine |
| | viene | venga | vino |
| | venimos | vengamos | vinimos |
| | vienen | vengan | vinieron |
| volver* | vuelvo | vuelva | volví |
| | vuelve | vuelva | volvió |
| | volvemos | volvamos | volvimos |
| | vuelven | vuelvan | volvieron |

*Se conjugan como "volver": llover, oler

**IRREGULARES**

| Imperfecto | Futuro | estoy, está, ... | he, ha, ... |
|---|---|---|---|
| veía<br>veía<br>veíamos<br>veían | veré<br>verá<br>veremos<br>verán | viendo | visto |
| venía<br>venía<br>veníamos<br>venían | vendré<br>vendrá<br>vendremos<br>vendrán | viniendo | venido |
| volvía<br>volvía<br>volvíamos<br>volvían | volveré<br>volverá<br>volveremos<br>volverán | volviendo | vuelto |

## ILUSTRACIONES

## ROPA

## FRUTAS

el durazno
(el melocotón E,P)
(V: el durazno pequeño,
el melocotón grande).

las fresas
(las frutillas A,CH)

el damasco
(el albaricoque E)

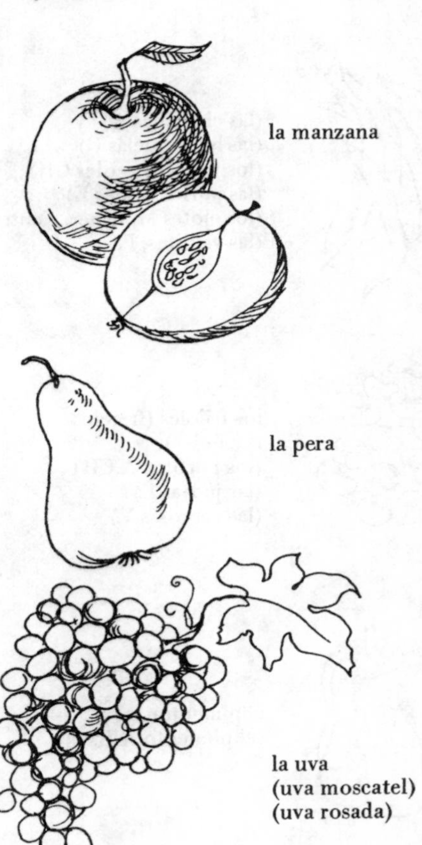

la manzana

el plátano
(la banana A)
(el banano C)
(el cambur V)

la pera

la piña
(el ananá A)

la uva
(uva moscatel)
(uva rosada)

## VERDURAS

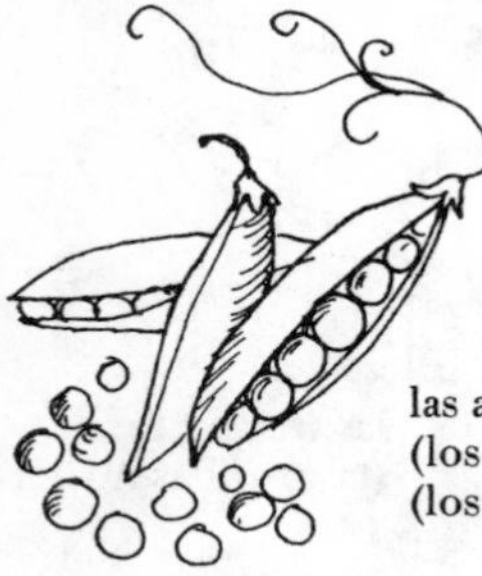

las arvejas
(los guisantes E)
(los chícharos M)

(las chauchas A)
(las habichuelas C)
(los porotos verdes CH)
(las judías verdes E)
(los ejotes M, Amer. Central)
(las vainitas, P,V)

los frijoles (frejoles
o fríjoles)
(los porotos A,CH)
(las judías E)
(las caraotas V)

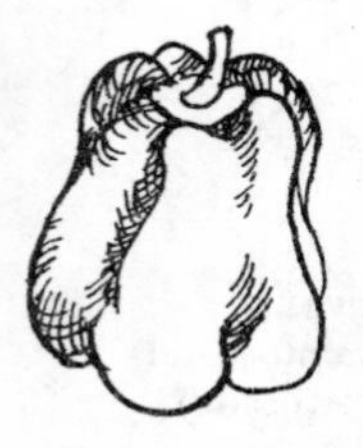

el pimentón
(el pimiento A,E,M)

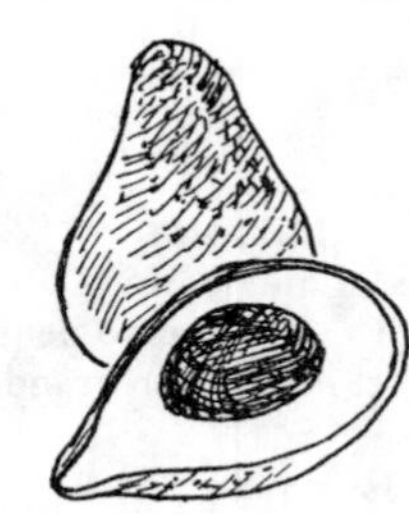

el aguacate
(la palta A,CH,P)

la remolacha
(la betarraga
CH,P)
(el betavel M)

el choclo
(la mazorca C,E)
(el elote M,
Amer. Central)
(el jojoto V)

la alcachofa
(el alcaucil A)

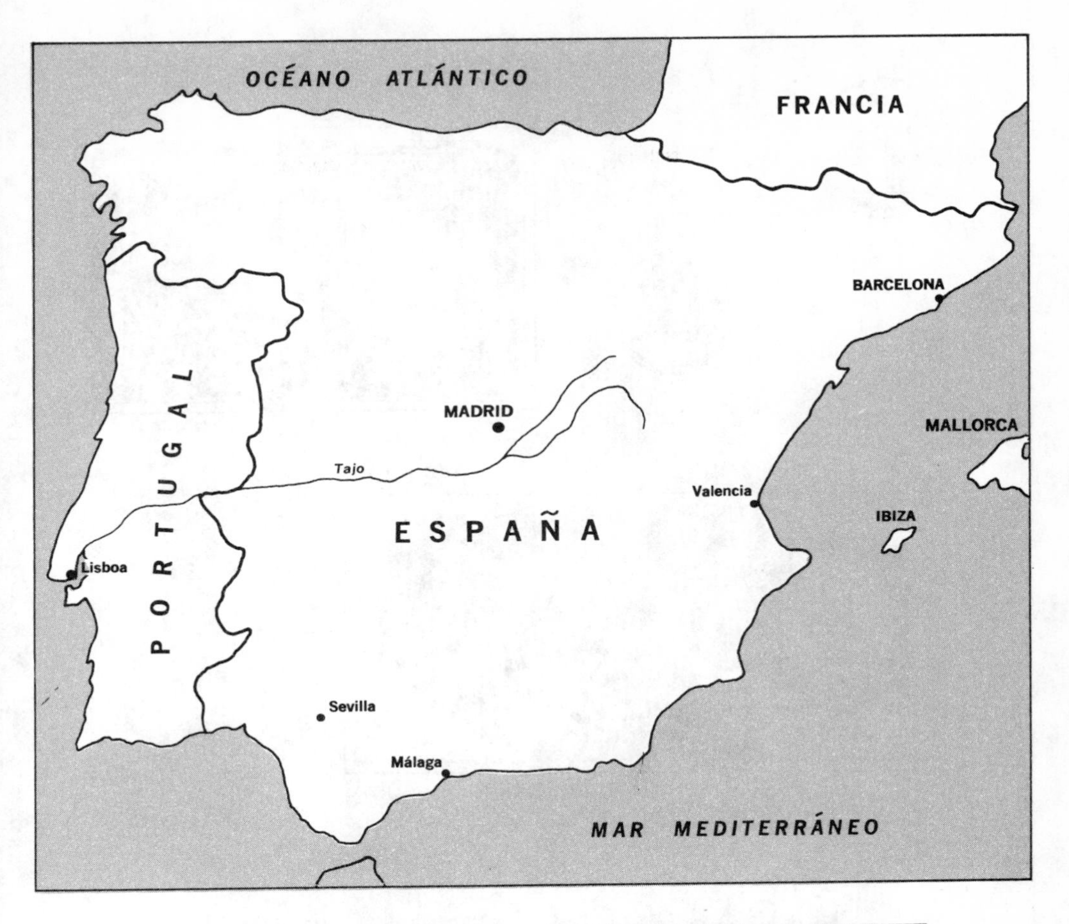
OCÉANO ATLÁNTICO
FRANCIA
BARCELONA
MADRID
MALLORCA
Tajo
Valencia
IBIZA
ESPAÑA
Lisboa
PORTUGAL
Sevilla
Málaga
MAR MEDITERRÁNEO

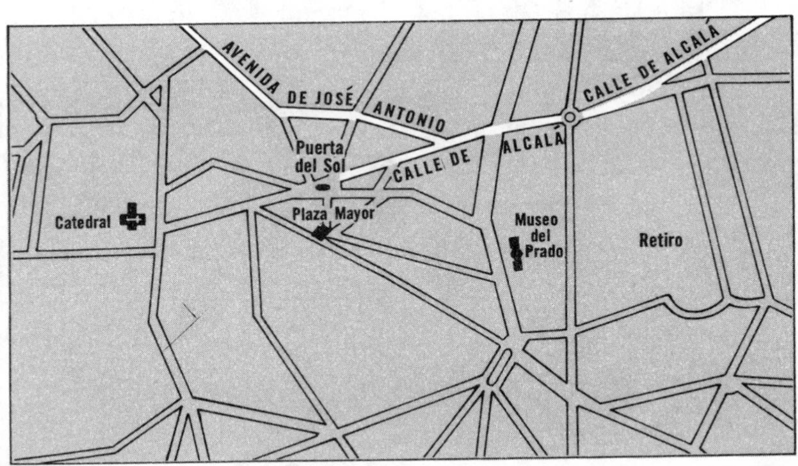
AVENIDA DE JOSÉ ANTONIO
CALLE DE ALCALÁ
Puerta del Sol
CALLE DE ALCALÁ
Catedral
Plaza Mayor
Museo del Prado
Retiro

5 PTAS
EL BANCO DE ESPAÑA
100
PAGARA
AL PORTADOR
CIEN
PESETAS
UNA
PESETA
El Banco Central de la República Argentina
10
PESOS
Mil pesos
MONEDA
NACIONAL
1000
PESOS
CINCUENTA CENTAVOS
M.1970
BANCO DE MEXICO
20
CENTAVOS
1966
UN PESO
1970

D

una letra

a b c ch d e f g h i j k l ll
m n ñ o p q r s t u v w x y z

**el alfabeto castellano**

a e i o u

**las vocales**

"coche"

**una palabra**

"Este coche es bonito."

**una frase**

"¿Cómo es el coche?"

**una pregunta**

"Es bonito."

**la respuesta**

## SEPTIEMBRE DE 1970

| lunes | martes | miércoles | jueves | viernes | sábado | domingo |
|---|---|---|---|---|---|---|
| | 1 | 2 | 3 | 4 | 5 | 6 |
| 7 | 8 | 9 | 10 | 11 | 12 | 13 |
| 14 | 15 | 16 | 17 | 18 | 19 | 20 |
| 21 | 22 | 23 | 24 | 25 | 26 | 27 |
| 28 | 29 | 30 | | | | |

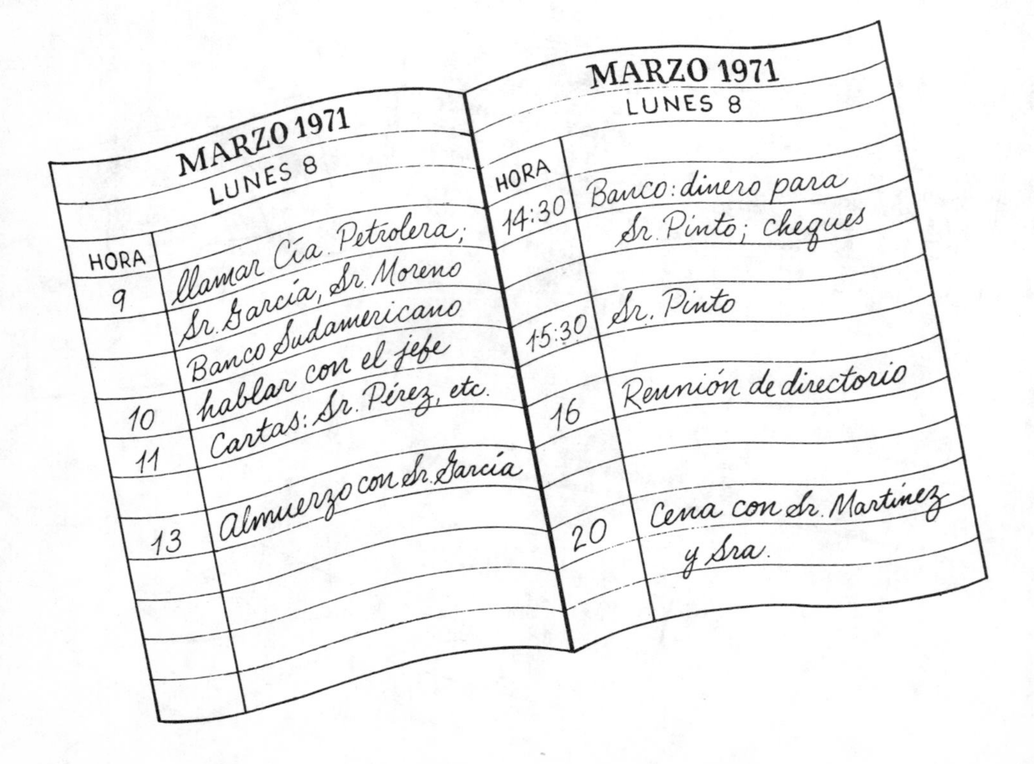

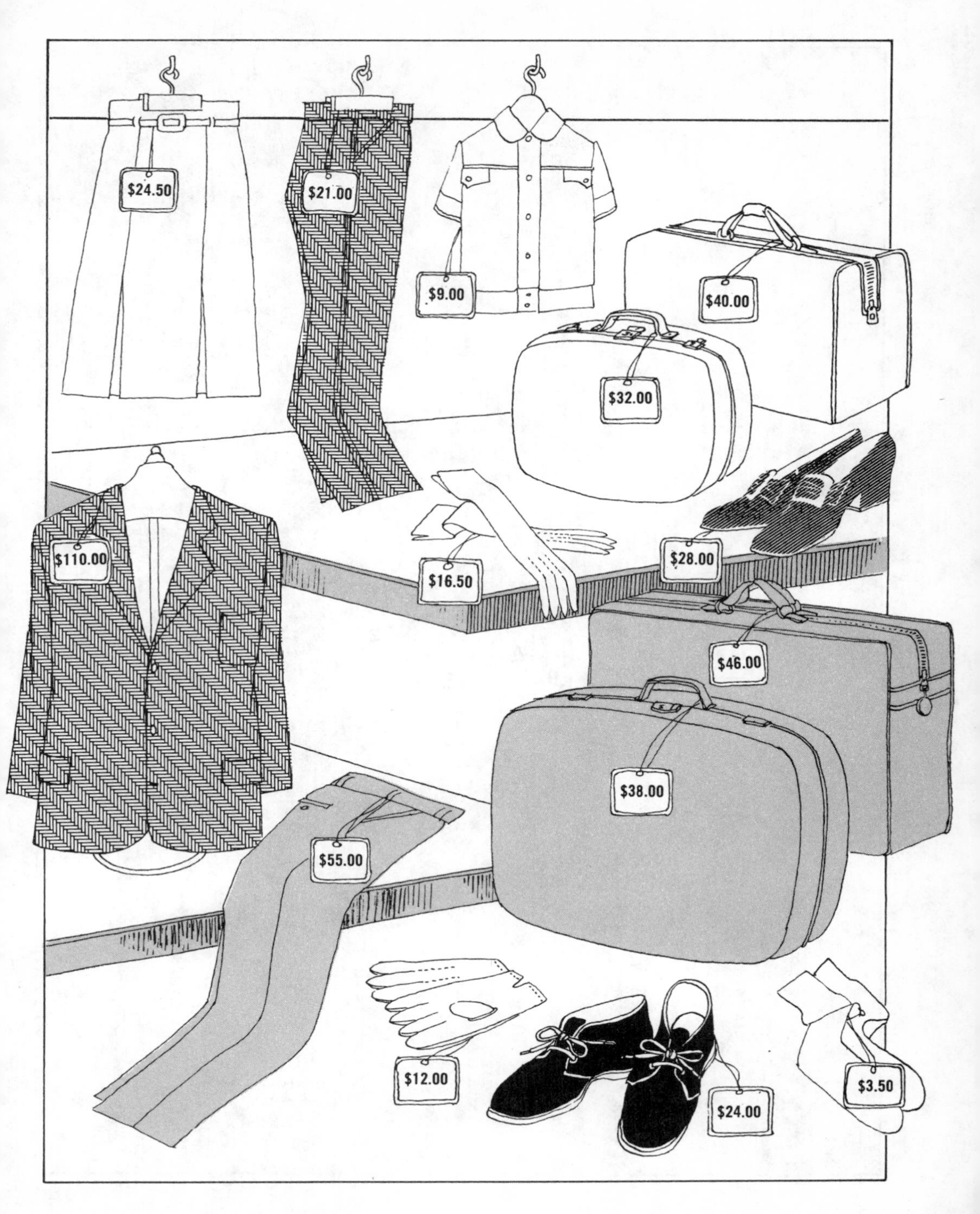

$24.50
$21.00
$9.00
$40.00
$32.00
$110.00
$16.50
$28.00
$46.00
$38.00
$55.00
$12.00
$24.00
$3.50

**10 20 30 40 50 60 70 80 90 100**

**100 200 300 400 500 600 700 800 900 1000**

**2 + 2 = 4** **5 − 2 = 3** **5 x 2 = 10**

**101 102 103 104 105 110**

**1000 900 60 9 1969 1971 2000**

**3 13 30 33 333**

**5 15 50 55 555**

**6 16 60 66 666**

**7 17 70 77 777**

**9 19 90 99 999**

**1969 1971 2000**

**1.000.000 2.000.000**

# CLAVE DE EJERCICIOS

EJERCICIO 1 — 1. un 2. una 3. una 4. un 5. una 6. un 7. una 8. un 9. una 10. un 11. una 12. un 13. una 14. una 15. un 16. una 17. una 18. un 19. un 20. una

EJERCICIO 2 — 1. Sí, esto es una grabadora. No, esto no es una grabadora. 2. Sí, esto es un cigarrillo. No, esto no es un cigarrillo. 3. Sí, esto es un fósforo. No, esto no es un fósforo. 4. Sí, esto es una mesa. No, esto no es una mesa. 5. Sí, esto es un teléfono. No, esto no es un teléfono.

EJERCICIO 3 — 1. Es una mesa. La mesa es negra. 2. Es un lápiz. El lápiz es rojo. 3. Es un libro. El libro es azul. 4. Es una llave. La llave es amarilla. 5. Es una caja. La caja es blanca.

EJERCICIO 4 — 1. dos — dos — tres — cuatro — uno — nueve — cero 2. cuatro — ocho — siete — seis — cinco — tres — nueve 3. siete — uno — dos — nueve — cero — ocho — cero 4. tres — cero — seis — cinco — cuatro — tres — nueve 5. ocho — dos — cero — ocho — siete — seis — uno

EJERCICIO 5 — 1. El Misisipí es más largo que el Paraná. 2. Puerto Rico es más pequeño que Panamá. 3. Una calle es más corta que una carretera. 4. Buenos Aires es más grande que Madrid. 5. Un Volkswagen es más pequeño que un Cadillac.

EJERCICIO 6 — es, Es, está, es, está, es, es, es, es, está

EJERCICIO 7 — 1. Esta corbata es roja. Esta corbata roja es larga. 2. Este carro es alemán. Este carro alemán es grande. 3. Esta camisa es francesa. Esta camisa francesa es blanca. 4. Este libro es español. Este libro español es azul. 5. Esta cinta es española. Esta cinta española es pequeña.

EJERCICIO 8 — 1. Él es alumno. 2. Sí, ella es también alumna. 3. No, ella no es colombiana. 4. Ella es brasileña. 5. Él es francés. 6. Él es colombiano. 7. No, él no es alumno. 8. Él es profesor. 9. Él es profesor de español. 10. No, ella no es profesora.

EJERCICIO 9 — 1. Es una ciudad alemana. 2. Es un coche alemán. 3. Es un río americano. 4. Es un periódico inglés. 5. Es una revista francesa. 6. Es un cigarrillo americano. 7. Es un vino italiano. 8. Es una ciudad mexicana. 9. Es un coche japonés. 10. Es una ciudad argentina.

EJERCICIO 10 — 1. Esto es su camisa. 2. Esto es su vestido. 3. Esto es su perro. 4. Esto es su periódico. 5. Esto es su cigarrillo.

EJERCICIO 11 — 1. Ésta es una clase de español. 2. Usted es el profesor. 3. Su nombre es Leroux. 4. (Éste) es un nombre francés. 5. (Él) está sentado. 6. Está sentado delante de Ud. 7. Ud. está parado. 8. Está encima de la mesa. 9. (Éste) es el libro del profesor. 10. Está debajo de la mesa.

EJERCICIO 12 — 1. Está sentada dentro del coche. 2. Está delante del coche. 3. Está sentado detrás del coche. 4. Está encima del coche. 5. Está al lado del coche.

EJERCICIO 13 — 1. Alemania 2. Colombia 3. japonés 4. española 5. canadiense

EJERCICIO 14 — 1. La secretaria va a la oficina también. 2. Buenos Aires no está en Ecuador tampoco. 3. Usted es muy bonita también. 4. Yo no estoy sentado encima de la mesa tampoco. 5. Bogotá es una ciudad grande también.

EJERCICIO 15 — 1. No, él no va al cine con ella. 2. Va al restaurante con ella. 3. No, no está dentro del Hotel Olimpia. 4. Está al lado del Hotel Olimpia. 5. Es muy bueno.

EJERCICIO 16 — 1. grande 2. delante de 3. encima de 4. negro 5. parado 6. cierra 7. allí 8. pone 9. con 10. ¡Sí!

EJERCICIO 17 — 1. (Él) toma café. 2. Lo toma en el café de la estación. 3. La Sra. de León está con él. 4. (Ella) toma un café también. 5. El camarero lo trae. 6. Lo toma con azúcar. 7. No, (él) no va al museo con ella. 8. (Él) va al cine con ella. 9. No, no lo toma. 10. Va a pie. 11. (Él) va al cine Acapulco. 12. (La película) es muy buena. 13. (El cine) abre a las seis. 14. (Él) vuelve a las seis. 15. (Él) vuelve en taxi.

EJERCICIO 18 A — 1. Son las diez. 2. Son las tres menos cuarto. 3. Son las cuatro y cuarto. 4. Son las cinco y media. 5. Son las siete y diez.

B — 1. Ud. viene a las ocho y media. 2. Lo toma a las cinco y cuarto. 3. Entro a las cinco y diez. 4. El museo abre a las diez. 5. La escucha a las ocho menos veinte.

EJERCICIO 19 — 1. Ud. entra. Juan entra. Por favor, ¡entre! 2. Yo digo buenos días. Ud. dice buenos días. Por favor, ¡idiga buenos días! 3. Ud. viene a las dos. Yo vengo a las dos. Por favor, ¡venga a las dos! 4. Yo llevo mi libro. El alumno lleva su libro. Por favor, ¡lleve su libro! 5. Ud. va a la escuela. Yo voy a la escuela. Por favor, ¡vaya a la escuela!

EJERCICIO 20 — 1. Yo tomo la llave para abrir la puerta de mi coche. 2. La secretaria abre la puerta para entrar en la oficina. 3. Usted pone la cinta en la grabadora para escuchar una lección de español. 4. El señor Cortés entra en el bar para tomar un café expreso. 5. Yo tomo el tren para ir a Monterrey. 6. El director sale de la oficina para volver a su casa. 7. Yo voy al aeropuerto para tomar el avión para Santiago. 8. Usted toma un taxi para ir a la estación. 9. Yo voy al teatro para escuchar la música. 10. Usted abre la puerta para salir del cuarto.

EJERCICIO 21 A — 1. La toma... 2. Lo lleva... 3. La abro... 4. Lo cierra... 5. Lo toma...

B — 1. Lo lleva a la clase de español. 2. La toma a las seis. 3. Lo tomo de la mesa. 4. La pone (en la grabadora) para escuchar la música. 5. Lo toma para ir a Buenos Aires.

EJERCICIO 22 — 1. a. Yo voy a la escuela a las seis. b. Abro la puerta y entro en la clase. c. Traigo mi libro y lo pongo en la mesa. d. Tomo una lección de español. e. Salgo de la escuela después de la lección. f. Vuelvo a mi casa y escucho una cinta.

2. a. Usted va a la escuela a las seis. b. Abre la puerta y entra en la clase. c. Trae su libro y lo pone en la mesa. d. Toma una lección de español. e. Sale de la escuela después de la lección. f. Vuelve a su casa y escucha una cinta.

3. a. ¡Vaya a la escuela a las seis! b. ¡Abra la puerta y entre en la clase! c. ¡Traiga su libro y póngalo en la mesa! d. ¡Tome una lección de

español! e. ¡Salga de la escuela después de la lección. f. ¡Vuelva a su casa y escuche una cinta!

EJERCICIO 23 — 1. Juan toma *el periódico.* 2. Juan *abre* el periódico. 3. *Yo abro* el periódico. 4. Yo *cierro* el periódico. 5. *Por favor, ¡cierre* el periódico! 6. *Usted cierra* el periódico. 7. Usted *toma* el periódico. 8. Usted toma *la cinta.* 9. Usted *lleva* la cinta *a casa.* 10. *Por favor, ¡lleve* la cinta a casa!

EJERCICIO 24 — 1. *¿De qué color* es el coche? 2. *¿Quién* está en el coche? 3. *¿De quién* es el coche? 4. *¿Cómo* es su coche? 5. *¿Dónde* está el coche? 6. *¿Qué* carretera es ésta? 7. *¿De qué nacionalidad* es la Srta. García? 8. *¿Adónde* va ella? 9. *¿De dónde* viene ella? 10. *¿Qué* hace ella? 11. *¿Qué hora es*? 12. *¿Para qué* va ella a Buenos Aires?

EJERCICIO 25 — 1. No, no hay tres personas en esta ilustración. 2. Hay dos personas. 3. Hay un señor. 4. Sí, (ella) tiene una cartera. 5. No, (él) no tiene una cartera. 6. Tiene tres cartas en la mano izquierda. 7. Sí, tiene otras cartas en la mano derecha. 8. Hay una máquina de escribir y un teléfono. 9. Hay sólo uno. 10. Su número de teléfono es: setenta y tres–cuarenta y dos–sesenta y cinco. 11. No, (él) no sale del cuarto de la secretaria. 12. (Él) entra en el cuarto.

EJERCICIO 26 — 1. Doce más veintisiete son treinta y nueve. 2. Veinte por cuatro son ochenta. 3. Once menos seis son cinco. 4. Tres por siete son veintiuno. 5. Cuarenta y uno menos veintisiete son catorce. 6. Ocho más siete son quince. 7. Veintiuno menos siete son catorce. 8. Ocho por cinco son cuarenta. 9. Veintiuno más treinta y tres son cincuenta y cuatro. 10. Seis por cuatro son veinticuatro.

EJERCICIO 27 — 1. trescientos cuarenta y uno 2. setecientos ochenta y dos 3. mil doscientos 4. diez mil ciento cuarenta y uno 5. trescientos cuarenta y dos mil seiscientos diecinueve

EJERCICIO 28 — 1. Esos señores son de Colombia. 2. Mis corbatas francesas son muy caras. 3. Ustedes van al aeropuerto en sus coches. 4. ¿Quiénes están sentados en esas sillas? 5. ¿Cuáles son los nombres de sus hermanos?

EJERCICIO 29 — 1. Usted *llega* a la oficina a las nueve. Nosotros *llegamos* a la oficina a las nueve. Ellos *llegan* a la oficina a las nueve. 2. Yo *vuelvo* a casa a las cinco. Ellas *vuelven* a casa a las cinco. Por favor, ¡*vuelva* a casa a las cinco! 3. Ellos no *fuman* aquí. Nosotros no *fumamos* aquí. Por favor, ¡no *fume* aquí! 4. Él *dice* "¡Muchas gracias!" Nosotros *decimos* "¡Muchas gracias!" Por favor, *diga* "¡Muchas gracias!" 5. Yo *voy* a mi casa. Ellas *van* a sus casas. Por favor, ¡*vaya* a su casa!

EJERCICIO 30 — 1. Hay cinco personas en esta ilustración. 2. Sí, también hay un perro. 3. Está sentado debajo de la mesa. 4. La ventana está detrás de la Sra. Martínez. 5. Hay un teléfono en la ilustración. 6. María habla por teléfono. 7. No, no está sentada. 8. Está sentada en una silla pequeña. 9. Está sentado en una silla grande. 10. Lleva una taza de café. 11. Dice "¡Muchas gracias!" 12. Lo toma con su mano derecha.

EJERCICIO 31 — 1. el hermano; Él es su hermano. 2. las hermanas; Ellas son sus hermanas. 3. la hija; Ella es su hija. 4. el padre; Él es su padre. 5. los padres; Ellos son sus padres.

EJERCICIO 32 1. Nosotros abrimos *la puerta.* 2. *Ellos abren* la puerta. 3. Ellos abren *las revistas.* 4. Ellos *llevan* las revistas *a la clase.* 5. *Yo llevo* las revistas a la clase. 6. Yo llevo *la grabadora* a la clase. 7. *Él lleva* la grabadora a la clase. 8. Él lleva *los libros* a la clase. 9. *Nosotros llevamos* los libros a la clase. 10. *Por favor, ¡lleve* los libros a la clase! 11. Por favor, ¡lleve *los periódicos* a la clase! 12. Por favor, ¡*no lleve* los periódicos a la clase!

EJERCICIO 33 1. Esto es el pie izquierdo. 2. Esto es el pie derecho. 3. Esto es la mano derecha. 4. Esto es el ojo izquierdo. 5. Esto es el ojo derecho.

EJERCICIO 34 1. Va a Buenos Aires. 2. No, no tiene tres hijos. 3. Tiene dos hijos. 4. Hay dos trenes para Buenos Aires. 5. Uno sale a las tres y el otro a las tres y cuarenta. 6. No, él no toma pasajes de ida. 7. Él toma pasajes de ida y vuelta. 8. No, él no toma cinco pasajes. 9. Él toma tres pasajes. 10. No, no cuesta cien pesos. 11. Cuesta ochenta pesos. 12. Cuestan menos.

EJERCICIO 35 1. a. (Yo) voy al concierto. b. Tomo mi billete. c. Entro en la sala. d. Miro el programa. e. Escucho la música. f. Salgo del edificio. g. Vuelvo a mi casa.

2. a. (Nosotros) vamos al concierto. b. Tomamos nuestros billetes. c. Entramos en la sala. d. Miramos el programa. e. Escuchamos la música. f. Salimos del edificio. g. Volvemos a nuestras casas.

3. a. (Ellos) van al concierto. b. Toman sus billetes. c. Entran en la sala. d. Miran el programa. e. Escuchan la música. f. Salen del edificio. g. Vuelven a sus casas.

EJERCICIO 36 1. d 2. a 3. f 4. e 5. b

EJERCICIO 37 A 1. Por favor, ¡cierre la ventana! 2. Por favor, ¡abra el libro! 3. Por favor, ¡haga los ejercicios! 4. Por favor, ¡mire este cuadro! 5. Por favor, ¡escuche al profesor!

B 1. Por favor, ¡no conteste en inglés! 2. Por favor, ¡no ponga los pies sobre el escritorio! 3. Por favor, ¡no traiga su perro a la clase! 4. Por favor, ¡no vaya a la estación a pie! 5. Por favor, ¡no salga afuera!

EJERCICIO 38 1. Sí, los llevo. 2. Sí, los tengo. 3. Sí, la escucho. 4. Sí, lo tomo. 5. Sí, las miro. 6. Sí, la abro. 7. Sí, la tomo. 8. Sí, la pongo. 9. Sí, las escucho. 10. Sí, los hago.

EJERCICIO 39 1. la madre 2. la hermana 3. la alumna 4. la hija 5. la estudiante 6. la mujer 7. la señora 8. la artista 9. la profesora 10. la chica

EJERCICIO 40 1. Sí, las tomó. 2. Tomó diez lecciones. 3. No, no los tiene. 4. No, no escribe en la clase. 5. Sí, lo aprende. 6. No, no lo entiende. 7. No, no habla en inglés con el profesor. 8. Habla en español con él. 9. Escucha las cintas de español (en su casa). 10. No, no dice que leer es un problema.

EJERCICIO 41 aprender: aprendo, aprende, aprendemos, aprenden, ¡Aprenda!
contestar: contesto, contesta, contestamos, contestan, ¡Conteste!
decir: digo, dice, decimos, dicen, ¡Diga!
enseñar: enseño, enseña, enseñamos, enseñan, ¡Enseñe!
entender: entiendo, entiende, entendemos, entienden, ¡Entienda!
escribir: escribo, escribe, escribimos, escriben, ¡Escribe!
leer: leo, lee, leemos, leen, ¡Lea!

preguntar: pregunto, pregunta, preguntamos, preguntan, ¡Pregunte!
hacer: hago, hace, hacemos, hacen, ¡Haga!
ser: soy, es, somos, son ¡Sea!
estar: estoy, está, estamos, están, ¡Esté!
tener: tengo, tiene, tenemos, tienen, ¡Tenga!

EJERCICIO 42

1. Sí, habló por teléfono. 2. Sí, lo preguntó. 3. Habló con el Sr. García. 4. No, no la escribió a mano. 5. La escribió a máquina. 6. El director entró. 7. Sí, la leyó. 8. No, no está correcta. 9. Se escribe con acento. 10. No, no está correcta. 11. Se llama *García e Hijos.* 12. Dice que hay muchos errores en la carta.

EJERCICIO 43

1. Hoy es miércoles. Ayer fue martes. 2. Hoy es jueves. Mañana es viernes. 3. Ayer fue viernes. Mañana es domingo. 4. Ayer fue sábado. Hoy es domingo.

EJERCICIO 44

1. se hablan 2. se escribe 3. se aprenden 4. se dice 5. se escuchan

EJERCICIO 45

1. El director abrió la puerta de su oficina. 2. Luego la cerró. 3. Juan tomó su coche para ir a la ciudad. 4. Él llegó a la ciudad antes del concierto. 5. El alumno volvió a su casa después de su lección. 6. Mi hermano aprendió francés. 7. Él hizo un viaje muy interesante a Francia. 8. La señora puso el dinero en su cartera. 9. El profesor fue a la escuela en el metro. 10. El Sr. López leyó un artículo sobre política.

EJERCICIO 46

a. Ayer ella tomó el tranvía para ir a la oficina. b. Llegó a la oficina antes del director. c. En el pasillo escuchó el teléfono. d. Abrió la puerta de la oficina con la llave. e. Entró en la oficina y cerró la puerta. f. Puso su cartera en la silla. g. Fue al teléfono y contestó en español. h. Habló con el Sr. Gonzales. i. Luego fue a su escritorio y escribió una carta.

EJERCICIO 47

Ayer el director salió de su casa a las ocho y treinta. Él tomó un taxi para ir a la oficina. Llegó a su oficina a las nueve. Luego entró en el edificio y tomó el ascensor.

En la oficina él abrió la puerta, y dijo "¡Buenos días!" a su secretaria. Luego fue a su cuarto, puso el sombrero en una silla y fue a su escritorio.

La secretaria entró en su cuarto con una carta en la mano. El director tomó la carta, la abrió y la leyó. Luego escribió la respuesta. (Contestó en español.)

A las cinco él tomó su sombrero de la silla, dijo "¡Hasta mañana!" a su secretaria y salió de la oficina. En la calle tomó un taxi para volver a su casa.

EJERCICIO 48

1. Trabaja en una fábrica. 2. Trabaja con su hermano. 3. Amanda va al trabajo también. 4. Va a pie. 5. No, él no va en el coche de su hermano. 6. Toma el autobús. 7. Vuelve en el coche de su hermano. 8. Hay cincuenta obreros. 9. Hay diez secretarias. 10. Amanda va al trabajo a las nueve. 11. No, su trabajo no empieza a las nueve. 12. Termina a las seis en la fábrica.

EJERCICIO 49

1. empieza, termina; Ayer la clase *empezó* a las 10 y *terminó* a las 11. 2. entra, sale; Ayer el profesor *entró* en la clase a las 10 y *salió* a las 11. 3. llega, sube; Ayer el alumno *llegó* a la escuela a las 10 y *subió* al tercer piso. 4. abre, dice; Ayer el alumno *abrió* la puerta de la clase y *dijo* "¡Buenos días!" 5. trae, pone; Ayer el alumno *trajo* su libro a la clase y lo *puso* en la mesa. 6. viene, vuelve; Ayer el alumno *vino* a las 10 y *volvió* a su oficina a las 11. 7. habla, escucha,

entiende; Ayer el profesor *habló* sólo en español. El alumno *escuchó* y *entendió*. 8. hace, contesta; Ayer el profesor *hizo* preguntas y el alumno las *contestó*. 9. lee, aprende; Ayer el alumno *leyó* su libro y *aprendió* mucho. 10. va, fuma; Ayer, después de la lección el profesor *fue* al pasillo y *fumó* un cigarrillo. 11. baja, toma; Ayer, después de la clase, el alumno *bajó* a la calle y *tomó* el autobús. 12. trabaja, dicta; Ayer él *trabajó* en su oficina y *dictó* muchas cartas.

EJERCICIO 50 1. Yo *estuve* en la ciudad de México. 2. Yo *fui* a otra ciudad. 3. No *fue* un viaje muy largo. 4. Yo no *tomé* el avión. 5. Yo *hice* el viaje en tren. 6. El tren *salió* a las ocho. 7. A las diez *llegué* a Puebla. 8. Un taxi me *llevó* a un hotel. 9. Yo *pregunté* sobre las habitaciones. 10. *Dije* mi nombre y apellido. 11. Un botones *vino* conmigo. 12. Él *trajo* mis maletas. 13. Las *puso* en mi habitación. 14. Yo *salí* para tomar un vaso de vino.

EJERCICIO 51 1. a. Él *subió* al autobús. b. Yo *subí* al autobús. 2. a. Él *leyó* una revista. b. Yo *leí* una revista. 3. a. Él *fumó* un cigarrillo también. b. Yo *fumé* un cigarrillo también. 4. a. Él *bajó* del autobús enfrente del teatro. b. Yo *bajé* del autobús enfrente del teatro. 5. a. Él *entró* en el teatro. b. Yo *entré* en el teatro. 6. a. Él *escuchó* la música. b. Yo *escuché* la música.

EJERCICIO 52 1. Está en un hotel. 2. Viene de México. 3. Se llama Luisa Gómez. 4. Habla con el empleado del hotel. 5. No, no quiere una habitación para dos personas. 6. Quiere una habitación sólo para ella. 7. Está en el quinto piso. 8. Cuesta cien pesos por día. 9. Es una habitación con baño. 10. Sí, lo tiene. 11. El número es quinientos doce. 12. Pedro la lleva a su habitación.

EJERCICIO 53 1. Habló con la Sra. de Pérez. 2. Dijo "Buenos días, señora." 3. Contestó "Buenos días." 4. Compró cinco kilos de azúcar. 5. Sí, compró un kilo de café. 6. Sí, le hizo un paquete. 7. No, no lo llevó a su casa. 8. El empleado lo mandó a su casa. 9. Lo recibió después de las seis. 10. Sí, la sabe. 11. Vive en la calle Manzanares. 12. Es el número dieciocho.

EJERCICIO 54 1. me 2. nos 3. me 4. le 5. nos 6. nos 7. Le 8. nos 9. le 10. me

EJERCICIO 55 1. Yo no digo nada al director. 2. Nadie está hablando por teléfono. 3. Yo tengo algo que hacer. 4. Alguien está sentado detrás del escritorio. 5. ¡Nada, más, por favor!

EJERCICIO 56 1. entrando 2. fumando 3. escribiendo 4. hablando 5. llegando 6. subiendo 7. mirando 8. preguntando 9. leyendo 10. trabajando 11. abriendo 12. saliendo 13. aprendiendo 14. haciendo

EJERCICIO 57 1. No está *leyendo* el periódico. 2. No está *fumando* un cigarrillo. 3. Está *hablando* con sus hijos. 4. Les está *contando* historias. 5. La madre los está *mirando*. 6. Los niños están *aprendiendo* mucho de sus padres. 7. Los niños no están *trabajando*. 8. Ellos no están *escribiendo* este ejercicio. 9. Yo lo estoy *haciendo*. 10. Yo estoy *contestando*.

EJERCICIO 58 1. Amanda tuvo una visita. 2. Felipe vino a su casa. 3. Él le dijo su nueva dirección. 4. Le preguntó por su familia. 5. Le dio su nuevo teléfono. 6. Amanda no fue al trabajo. 7. Yo tampoco fui al trabajo. 8. Di un paseo por la ciudad. 9. Compré ropa y zapatos. 10. Gasté 800 pesos. 11. Volví a mi casa en taxi. 12. Pagué el taxi. 13. Di una propina al chófer. 14. Él me dio las gracias.

| | | |
|---|---|---|
| EJERCICIO 59 | A | Trabajamos en nuestras profesiones. Leímos periódicos y escribimos diferentes cosas. Volvimos a nuestras casas después del trabajo y descansamos. |
| | B | 1. Los pasajeros hablaron con los policías. 2. Los policías no abrieron las maletas. 3. Esos señores miraron los pasaportes y leyeron los nombres. 4. Ellos nos preguntaron algo que no entendimos. |
| EJERCICIO 60 | A | nos fuimos, Dimos, fuimos, Estuvimos, pusimos, dimos, volvimos, Esperamos, llegaron, vinieron, trajeron, dijeron, tuvieron, estuvieron |
| | B | 1. fue, fueron 2. Fueron 3. Visitaron 4. vieron, fueron 5. conocieron 6. mostraron 7. caminaron 8. estuvieron 9. Tomaron, volvieron |
| EJERCICIO 61 | | 1. hizo 2. hicieron 3. Llamaron 4. tuvo 5. tuvieron 6. fueron 7. llevó 8. Depositó, cobró 9. Trajo 10. recibieron 11. Era 12. Hablaron 13. salieron 14. Dijeron, volvieron |
| EJERCICIO 62 | A | 1. me voy, se va, se va, nos vamos, se van, se van 2. me quedo, se queda, se queda, nos quedamos, se quedan, se quedan |
| | B | 1. ella no se llama María. 2. esa señorita no se queda aquí. 3. yo no me voy con ella. 4. Ud. no se va conmigo. 5. no nos vamos juntos. 6. no nos quedamos aquí hasta la 1. |
| EJERCICIO 63 | A | 1. Veo una película cada semana. 2. No conozco al director de esta película. 3. No oí bien la música de la película. 4. Después compré una cinta con esa música. |
| | B | 1. Miré dentro de la cartera, pero no vi ningún boleto. 2. María también miró pero tampoco los vio. 3. Ella dijo algo, pero yo no la oí. 4. No le contesté nada. |
| EJERCICIO 64 | A | 3. 4. 6. |
| | B | 2. 4. 6. |
| | C | 1. 3. |
| | D | 1. 2. |
| | E | 2. |
| | F | 2. |
| EJERCICIO 65 | A | 1. bien 2. bien 3. mal 4. buena 5. mala 6. mal 7. bueno 8. mal |
| | C | 1. bueno, buen, bien 2. malo, mal, mal |
| EJERCICIO 66 | | 1. se habla 2. se hablan 3. se habla 4. se aprende 5. se habla 6. se compran 7. se vende 8. se venden 9. se hace 10. se usan |

EJERCICIO 67

| | | | | | | | | | |
|---|---|---|---|---|---|---|---|---|---|
| 1 P | A | P | 2 A | 3 S | | 4 D | | 5 C | |
| E | | | 6 C | O | M | I | D | A | S |
| 7 S | A | 8 L | E | N | | O | | L | |
| C | | 9 O | I | | | | 10 M | I | O |
| 11 A | L | | T | | 12 P | | | E | |
| D | | 13 M | E | J | O | R | | 14 N | O |
| O | | A | | | S | | | T | |
| | | 15 P | L | A | T | O | | 16 E | 17 S |
| 18 E | 19 S | A | | | R | | | | I |
| 20 S | I | | 21 F | R | E | S | A | S | |

EJERCICIO 68A **1. a mí me gusta caminar. a mí no me gusta caminar. 2. a Ud. le gusta viajar. a Ud. no le gusta viajar. 3. a nosotros nos gusta trabajar. a nosotros no nos gusta trabajar. 4. a los niños les gusta ir a la escuela. a los niños no les gusta ir a la escuela.**

B **1. Me gusta el pan. 2. No me gustan las tostadas. 3. Le gustan los sándwiches. 4. Le gusta el café. 5. No le gusta el café con leche. 6. No le gusta la mantequilla. 7. Le gustan las flores. 8. No les gusta el queso. 9. Les gustan los dulces. 10. Me gusta la carne. 11. No me gusta el cordero. 12. Nos gustan las chuletas. 13. No nos gusta pimienta en la comida. 14. No me gustan platos muy picantes. 15. ¿Le gustan las verduras? 16. ¿Le gustan las frutas? 17. ¿Les gusta el pescado a sus amigos? 18. Les gustan los helados. 19. Les gusta mucho el chocolate. 20. No les gustan los cigarrillos.**

EJERCICIO 69 1. Pedí una chuleta de cordero. 2. Me gustó el cordero. 3. Pedí también media botella de vino blanco. 4. El cordero y el vino me gustaron mucho. 5. ¿Qué pidió Ud.? 6. Ud. comió pescado frito y tomó cerveza. 7. ¿Le gustó el pescado? 8. Juan y María pidieron lo mismo. 9. No les gustó la cerveza. 10. Juan pidió la cuenta y pagó. 11. Yo también pedí mi cuenta y la pagué. 12. María perdió sus guantes. 13. Juan los buscó. 14. Pero no los encontró.

EJERCICIO 70A **1. es, es, está 2. es, está, está 3. es, está, estará 4. está, estoy, estaré 5. es, está 6. estaba, está, está 7. está 8. está 9. está, estará**

B **1. estoy trabajando 2. está leyendo 3. está oyendo 4. estamos almorzando**

EJERCICIO 71 **1. Ud. vio a la nueva secretaria al llegar a la oficina. 2. Al ver a la nueva secretaria Ud. le dijo "buenas tardes". 3. Al entrar a la oficina habló con el director. 4. Al irse dijo "hasta mañana". 5. Al terminar su trabajo se fue a su casa.**

EJERCICIO 72A **1. Lo más fácil en español es la pronunciación. 2. Lo más difícil son los verbos. 3. Nuestro profesor dijo lo mismo. 4. Tráigame lo mismo. 5. Lo bueno cuesta caro.**

B **1. hace tres días. 2. hace dos meses. 3. hace una hora. 4. hace 5. hace**

EJERCICIO 73 **1. Haré un viaje con mi jefe. 2. Llegaremos a Cuernavaca. 3. Trabajaremos aquí** hasta noviembre. 4. Viviremos en un apartamiento muy bonito. 5. Comeremos en varios restaurantes. 6. Por la tarde saldré a caminar. 7. Preguntaré a un policía dónde está la plaza. 8. Iré a un café y pediré un exprés. 9. Volveré al apartamiento y descansaré.

EJERCICIO 74 — 1. Le preguntaré lo que no entiendo. 2. Pídanos lo que necesita. 3. Todo lo que compré está en esta maleta. 4. Lo que hay que hacer es leer periódicos en español. 5. Lo que se necesita para eso es tiempo.

EJERCICIO 75A — 1. Nuestros amigos nos llaman porque quieren recomendarnos un hotel. 2. Vamos al hotel porque queremos pedir una habitación. 3. Vamos al restaurante del hotel porque queremos comer. 4. Ud. lee el menú porque quiere pedir la cena. 5. Ud. llama al camarero porque quiere pagar la cuenta. 6. Vamos al cine porque queremos ver una película.

B — 1. no puedo esperar un momento. 2. no podemos esperar aquí. 3. no puedo llamar a Juan por teléfono. 4. puede venir 5. podemos encontrarnos 6. no puedo encontrarme

C — 1. Tengo que ver la ciudad con Carlos. 2. tiene que mostrar la ciudad a nuestro amigo. 3. tenemos que ir también al museo. 4. Tenemos que volver antes de las 8. 5. Tenemos que cenar a las 9. 6. Tiene que salir con nosotros mañana.

EJERCICIO 76A — 1. Hable con el empleado. 2. Hablemos español aquí. 3. Hablen más lento también. 4. No lleve las maletas al hotel. 5. Deje las maletas en mi casa. 6. Mire el horario. 7. Miremos el horario. 8. Llamemos un taxi. 9. Tomemos este taxi. 10. Quédese con nosotros. 11. Espérenos. 12. Dejen sus abrigos aquí. 13. Dejemos algo para el muchacho. 14. Pase por mi oficina mañana. 15. No llegue después de las 5. 16. Lleguen a las 4.

B — 1. Escribamos la dirección. 2. Aprendan una profesión. 3. Aprendamos más palabras. 4. Lea el ejercicio. 5. Vea qué hora es. 6. Vuelva mañana. 7. Leamos estas revistas. 8. Veamos si hay alguien. 9. Volvamos aquí a las 9. 10. Vuelvan a la oficina.

C — 1. haga el trabajo. 2. tenga las cartas listas. 3. venga a mi oficina. 4. traiga las cartas. 5. póngalas aquí. 6. oiga lo que dice él. 7. diga lo que oye. 8. digan lo que oyen. 9. salgan juntos. 10. no hagan nada más.

EJERCICIO 77 — 1. todavía no está hablando. 2. todavía no hay gente esperando. 3. ya está ocupada la cabina. 4. ya está hablando. 5. ya hay gente esperando. 6. todavía está ocupada la cabina. 7. ya no está hablando. 8. la gente todavía está esperando. 9. ya no está ocupada la cabina. 10. todavía no hay otra persona hablando.

EJERCICIO 78 — 1., 3., 4., 5., 6., 8., 11., 12., 14., 16., 17., 19., 20.

EJERCICIO 79A — saqué, metí, rompí, perdí, pasó, quiso, metí, saqué, mostré, pidió, pudo, perdió, tuvo

B — 1. ya sé decir mucho en español. 2. ya sé pedir un boleto en español. 3. todavía no sé decir todo lo que quiero. 4. todavía no viajé alguna vez a Rosario. 5. viajé en tren muchas veces. 6. no viajé a China.

EJERCICIO 80 — 1. Voy a necesitar un corte de pelo. 2. Voy a salir después del almuerzo. 3. Voy a buscar una peluquería para caballeros. 4. Voy a entrar en una cerca de mi hotel. 5. Voy a esperar 15 minutos. 6. Voy a leer una revista. 7. El peluquero me va a llamar. 8. Voy a tomar asiento en el sillón. 9. Voy a decir "Un corte de pelo, por favor". 10. Él me va a preguntar "¿Cómo le corto? ". 11. Le voy a contestar "corto" o "largo" o "regular". 12. El peluquero va a empezar a cortar. 13. Le voy a decir "No me corte tanto ahí". 14. Después le voy a decir "Córteme más aquí". 15. Al final le voy a preguntar el precio. 16. Él me lo va a decir. 17. Entonces voy a pagar. 18. Le voy a dar una propina.

EJERCICIO 81A 1. no la queremos pedir ... no queremos pedirla. 2. los tenemos que esperar. ... tenemos que esperarlos. 3. los puedo pedir. ... puedo pedirlos. 4. no lo tenemos que pedir. ... no tenemos que pedirlo. 5. la quiero comer. ... quiero comerla.

B 1. le puedo dar mi dirección. ... puedo darle mi dirección. 2. les puedo mostrar mi pasaporte. ... puedo mostrarles mi pasaporte. 3. le tenemos que decir algo al empleado. ... tenemos que decirle algo al empleado. 4. no les puedo recomendar un hotel. ... no puedo recomendarles un hotel.

EJERCICIO 82AI 1. ábrala 2. salga al pasillo 3. entre 4. venga conmigo 5. tome los abrigos 6. llévelos al armario 7. saque la maleta 8. póngala en la mesa.

AII 1. escriba su dirección 2. léala 3. déme el papel 4. déjelo aquí 5. vea qué hora es 6. dígame la hora 7. váyase 8. vuelva mañana

B 1. hace algo 2. no dice nada 3. me espera un momento 4. deja todo aquí 5. lee esto 6. ve estas fotos 7. se queda con nosotros 8. me trae lo mismo 9. me lleva a la estación 10. se va de aquí.

C 1. Demos un paseo. 2. Subamos a este autobús. 3. Bajemos aquí. 4. Hagamos algo interesante. 5. Vayamos a un museo. 6. Veamos estos cuadros. 7. Entremos en ese restaurante. 8. Veamos el menú. 9. Pidamos esto. 10. Comamos algo. 11. Volvamos al hotel. 12. Vayamos a pie.

EJERCICIO 83 1. Este es el telegrama que recibí ayer. 2. Esas son las flores que voy a mandar. 3. Aquí está la señora que vino ayer. 4. Esta fue la primera palabra que aprendí en español. 5. ¿Dónde está ese hotel que Ud. me recomienda? 6. ¿Cuánto vale el coche que ellos quieren vender? 7. ¿Cuál es el avión que sale a las 18 horas? 8. Sé que el gerente está muy ocupado. 9. Creo que sólo puedo hablar con él unos minutos.

EJERCICIO 84
Dictado # 1

Mi amigo el Sr. Pino olvida todo. Yo no olvido nada. Ayer el Sr. Pino olvidó su boleto. Yo no olvidé comprar mi pasaje. No olvide Ud. su sombrero en el tren. Cuando subo al tren, busco siempre un asiento. Ayer don Rufino también buscó un asiento.

EJERCICIO 85 1. después 2. detrás 3. el último 4. despacio 5. vacío 6. desocupado 7. difícil 8. parecido 9. caliente 10. claro que no 11. responder 12. acostarse 13. poco 14. terminar 15. nadie 16. ninguno.

EJERCICIO 86A me levanto, se levanta, nos levantamos, se levantan ... me lavo, se lava, nos lavamos, se lavan

B me acosté, se acostó, nos acostamos, se acostaron ... me fui, se fue, nos fuimos, se fueron

EJERCICIO 86C 1. El despertador no sonó. 2. No me desperté hasta las 10. 3. Me quedé en la cama hasta esa hora. 4. Me levanté tarde. 5. Me fui de la casa a las 11.

EJERCICIO 87A 1. Ellos se levantarán más temprano que yo. 2. Los aviones son más rápidos que los trenes. 3. Este hotel es tan alto como ese edificio. 4. Ella no habla tan bien como él. 5. El hotel Bolívar es mejor que ese hotel. 6. Aquí la comida es peor que en ese restaurante.

B 1. la mía, la suya 2. los míos, los suyos 3. El nuestro, el suyo

EJERCICIO 88A 1. me diga su nombre. 2. no escriba eso. 3. los lea en su casa. 4. esperemos a Juan. 5. lo esperemos aquí. 6. sea puntual.

B 1. sean 2. esté 3. vayamos 4. vea 5. sea 6. dé

EJERCICIO 89A 1. sea 2. esté 3. se vaya 4. venga 5. escriba 6. haga 7. tenga 8. sea

B 1. llegue 2. se vaya 3. dicte 4. diga 5. llame 6. dé 7. deje 8. fumen

EJERCICIO 90
Dictado # 2 Ca, que, qui, co, cu, Cua, cue, cui, cuo. ¿Cuánto cuestan estos cuadros? Unos cuestan cuatro pesos con cuarenta y otros cuestan cinco pesos con cincuenta. ¿Cuál quiere Ud.? Quisiera ese cuadro de la izquierda. ¿Puede Ud. cambiarme este billete de quinientos? Claro que sí.

EJERCICIO 91A 1. tendrá 2. tendrá 3. saldrá 4. hará, volverá 5. tendré, saldré 6. daré, vendré 7. diré, iré 8. pondré 9. comeré, descansaré

B 1. bajo 2. abajo 3. corto 4. malo 5. peor 6. entrar 7. bajar 8. sacar 9. cerrar 10. lejos 11. mal 12. feo 13. barato 14. tarde 15. nada 16. vender 17. irse 18. pequeño 19. dar 20. ganar

EJERCICIO 92

1. a) Tuve que terminar el trabajo. b) Tendré que terminar el trabajo.
2. a) No pude ir a cenar con ellos. b) No podré ir a cenar con ellos.
3. a) Ellos no pudieron esperar más. b) Ellos no podrán esperar más.
4. a) Ellos quisieron comer algo. b) Ellos querrán comer algo.
5. a) ¿Pudo Ud. encontrar un taxi? b) ¿Podrá Ud. encontrar un taxi?
6. a) ¿Tuvimos que ir a pie? b) ¿Tendremos que ir a pie?

EJERCICIO 93 1. me levanto, se levanta; me levanté, se levantó; me levantaré, se levantará 2. me desayuno, se desayunan; me desayuné, se desayunaron; me desayunaré, se desayunarán 3. trabajo, trabajan; trabajé, trabajaron; trabajaré, trabajarán 4. me voy, se van; me fui, se fueron; me iré, se irán

EJERCICIO 94A escribir, poner, tomar, abrir, ver, estar, romper, decir, ir, volver, hacer, tener

B 1. ha venido 2. ha hablado 3. ha estado 4. ha tenido 5. hemos sido 6. hemos dicho

C 1. la he visto. 2. han llegado. 3. la he sacado.

EJERCICIO 95 1. Con permiso. 2. ¿Qué dijo? 3. Disculpe, señor. 4. Está bien. 5. El gusto es mío. 6. Es suyo. 7. Lo siento. 8. ¿Cómo está Ud.? 9. Discúlpeme.

EJERCICIO 96
Dictado # 3 Ga, gue, gui, go, gu. Aquí tengo algo interesante. Alguien llegó esta mañana y me dejó esta guitarra. Cuando yo llegué la encontré encima de la mesa. No sé

quién la pidió. Yo no la pagué. ¿Quién la pagó? Alguien a quien no conozco. ¿Conoce Ud. la nueva guía de teléfonos?

EJERCICIO 97A 1. las hace limpiar. 2. las hace hacer. 3. lo hago arreglar. 4. hacemos lavar.

B 1. le ayudo a cocinar. 2. le ayudo a prepararlo. 3. le ayudo a limpiarla. 4. le ayudo a vestirlos.

C 1. martes 2. lunes 3. jueves 4. viernes 5. lunes, martes, miércoles, jueves, viernes, sábado, domingo 6. enero, febrero, marzo, abril, mayo, junio, julio, agosto, septiembre, octubre, noviembre, diciembre 7. primavera, verano, otoño, invierno

EJERCICIO 98A 1. hubo 2. supimos 3. supo 4. supe

B 1. habrá 2. sabrá

EJERCICIO 99A 1. tenía 2. era 3. almorzaba 4. ganaba 5. iba 6. llegaba 7. hacía 8. trabajaba 9. hablaba 10. se iba

B 1. Todos los días nosotros dábamos un paseo. 2. Algunas veces nosotros íbamos a ese café. 3. Ahí nos encontrábamos con mis amigos. 4. Siempre éramos nosotros los primeros en llegar. 5. Mis amigos tomaban café. 6. Ellos hablaban de las chicas. 7. ¿Qué decían? 8. Decían que su oficina no estaba completa sin secretaria.

EJERCICIO 100 1. está apagado. 2. están amarillas. 3. está agrio. 4. está sucia. 5. estará 6. estoy cansado. 7. están apagadas. 8. están escritas. 9. están prendidas. 10. está abierta. 11. estamos parados. 12. está sentada. 13. están descompuestos. 14. están vestidos. 15. está descompuesto.

EJERCICIO 101 Dictado # 4 ¿Zeta o Ce? Almuerzo. Almuerza. Almuerce Ud. ¿Almorzó Ud.? Sí, ya almorcé. ¿Cuándo empezó Ud. a estudiar? Empecé hace doce o catorce días. ¿Tiene Ud. un lápiz? No uso lápices. Uso casi siempre un bolígrafo. Algunas veces escribo a máquina. Pero esta vez escribiré a mano.

EJERCICIO 102 1. tengo, hace, están 2. hace, hace, tiene, está 3. hace, están, tiene 4. tiene, están 5. Tiene, tengo 6. hizo, hace, hará

EJERCICIO 103 1. Ud. no va nunca a ver películas italianas. 2. Mañana Ud. no hará nada interesante. 3. Ud. no irá de compras ni tampoco irá al cine. 4. Generalmente Ud. no va con nadie al cine. 5. Ud. cree que ninguna película es mala. 6. Ud. cree que hay películas que no gustan en ninguna parte. 7. Ud. cree que hay películas que nunca traen nada para nadie.

EJERCICIO 104

| | |
|---|---|
| traje | trajo |
| dije | dijo |
| vine | vino |
| puse | puso |
| pude | pudo |
| tuve | tuvo |
| estuve | estuvo |
| anduve | anduvo |
| hube | hubo |
| supe | supo |

EJERCICIO 104

| | |
|---|---|
| fui | fue |
| fui | fue |
| di | dio |
| pedí | pidió |
| preferí | prefirió |
| leí | leyó |
| creí | creyó |
| quise | quiso |
| hice | hizo |
| seguí | siguió |

EJERCICIO 105

1. estaba, era 2. era, había 3. tenía, podía 4. llegó, estaba leyendo 5. entró, estábamos trabajando. 6. sonó, estaba dictando 7. contesté, estábamos contestando 8. dije, estábamos escribiendo 9. pedí, estábamos almorzando 10. llamó, habíamos terminado

EJERCICIO 106

| | | | | | | | | | |
|---|---|---|---|---|---|---|---|---|---|
| 1 V | E | R | A | 2 N | 3 O | ■ | 4 L | ■ | 5 T |
| I | ■ | ■ | ■ | 6 O | T | R | A | ■ | A |
| 7 E | 8 S | T | 9 E | ■ | O | ■ | ■ | 10 I | R |
| 11 N | I | ■ | S | ■ | Ñ | ■ | 12 L | ■ | D |
| T | ■ | ■ | ■ | 13 H | O | 14 J | A | ■ | A |
| 15 O | E | 16 S | T | E | ■ | 17 U | S | 18 A | R |
| ■ | ■ | U | ■ | L | ■ | N | ■ | L | ■ |
| 19 D | 20 A | R | ■ | 21 A | 22 M | I | G | O | 23 S |
| ■ | Ñ | ■ | ■ | 24 D | I | O | ■ | ■ | O |
| 25 N | O | ■ | 26 L | O | S | ■ | 27 M | A | L |

EJERCICIO 107
Dictado # 5

En el periódico que recibí el miércoles, leí un artículo sobre una fábrica de fósforos y plásticos. Es la fábrica más grande de esta república. Está en la Avenida de México, a pocos kilómetros de aquí. El artículo está en la décima página. Está después de la página de la política y antes de la página de la música.

EJERCICIO 108

1. agüita 2. amiguito 3. arbolito 4. cabecita 5. cajita 6. copita 7. niñito 8. pedacito 9. perrito 10. poquito

EJERCICIO 109

1. a) empezó a llover. b) Siguió lloviendo. c) dejó de llover. d) volvió a llover. 2. a) empecé a fumar. b) dejé de fumar. c) volví a fumar. d) seguí fumando. e) dejé de fumar. 3. a) empezó a escribir. b) dejó de escribir. c) volvió a escribir. d) Siguió escribiendo. e) terminó de escribir.

EJERCICIO 110

1. era, pasábamos 2. subíamos, bajábamos 3. lo pasábamos, eran 4. hacía, llovía 5. gustaba 6. querían, estaba 7. era 8. tenía 9. salía, estaba 10. me invitaba

EJERCICIO 111

1. estaba apurado. 2. estaban mojados. 3. estaban secos. 4. estaba frío. 5. estaba hecho. 6. estaba muy contento. 7. estaba enojado. 8. estaba parado.

EJERCICIO 112A eran, Estaba, Faltaban

B estaba, necesitaba, costaba, tenía

C tenía, tenía, Tenía, quería, Quería, Sabía, apuraba, podía, había

EJERCICIO 113
Dictado # 6

ai; aí; oi; oí. Yo oigo. Yo oí. Todos los días yo oía. Yo oigo las noticias del radio. Pero me gusta oír las noticias de la policía en un idioma que no es el mío. No me gusta la lluvia. Cuando yo vivía en esa fría ciudad, llovía todos los días. Llovía a diario. La lluvia caía y caía. Hacía frío de noche y a mediodía.

EJERCICIO 114 1. Sí, esta calle va hacia la derecha. 2. Es mejor andar lento. 3. Sí, está prohibido pasar a otro coche en una curva. 4. Sí, se puede manejar a 50 kilómetros por hora. 5. Sí, se puede andar a menos de 50 kilómetros. 6. No, no se puede andar a 50 millas por hora. 7. No, no se puede dejar el coche al lado de esta señal.

EJERCICIO 115

| 1 V | I | 2 A | J | 3 E | R | 4 O | 5 S |  | 6 D |
|---|---|---|---|---|---|---|---|---|---|
| O |  | E |  | S |  | 7 P | I | 8 S | O |
| 9 L | A | R | G | O |  | E |  | 10 E | S |
| A |  | O |  | 11 S | 12 E | R |  |  |  |
| 13 R | O | P | 14 A |  | 15 C | A | B | 16 L | E |
|  |  | 17 U | N |  | U |  |  | E |  |
|  | 18 S | E | D |  | 19 A | I | R | E | 20 S |
| 21 M | I | R | A |  | D |  |  | 22 M | I |
| I |  | T |  | 23 L | O |  | 24 S | O | N |
|  | 25 D | O | L | A | R |  | 26 E | S |  |

# TEXTO DE LAS CINTAS

## Cinta Número 1

¡Conteste "sí" o "no"!

| | |
|---|---|
| ¿Es ésta una cinta? Sí, . . . | Sí, ésta es una cinta. |
| ¿Es ésta la cinta número dos? No, . . . | No, ésta no es la cinta número dos. |
| ¿Qué cinta es? | Es la cinta número uno. |
| ¿Es corta la cinta? No, . . . | No, la cinta no es corta. |
| ¿Cómo es la cinta, corta o larga? | La cinta es larga. |

¡Escuche!

**(teléfono)**

— *¡Ah, el teléfono!*

¡Conteste!

| | |
|---|---|
| ¿Qué es? | Es el teléfono. |

**(puerta)**

| | |
|---|---|
| ¿Es el teléfono? | No, no es el teléfono. |
| ¿Es la puerta? | Sí, es la puerta. |
| ¿Qué es grande, la puerta o el teléfono? | La puerta es grande. |
| ¿Y qué es pequeño? | El teléfono es pequeño. |
| ¿Qué es grande, la mesa o la silla? | La mesa es grande. |
| Y la silla, ¿es pequeña? Sí, . . . | Sí, la silla es pequeña. |

Muy bien. ¡Escuche!

— *¿Un cigarrillo?*
— *Sí, gracias.*

¡Conteste!

| | |
|---|---|
| ¿Qué es, un puro o un cigarrillo? | Es un cigarrillo. |
| ¿De qué color es el cigarrillo? | El cigarrillo es blanco. |
| ¿Y de qué color es el puro? | El puro es marrón. |

**(fósforo)**

| | |
|---|---|
| ¿Qué es? ¿Es un fósforo? | Sí, es un fósforo. |
| ¿Cómo es el fósforo, largo o corto? | El fósforo es corto. |
| ¿Y cómo es la cinta, larga o corta? | La cinta es larga. |

¡Repita estas frases!

El fósforo es corto.
El cigarrillo es largo.
La llave es corta.
La cinta es larga.

¡Conteste!

| | |
|---|---|
| ¿Es largo o corto el puro? | El puro es largo. |
| ¿Es larga o corta la llave? | La llave es corta. |

Muy bien.

¡Escuche!

— *¿Vino, señorita?*
— *Sí, gracias.*

¡Conteste!

| | |
|---|---|
| ¿Es café? | No, no es café. |
| ¿Es leche? | No, no es leche. |
| ¿Qué es, leche o vino? | Es vino. |

¡Escuche!

— *¡Pero este vino no es tinto!*
— *No, señorita. Este vino es blanco.*

¡Conteste!

| | |
|---|---|
| ¿Es tinto este vino? | No, este vino no es tinto. |
| ¿Es blanco este vino? | Sí, este vino es blanco. |
| ¿Es blanco el café? | No, el café no es blanco. |
| ¿De qué color es el café? | El café es negro. |

El café exprés es negro. (Repita)

| | |
|---|---|
| Y la leche, ¿de qué color es? | La leche es blanca. |

Muy bien.

Repita: el teléfono
la mesa

¿Qué es correcto, "el" o "la"?

| | |
|---|---|
| ¿teléfono? | el teléfono |
| ¿mesa? | la mesa |
| ¿fósforo? | el fósforo |
| ¿caja? | la caja |
| ¿cigarrillo? | el cigarrillo |
| ¿puro? | el puro |
| ¿silla? | la silla |
| ¿puerta? | la puerta |
| ¿libro? | el libro |
| ¿revista? | la revista |
| ¿vino? | el vino |
| ¿leche? | la leche |
| ¿llave? | la llave |
| ¿lápiz? | el lápiz |

Repita: este libro
esta revista

¿Qué es correcto, "este" o "esta"?

| | |
|---|---|
| ¿libro? | este libro |
| ¿revista? | esta revista |
| ¿periódico? | este periódico |
| ¿cinta? | esta cinta |
| ¿papel? | este papel |

Repita por favor: a — e — i — o — u

a
taza
La taza es blanca.

e
qué
¿Qué es?
Es el café.
el café exprés

i
vino
vino tinto

o
no
no, no
No, no es.
No, es el teléfono.

u
uno
Uno es azul.

j
caja
rojo
página
La página es roja.

¡Conteste!

**(música española)**

¿Es música ésta? Sí, . . . — Sí, es música.
¿Es música americana? — No, no es música americana.
¿Qué es, música americana o música española? — Es música española.

¿Cómo es? ¿Es bonita? Sí, . . . — Sí, es bonita.
¿Es bonita la música? Sí, . . . — Sí, la música es bonita.
¿Y esta cinta? ¿Es bonita esta cinta? Sí, . . — Sí, esta cinta es bonita.

Muy bien.

Y ahora, repita por favor.

— *¿Un cigarrillo?*
— *Sí, gracias.*
— *¿Vino, señorita?*
— *Sí, gracias. ¡Pero este vino no es tinto!*
— *No, señorita. Este vino es blanco.*

Gracias. Gracias. Muy bien.
Fin de la cinta número 1.

## Cinta Número 2

— *¡La cinta, la cinta!*
— *¿Qué cinta?*
— *La cinta número dos.*

¡Conteste, por favor!

| | |
|---|---|
| ¿Qué es esto? | Es una cinta. |
| ¿Es una cinta de inglés? | No, no es una cinta de inglés. |
| ¿Qué es? | Es una cinta de español. |
| ¿Es ésta la cinta número uno? | No, no es la cinta número uno. |
| ¿Qué cinta es ésta? | Es la cinta número dos. |

**(tráfico)**

| | |
|---|---|
| Pero ¿qué es eso? ¿Una ciudad? | Sí, es una ciudad. |
| ¿Es una ciudad francesa? | No, no es una ciudad francesa. |
| ¿Es una ciudad sudamericana? Sí, . . . | Sí, es una ciudad sudamericana. |

— *Perdone, señorita. ¿Qué ciudad es ésta?*
— *¡Pero si es Buenos Aires!*

| | |
|---|---|
| ¿Es ésta Buenos Aires? | Sí, es Buenos Aires. |
| ¿Qué es Buenos Aires, un río? | No, Buenos Aires no es un río. |
| ¿Es Buenos Aires un país o una ciudad? | Buenos Aires es una ciudad. |
| ¿Es Buenos Aires una ciudad pequeña o grande? | Buenos Aires es una ciudad grande. |
| ¿Está en Argentina Buenos Aires? | Sí, Buenos Aires está en Argentina. |
| ¿Cómo es Buenos Aires? | Buenos Aires es grande. |
| ¿Dónde está Buenos Aires? | Buenos Aires está en Argentina. |
| Y Acapulco, ¿cómo es? | Acapulco es pequeño. |
| ¿Está en Argentina Acapulco? | No, Acapulco no está en Argentina. |
| ¿En qué país está? | Está en México. |

Muy bien.

¡Escuche!

**(teléfono)**

— *Sí, señor, el Paseo de la Reforma está en México.*

¡Conteste, por favor!

| | |
|---|---|
| ¿Está en Acapulco el Paseo de la Reforma? No, . . . | No, el Paseo de la Reforma no está en Acapulco. |
| ¿En qué ciudad está? | Está en México. |
| ¿Qué es el Paseo de la Reforma, una carretera? No, . . . | No, el Paseo de la Reforma no es una carretera. |
| ¿Qué es? | Es una avenida. |
| ¿Es largo o corto el Paseo de la Reforma? | El Paseo de la Reforma es largo. |
| Y la Avenida Insurgentes, ¿cómo es? | La Avenida Insurgentes es larga. |
| ¿Y la calle Colón? | La calle Colón es corta. |

Muy bien.

¡Escuche!

(río)

— *¡Oh, el río!*
— *Sí, señorita, es el Paraná.*
— *¡Pero el Paraná no es azul, es marrón!*

¡Conteste!

| | |
|---|---|
| ¿Qué es el Paraná, una calle o un río? | El Paraná es un río. |
| ¿Es un río de Europa o de América? | Es un río de América. |
| ¿Es un río corto o largo? | Es un río largo. |
| ¿De qué color es el Paraná? | El Paraná es marrón. |
| ¿Es un río corto y azul? | No, no es un río corto y azul. |
| ¿Qué es? | Es un río largo y marrón. |

¡Escuche!

— *Y el Río de la Plata, ¿de qué color es?*
— *En Buenos Aires, el Río de la Plata es gris.*

¡Conteste!

| | |
|---|---|
| ¿Está en Europa el Río de la Plata? No, . . . | No, el Río de la Plata no está en Europa. |
| ¿Dónde está? | Está en América. |
| ¿De qué color es el Río de la Plata en Buenos Aires? | En Buenos Aires, el Río de la Plata es gris. |

Bien.

Repita por favor: un río
una avenida

¿Qué es correcto, "un" o "una"?

| | |
|---|---|
| ¿avenida? ¿un o una? | una avenida |
| ¿río? | un río |
| ¿ciudad? | una ciudad |
| ¿calle? | una calle |
| ¿país? | un país |
| ¿coche? | un coche |
| ¿cartera? | una cartera |
| ¿mapa? | un mapa |

Muy bien.

Ahora repita por favor: a — e — i — o — u
a — e — i — o — u

u — e: ue
nueve
Nueva York

e — u: eu
Europa
Nueva York no está en Europa.

ai
Buenos Aires

aí
país
Buenos Aires no es un país.

i — e: ie
diez
siete

e — i: ei
Siete no es seis.

u — a: ua
cuatro
¿Cuál es el cuatro?

Muy bien.

¡Ahora conteste, por favor!

¿Es Ud. el Sr. Castro? — No, yo no soy el Sr. Castro.
¿Es Ud. el Sr. López? — No, yo no soy el Sr. López.
Entonces, ¿quién es Ud.?

Ah, muy bien.

¿Es profesor Ud.? — No, yo no soy profesor.
¿Es profesora? — No, no soy profesora.
Entonces, ¿qué es Ud., un alumno o una alumna?

Muy bien.

¿De qué ciudad es Ud.? ¿Es Ud. de Buenos Aires? No, . . . — No, no soy de Buenos Aires.
¿De qué ciudad es Ud.?
¿Es Ud. argentina? No, . . . — No, no soy argentina.
¿De qué nacionalidad es Ud.?

Muy bien.

¡Escuche!

— *Perdone, señorita. ¿Qué ciudad es ésta?*
— *¡Pero si es Buenos Aires!*
— *Y eso, ¿qué es?*
— *Es la carretera.*
— *Sí, pero ¿qué carretera?*
— *Es la carretera Panamericana.*
— *¿Es larga esa carretera?*
— *Oh sí. Es larga. ¡Muy larga!*

Fin de la cinta número 2.
¡Hasta luego!

### Cinta Número 3

| | |
|---|---|
| ¿Es ésta la cinta número cuatro? | No, no es la cinta número cuatro. |
| ¿Qué cinta es? | Es la cinta número tres. |
| Bien. | |
| ¿Está dentro de la caja esta cinta? Sí, . . . | Sí, esta cinta está dentro de la caja. |
| ¿Está delante de Ud. esta cinta? Sí, . . . | Sí, esta cinta está delante de mí. |
| ¿Está detrás de Ud. la grabadora? No, . . . | No, la grabadora no está detrás de mí. |
| ¿Dónde está? | Está delante de mí. |
| Muy bien. | |
| ¡Conteste! | |
| ¿Soy yo la profesora? | Sí, Ud. es la profesora. |
| ¿Soy su profesora de francés? | No, no es mi profesora de francés. |
| ¿Quién soy yo? | Ud. es mi profesora de español. |
| ¿Soy americana? No, . . . | No, no es americana. |
| ¿De qué nacionalidad soy, mexicana? Sí, . . . | Sí, es mexicana. |
| Y Ud., ¿es profesor de español? | No, no soy profesor de español. |
| ¿Es Ud. alumno o alumna de español? | |
| ¿De qué nacionalidad es Ud.? | |
| Muy bien. ¡Escuche! | |
| **(tráfico)** | |
| ¿Es ésta una ciudad? | Sí, es una ciudad. |
| ¿Qué ciudad es? ¿Nueva York? Sí, . . . | Sí, es Nueva York. |
| ¡Conteste! No, . . . | No, no es Nueva York. |
| ¿Estoy yo en Nueva York? Sí, Ud. . . . | Sí, Ud. está en Nueva York. |
| ¡Conteste! No, . . . | No, Ud. no está en Nueva York. |
| ¿Estoy yo con Ud.? Sí, . . . | Sí, Ud. está conmigo. |
| No, . . . | No, Ud. no está conmigo. |
| Y Ud., ¿está Ud. en Nueva York? Sí, . . . | Sí, yo estoy en Nueva York. |
| No, . . . | No, yo no estoy en Nueva York. |
| ¿Está Ud. conmigo? Sí, . . . | Sí, yo estoy con Ud. |
| No, . . . | No, yo no estoy con Ud. |
| Bien. | |
| Esto es un café. Yo estoy sentada en el café. Ud. está sentado delante de mí. | |
| ¡Conteste! | |
| ¿Estoy yo en el café? Sí, . . . | Sí, Ud. está en el café. |
| ¿Está Ud. también en el café? Sí, . . . | Sí, yo también estoy en el café. |
| ¿Estoy sentada en el café? | Sí, está sentada en el café. |
| Y Ud., ¿está Ud. parado? No, . . . | No, yo no estoy parado. |
| ¿Está sentado también? | Sí, estoy sentado también. |
| ¿Está sentado delante de mí? Sí, . . . | Sí, estoy sentado delante de Ud. |
| ¿Estoy yo sentada delante de Ud.? | Sí, Ud. está sentada delante de mí. |
| ¿Estoy en el café con Ud.? Sí, . . . | Sí, está en el café conmigo. |

¡Escuche!

**(tren, estación)**

¿Qué es eso? — **Es un tren.**
¿Está en la estación ese tren? — **Sí, ese tren está en la estación.**
Y este café, ¿está también en la estación? Sí, . . . — **Sí, este café también está en la estación.**

Bien.

**(avión, aeropuerto)**

¿Es eso un tren? — **No, no es un tren.**
¿Qué es eso? — **Es un avión.**
¿Está ese avión en la estación? — **No, ese avión no está en la estación.**
¿Está en el aeropuerto? — **Sí, está en el aeropuerto.**
¿Dónde está el tren? — **Está en la estación.**
¿Dónde está el avión? — **El avión está en el aeropuerto.**

Muy bien.

¡Ahora repita! eri, eri, eri

Repita: América
americano
dinero
dinero americano

Bien. Muchas gracias.

¡Escuche! ¡Es el Sr. López!

**(puerta)**

¿Abre la puerta el Sr. López? — Sí, el Sr. López abre la puerta.
¿Abre la puerta del coche? — No, no abre la puerta del coche.
¿Abre la puerta de la oficina? — Sí, abre la puerta de la oficina.

¡Escuche!

**(viento)**

— ***Señorita Luisa. ¡La ventana, por favor, la ventana!***
— ***Sí, Sr. López.***
— ***Gracias.***

¡Conteste!

¿Qué hace la señorita Luisa? — La señorita Luisa cierra la ventana.
¿Cierra también la puerta? — No, no cierra la puerta.
¿Cierra la ventana el Sr. López? — No, el Sr. López no cierra la ventana.
¿Quién cierra la ventana? — La señorita Luisa cierra la ventana.

¡Escuche!

— *Sr. López, su dinero.*
— *Ah, gracias. ¡Encima de la mesa, por favor!*

¡Conteste!

¿Pone el dinero dentro de la mesa la señorita?
No, la señorita no pone el dinero dentro de la mesa.
¿Pone el dinero debajo de la mesa?
No, no pone el dinero debajo de la mesa.
¿Dónde pone el dinero?
Pone el dinero encima de la mesa.

— *Gracias, señorita Luisa, gracias.*

¡Conteste!

¿Toma un papel el Sr. López?
No, el Sr. López no toma un papel.
¿Qué hace el Sr. López? ¿Toma el dinero?
Sí, toma el dinero.
¿Pone el dinero en el bolsillo? Sí, . . .
Sí, pone el dinero en el bolsillo.

Muy bien.

Fin de la cinta número 3.
Hasta luego, Sr. López.
Hasta luego, señorita Luisa.

## Cinta número 4

¿Escucha Ud. una cinta? Sí, . . .
Sí, yo escucho una cinta.
¿Qué cinta escucha?
Escucho la cinta número cuatro.
¿Va Ud. a un café para escuchar la cinta?
No, yo no voy a un café para escuchar la cinta.

Muy bien.

"Escuchar" es un verbo. ¡Repita!

Yo escucho.
Yo escucho.
¿Ud. . . . ?
Ud. escucha.
¡Por favor, . . . !
¡Por favor, escuche!

Ahora el verbo "poner." ¿Yo . . . ?
Yo pongo.
¿Ud. . . . ?
Ud. pone.
¡Por favor, . . . !
¡Por favor, ponga!

Ahora el verbo "traer." ¿Yo . . . ?
Yo traigo.
¿Ud. . . . ?
Ud. trae.
¡Por favor, . . . !
¡Por favor, traiga!

Ahora el verbo "venir." ¿Yo . . . ?
Yo vengo.
¿Ud. . . . ?
Ud. viene.
¡Por favor, . . . !
¡Por favor, venga!

El verbo "volver." ¿Yo . . . ?
Yo vuelvo.
¿Ud. . . . ?
Ud. vuelve.
¡Por favor, . . . !
¡Por favor, vuelva!

| | |
|---|---|
| Y el verbo "ir." ¿Yo . . . ? | Yo voy. |
| ¿Ud. . . . ? | Ud. va. |
| ¡Por favor, . . . ! | ¡Por favor, vaya! |

¡Escuche!

Éste es un café. Es el café de la estación. En el café está el Sr. Cortés. El Sr. Cortés está en el café con la Sra. de León. Viene el camarero.

— *¿Toma Ud. vino, Sr. Cortés?*
— *Sí, gracias. Tráigame un vaso de vino tinto.*
— *¿Y a Ud. también, Sra. de León?*
— *¿Vino? ¡Yo no tomo vino! Un café, por favor.*

¡Conteste!

| | |
|---|---|
| ¿Está en un café el Sr. Cortés? | Sí, el Sr. Cortés está en un café. |
| ¿Está con la Sra. de León? | Sí, está con la Sra. de León. |
| ¿Qué toma el Sr. Cortés, café o vino? | El Sr. Cortés toma vino. |

¡Escuche!

— *¿Y Ud., Sra. de León, también toma vino?*
— *¿Vino? ¡Yo no tomo vino! Un café, por favor.*

¡Conteste!

| | |
|---|---|
| ¿Toma vino la señora? | No, la señora no toma vino. |
| ¿Qué toma? | Toma café. |
| Y Ud., ¿toma Ud. también café? No, . . . | No, yo no tomo café. |
| ¿Toma Ud. café en su casa? Sí, . . . | Sí, yo tomo café en mi casa. |

Bien. ¡Escuche!

— *Su café, señora. Su vino, Sr. Cortés.*

¡Conteste!

| | |
|---|---|
| ¿Quién viene? ¿El camarero del café? | Sí, viene el camarero del café. |
| ¿Viene con el agua? | No, no viene con el agua. |
| ¿Con qué viene? | Viene con el café y el vino. |
| ¿Trae el café a la mesa el camarero? | Sí, el camarero trae el café a la mesa. |
| Y Ud., ¿trae Ud. el café? | No, yo no traigo el café. |
| ¿Viene Ud. también con el camarero? | No, yo no vengo con el camarero. |

¡Escuche!

— *¡Azúcar! Camarero, por favor, tráigame azúcar.*
— *¡Voy, voy!*

¡Conteste!

| | |
|---|---|
| ¿Toma el café sin azúcar, la señora? | No, la señora no toma el café sin azúcar. |
| ¿Pone azúcar en el café? | Sí, pone azúcar en el café. |
| Y Ud., ¿pone Ud. azúcar en el café? Sí, . . . | Sí, yo pongo azúcar en el café. |

— *El café es bueno, ¿verdad?*
— *Sí, es bueno. ¿Y el vino?*
— *¡El vino es muy bueno!*

¡Conteste!

¿Es malo el café en la estación? — No, el café no es malo en la estación.
¿Cómo es? — Es bueno.
¿Y el vino también es bueno? — Sí, el vino también es bueno.

¡Escuche!

— *¿Viene Ud. al cine conmigo, señora? La película del cine Acapulco es muy buena.*
— *Oh sí, gracias.*

¿Qué hace el Sr. Cortés? ¿Va a su casa? — No, el Sr. Cortés no va a su casa.
¿Adónde va? — Va al cine.
¿Con quién va al cine? — Va al cine con la señora de León.
¿Va Ud. también al cine Acapulco? — No, yo no voy al cine Acapulco.

¡Escuche!

— *¡Qué larga es esta calle!*
— *Sí, es muy larga.*

¡Conteste!

Entonces, ¿el Sr. Cortés no va en autobús? — No, el Sr. Cortés no va en autobús.
¿Cómo va? — Va a pie.

¡Escuche!

El Sr. Cortés está delante del cine con la señora de León.

— *Señorita, dos, por favor.*
— *¡Pero señor, son las 5! Este cine abre a las 6.*
— *Bueno. Entonces, vuelvo a las 6.*

¡Conteste!

¿Está delante del cine el Sr. Cortés? — Sí, el Sr. Cortés está delante del cine.
¿Entra al cine? No, . . . — No, no entra al cine.
¿Es a las 5 la película? No, . . . — No, la película no es a las 5.
¿A qué hora abre el cine? ¿A las 6? — Sí, el cine abre a las 6.

¡Escuche!

— *¡Pero señor, este cine abre a las 6!*
— *Bueno. Vuelvo a las 6. Entonces, señora, ¿vuelve Ud. conmigo a las 6?*
— *Sí, vuelvo con Ud. Pero en taxi, por favor, en taxi. La calle es muy larga.*
— *Claro que sí. En taxi.*

¡Conteste!

¿Vuelve a las 6 el Sr. Cortés? — Sí, el Sr. Cortés vuelve a las 6.
¿Con quién vuelve? — Vuelve con la Sra. de León.
¿Vuelve a pie o en taxi? — Vuelve en taxi.

¡Escuche!

El Sr. Cortés está en el café de la estación con la Sra. de León. Viene el camarero.

— *¿Toma Ud. vino, Sr. Cortés?*
— *Sí, gracias. Tráigame un vaso de vino tinto.*
— *¿Y a Ud. también, Sra. de León?*
— *¿Vino? ¡Yo no tomo vino! Un café, por favor.*

— *Su café, señora. Su vino, Sr. Cortés.*
— *Camarero, por favor, tráigame azúcar.*
— *Voy, voy.*
— *El café es bueno, ¿verdad?*
— *Sí, es bueno. ¿Y el vino?*
— *Oh, el vino es muy bueno.*
— *¿Viene Ud. al cine conmigo, señora? La película del cine Acapulco es muy buena.*
— *Oh sí, gracias.*

— *¡Qué larga es esta calle!*
— *Sí, es muy larga.*

— *Señorita, dos, por favor.*
— *Pero señor, son las 5. Este cine abre a las 6.*
— *Bueno. Entonces, vuelvo a las 6. Señora de León, ¿vuelve Ud. conmigo a las 6?*
— *Sí, vuelvo con Ud. Pero en taxi, por favor, en taxi. La calle es muy larga.*

Fin de la cinta número 4.
Hasta luego, Sra. de León.
Hasta luego, Sr. Cortés.

## Cinta Número 5

1, 2, 3, 4, 5

¿Qué hago yo? ¿Cuento?
¿Cuento del 1 al 5?
¿Cuento del 6 al 10?

Sí, Ud. cuenta.
Sí, cuenta del 1 al 5.
No, no cuenta del 6 al 10.

¡Por favor, cuente del 6 al 10!
¿Cuenta Ud. del 6 al 10?
¿Cuenta su dinero?

6, 7, 8, 9, 10
Sí, cuento del 6 al 10.
No, no cuento mi dinero.

Muy bien.

5 más 5 son 10. (Repita)
¿Cuántos son 10 más 10?
¿Cuántos son 20 menos 10?
¿Cuántos son 15 menos 8?
¿Cuántos son 7 menos 7?

5 más 5 son 10
10 más 10 son 20
20 menos 10 son 10
15 menos 8 son 7
7 menos 7 son cero

Bien.

un peso, dos pesos, tres pesos

¿Qué cuento yo, los billetes o los pesos?
Ud. cuenta los pesos.

un billete, 2, 3, 4 billetes

¿Qué cuento yo?
Ud. cuenta los billetes.

una cinta, 2, 4, 6 cintas

¿Qué hago yo?
Ud. cuenta las cintas.
¿Hay 8 cintas encima de la mesa?
No, no hay 8 cintas encima de la mesa.
¿Hay 7 cintas?
No, no hay 7 cintas tampoco.
¿Cuántas cintas hay encima de la mesa?
Hay 6 cintas encima de la mesa.

(perro)

¿Qué hay debajo de la mesa?
Hay un perro debajo de la mesa.
¿Es su perro?
No, no es mi perro.
¿Dónde está el perro?
El perro está debajo de la mesa.
¿Dónde están las cintas?
Las cintas están encima de la mesa.

¡Repita por favor!

De Santiago a Buenos Aires hay 1000 kilómetros.

¡Conteste!

¿Hay 3000 kilómetros de Santiago a Buenos Aires?
No, no hay 3000 kilómetros de Santiago a Buenos Aires.
¿Hay 2000 kilómetros?
No, no hay 2000 kilómetros tampoco.
¿Cuántos kilómetros hay de Santiago a Buenos Aires?
De Santiago a Buenos Aires hay 1000 kilómetros.
¿Está en México Santiago?
No, Santiago no está en México.
¿En qué país está?
Está en Chile.

Muy bien.

Un libro argentino cuesto 10 pesos. 10 pesos.
¿Cuánto cuestan 2 libros argentinos?
Dos libros argentinos cuestan 20 pesos.
¿Y 3 libros argentinos?
Tres libros argentinos cuestan 30 pesos.

Un libro francés cuesta 30 francos. 30 francos.
¿Y 2 libros franceses?
Dos libros franceses cuestan 60 francos.
¿Y 3 libros franceses?
Tres libros franceses cuestan 90 francos.

En Buenos Aires, un café exprés cuesta 25 centavos. 25 centavos.
¿Cuánto cuestan 2 cafés?
Dos cafés cuestan 50 centavos.
¿Y cuatro cafés?
Cuatro cafés cuestan 1 peso.

Bien.

Aquí tengo 25 centavos.
10, 20, 25 centavos.

| | |
|---|---|
| ¿Qué hago yo, cuento yo mi dinero? | Sí, Ud. cuenta su dinero. |
| ¿Tengo 80 centavos en la mano? | No, no tiene 80 centavos en la mano. |
| ¿Cuántos centavos tengo en la mano? | Tiene 25 centavos en la mano. |
| ¿Son para un café exprés los 25 centavos? Sí, . . . | Sí, los 25 centavos son para un café exprés. |

Bien. Ahora, un poco de gramática.

¿Qué es correcto, "el" o "la"?

| | |
|---|---|
| ¿libro? | el libro |
| ¿Y el plural? | los libros |
| ¿billete? | el billete |
| ¿Y el plural? | los billetes |
| ¿caja? | la caja |
| ¿Y el plural? | las cajas |

Bien. Ahora sólo los plurales.

| | |
|---|---|
| el tren | los trenes |
| el avión | los aviones |
| la ciudad | las ciudades |
| el vino | los vinos |
| el vino chileno | los vinos chilenos |
| El vino chileno es bueno. | Los vinos chilenos son buenos. |
| este papel | estos papeles |
| este sombrero | estos sombreros |
| esta camisa blanca | estas camisas blancas |
| Esta camisa blanca no es bonita. | Estas camisas blancas no son bonitas. |

Bueno. Basta ya de gramática.

¡Escuche!

**(tráfico)**

| | |
|---|---|
| ¿Es ésta Buenos Aires? Sí, . . . | Sí, es Buenos Aires. |
| ¿Estoy yo en Buenos Aires? | Sí, Ud. está en Buenos Aires. |
| Y Ud., ¿está en Buenos Aires conmigo? Sí, . . . | Sí, yo estoy en Buenos Aires con Ud. |
| ¿Estamos nosotros en Buenos Aires? | Sí, nosotros estamos en Buenos Aires. |
| ¿Estamos en una calle de Buenos Aires? | Sí, estamos en una calle de Buenos Aires. |
| ¿Somos tres personas? No, . . . | No, no somos tres personas. |
| ¿Cuántas personas somos? | Somos dos personas. |

Muy bien. Fin de la cinta número 5.

Hasta luego, señor.
Hasta luego, señora.
Hasta luego, señorita.

## Cinta Número 6

¡Escuche y conteste, por favor!

**(puerta)**

| | |
|---|---|
| ¿Qué es esto? | Es una puerta. |
| ¿Qué hago yo? ¿Abro la puerta? | Sí, Ud. abre la puerta. |

¡Repita!

Yo abro la puerta.
Yo la abro.
Yo tengo un peso.
Yo lo tengo en la mano.

Ahora conteste con "lo" o "la."

**(puerta)**

| | |
|---|---|
| ¿Cierro yo la puerta? | Sí, Ud. la cierra. |
| Y Ud., ¿cierra Ud. la puerta? | No, yo no la cierro. |
| ¿Quién la cierra? | Ud. la cierra. |

**(monedas)**

| | |
|---|---|
| Este es mi dinero. | |
| ¿Lo pongo en el suelo? No, . . . | No, no lo pone en el suelo. |
| ¿Lo pongo en el bolsillo? No, . . . | No, no lo pone en el bolsillo. |
| ¿Dónde lo pongo? ¿Sobre la mesa? | Sí, lo pone sobre la mesa. |
| ¿Tengo el dinero en la mano? No, . . . | No, no lo tiene en la mano. |
| ¿Lo tengo en el bolsillo? No, . . . | No, no lo tiene en el bolsillo. |

| | |
|---|---|
| 1, 2, 3, 4 pesos. | |
| ¿Qué hago yo con los pesos? ¿Los cuento? | Sí, Ud. los cuenta. |
| ¿Los cuenta Ud.? | No, yo no los cuento. |
| ¿Los pone en la mesa? | No, no los pongo en la mesa. |
| ¿Quién los pone en la mesa? | Ud. los pone en la mesa. |

¡Escuche!

Estamos en una calle. Estamos enfrente de un restaurante.

¡Conteste por favor!

| | |
|---|---|
| ¿Estamos enfrente de un café? | No, no estamos enfrente de un café. |
| ¿Dónde estamos? | Estamos enfrente de un restaurante. |

¡Escuche!

El Sr. Cortés sale del restaurante. Sale del restaurante con la Sra. de León.

¡Conteste por favor!

| | |
|---|---|
| ¿Qué hacen el señor y la señora? ¿Salen de un cine? | No, el señor y la señora no salen de un cine. |
| ¿De dónde salen? | Salen de un restaurante. |
| ¿Sale Ud. del restaurante con ellos? | No, yo no salgo del restaurante con ellos. |

Bien.

— *Y ahora, señora, ¿vamos a tomar un café?*
— *No, señor Cortés, no. ¡Mire su reloj!*
— *Es verdad. Son las 3. Vamos a la oficina.*

¡Conteste!

| | |
|---|---|
| ¿Mira su reloj el Sr. Cortés? | Sí, el Sr. Cortés mira su reloj. |
| ¿Son las 2? | No, no son las 2. |
| ¿Qué hora es? | Son las 3. |

— *Es verdad. Son las 3. Vamos a la oficina.*

¡Conteste!

| | |
|---|---|
| ¿Van ellos a tomar café? | No, ellos no van a tomar café. |
| ¿Adónde van? | Van a la oficina. |
| ¿Vamos nosotros a tomar un café? | No, nosotros no vamos a tomar un café. |

¡Escuche!

— *Bueno. Ya estamos en nuestro edificio. ¿Tomamos el ascensor?*
— *Claro que sí, Sr. Cortés. Tomamos el ascensor.*

¡Conteste!

| | |
|---|---|
| ¿Llegan ellos a su edificio? | Sí, ellos llegan a su edificio. |
| ¿Llegan antes de las 3? | No, no llegan antes de las 3. |
| ¿Llegan después de las 3? | Sí, llegan después de las 3. |
| ¿De dónde vienen? | Vienen del restaurante. |
| ¿Adónde van? | Van a su oficina. |
| ¿Entran al edificio? | Sí, entran al edificio. |
| ¿Toman el ascensor? | Sí, toman el ascensor. |
| ¿Entramos nosotros también al edificio? | No, nosotros no entramos al edificio. |

¡Escuche!

— *Ay, Sr. Cortés, ¡mis guantes!*
— *¿Dónde están sus guantes?*
— *¡En el restaurante! Están en el restaurante sobre la silla.*

¡Conteste!

| | |
|---|---|
| ¿Tiene sus guantes la Sra. de León? | No, la Sra. de León no tiene sus guantes. |
| ¿Tenemos nosotros sus guantes? | No, nosotros no tenemos sus guantes. |
| ¿Están en la oficina los guantes? | No, los guantes no están en la oficina. |
| ¿Dónde están? | Están en el restaurante. |

¡Escuche!

— *Bueno, señora. Yo vuelvo al restaurante. Vuelvo por sus guantes al restaurante.*
— *Oh, gracias, Sr. Cortés. Pero yo también vuelvo con Ud.*

¡Conteste!

| | |
|---|---|
| ¿Qué hacen ellos? | Ellos vuelven al restaurante. |
| ¿Vuelven por los guantes de la señora? | Sí, vuelven por los guantes de la señora. |
| ¿Volvemos nosotros también al restaurante? | No, nosotros no volvemos al restaurante. |

Bien.

Y ahora, un poco de gramática.

Verbo "volver." ¿Nosotros? — Nosotros volvemos.
"Venir" ¿Nosotros? — Nosotros venimos.
¿Entrar? — Nosotros entramos.
¿Salir? — Nosotros salimos.
¿Tener? — Nosotros tenemos.
¿Poner? — Nosotros ponemos.
¿Traer? — Nosotros traemos.

Bien.

Y ahora el verbo "ir." ¿Nosotros? — Nosotros vamos.

Y el verbo "ser." ¿Nosotros? — Nosotros somos.

Bien. Está muy bien.

¿Qué escucha Ud.? ¿La cinta? — Sí, yo escucho la cinta.
¿A quién escucha Ud.? ¿A la Sra. de León? No, . . . — No, yo no escucho a la Sra. de León.
¿A quién escucha Ud.? ¿Al Sr. Cortés? — No, yo no escucho al Sr. Cortés.
¿A quién escucha Ud.? — Yo lo escucho a Ud. (Repita)
¿Qué mira Ud.? ¿Su grabadora? Sí, . . . — Sí, yo miro mi grabadora.
¿A quién mira Ud.? ¿A su profesor? No, . . . — No, yo no miro a mi profesor.

Está bien. Está muy bien.
Gracias y hasta luego.
Fin de la cinta número 6.

## Cinta Número 7

La secretaria y la carta.

(teléfono)

¡Escuche!

— *Sí, ¿quién habla, por favor?*

¡Conteste!

¿Habla por teléfono la secretaria? — Sí, habla por teléfono.
¿Dice su nombre la secretaria? — No, no lo dice.

¡Escuche!

— *Sí, ¿quién habla, por favor?*
— *Habla el Sr. García.*

¡Conteste!

¿Quién dice su nombre, el Sr. García o la secretaria? — El Sr. García lo dice.
¿Lo dice a la secretaria? — Sí, lo dice a la secretaria.

¡Escuche!

— *¿Está el director, señorita?*
— *No, Sr. García. El director no está.*

¡Conteste!

¿Está el director? — No, no está.
¿Quién está en la oficina? — La secretaria está en la oficina.

Bien.

¡Escuche!

— *Habla el Sr. García. ¿Está el director, señorita?*

"Está el director" ¿Es una pregunta o una respuesta? — Es una pregunta.
¿Hace esa pregunta la secretaria? — No, la secretaria no la hace.
¿Quién hace la pregunta? — El Sr. García la hace.

Bien. Muy bien.

Y Ud., ¿hace una pregunta? — No, no hago una pregunta.

¡Escuche!

— *¿Está el director, señorita?*
— *No, Sr. García. El director no está.*

"El director no está" ¿Es esto una pregunta o una respuesta? — Es una respuesta.
¿Quién contesta, la secretaria? — Sí, la secretaria contesta.
¿A quién contesta? — Contesta al Sr. García.

¡Escuche!

— *No, Sr. García, el director no está.*
— *Gracias, señorita.*
— *García, García, Oh, Dios mío, ¡la carta! ¡Esa carta para el Sr. García!*

**(máquina de escribir)**

¡Conteste!

¿Qué hace la secretaria? ¿Escribe en este momento? — Sí, escribe.
¿Escribe a mano o a máquina? — Escribe a máquina.
¿Qué escribe? — Escribe una carta.
¿La escribe a su director? — No, no la escribe a su director.
¿A quién la escribe? — La escribe al Sr. García.

Muy bien.

Y Ud., ¿escribe en este momento? — No, no escribo.
¿Escribe cartas Ud.? Sí, . . . — Sí, yo escribo cartas.
¿Escribe sus cartas en español? — No, no las escribo en español.
¿En qué idioma las escribe? — Las escribe en . . . .

¡Escuche! Llega el director.

— *Señorita, la carta para el Sr. García.*
— *Aquí tiene la carta, señor director.*
— *Gracias, señorita.*

¡Conteste!

¿Lee el director? — Sí, lee.
¿Qué lee, un periódico o una carta? — Lee una carta.

Bien.

Y Ud., ¿lee un periódico en este momento? — No, no leo un periódico en este momento.
¿Qué hace Ud.? ¿Lee o habla? — Hablo.
¿Habla en inglés ahora? No, ahora . . . — No, ahora no hablo en inglés.
¿En qué idioma habla? — Hablo en español.
¿En qué idioma habla el director? — Habla en español.
Y la secretaria, ¿también habla en espanol? — Sí, también habla en español.
Entonces, en esa oficina se habla español, ¿verdad? — Sí, en esa oficina se habla español.
¿Qué idioma se habla en París? — En París se habla francés.

Bien.

¡Escuche!

— *Pero señorita, esta carta no está correcta.*
— *¡Cómo! ¿No está correcta?*
— *No, señorita.*

¿Está correcta la carta? — No, no está correcta.
¿Quién escribió la carta? ¿La escribió la secretaria? — Sí, la secretaria la escribió.
¿Y quién la leyó? — El director la leyó.

Bien.

Escuche ahora a la Sra. Carter.
Escuche al profesor de la Sra. Carter.
Escuche y repita, por favor.

— *No entiendo, Sr. profesor.*
— *¿No, Sra. Carter?*
— *Esta es nuestra lección número 12. ¡Pero no tenemos ni papel, ni lápices, ni libros en la clase!*
— *No, Sra. Carter.*
— *Aprendemos el alfabeto, ¡pero no escribimos!*
— *No, Sra. Carter.*
— *No entiendo este método. No entiendo esta escuela. Tomo 12 lecciones y no tengo libro.*
— *No, señora. Pero Ud. tiene cintas, tiene una grabadora. Ud. escucha, Ud. entiende, ¿verdad?*
— *Sí, pero . . .*
— *¿No repite Ud. las frases?*
— *Sí, pero . . .*
— *¿No entiende las preguntas?*
— *Sí, pero . . .*
— *¿No contesta Ud. en español?*

— *Sí, señor profesor, pero . . . no tengo libro, no leo frases, no escribo, no hago ejercicios en inglés y español.*
— *¡Cómo, señora! ¿Ejercicios en inglés? ¡En esta escuela! Pero, dígame Ud., por favor. ¿Qué idioma aprende aquí, inglés o español?*
— *Español, pero . . . lo aprendemos sin libros. ¡No leemos una palabra! ¡No escribimos una letra!*
— *Pero Ud. escucha español, y luego contesta. Y habla en español. Y en este momento, ¿no lee Ud. español?*
— *Sí, señor, pero . . .*
— *¿No lee Ud. esta lección? ¿No la entiende?*
— *¡Señor!*
— *¿Libro dice Ud., señora? ¡Como no! Tome Ud. este libro, y lea. Leer no es un problema.*

Muy bien. Excelente.

¡Ahora, conteste Ud.!

¿Habló la Sra. Carter con el profesor? — Sí, habló con el profesor.
¿Preguntó sobre el método? — Sí, preguntó sobre el método.
¿Contestó el profesor a la señora? — Sí, contestó a la señora.
¿Escuchó la cinta la señora? Sí, . . . — Sí, escuchó la cinta.
Entendió las preguntas, ¿verdad? — Sí, las entendió.
Contestó bien, ¿verdad? — Sí, contestó bien.
Aprendió nuevas palabras, ¿verdad? — Sí, aprendió nuevas palabras.
Y ahora, ¿lee su libro la señora? Sí, . . . — Sí, lo lee.
¿Es un problema leer? No, leer. . . — No, leer no es un problema.

Bien. Gracias, muchas gracias.
Fin de la cinta número 7.
Hasta luego.

## Cinta Número 8

Repita: octava cinta — Octava cinta
¿Es ésta la sexta cinta? — No, no es la sexta cinta.
¿Es la séptima? — No, no es la séptima.
¿Qué cinta es? — Es la octava cinta.

Muy bien.

¡Ahora escuche!

(elevador)

— *Segundo piso.*

¡Conteste!

¿Es éste el primer piso? — No, no es el primer piso.
¿Es el tercero? — No, no es el tercero.
¿Qué piso es? — Es el segundo piso.
¿Qué piso viene después? Después . . . — Después viene el tercer piso.
¿Y después? — Después viene el cuarto piso.

¡Escuche!

— *Segundo piso.*
— *Disculpe. ¿Cuál es la oficina del Sr. García?*
— *Es la segunda puerta a la derecha.*
— *Ah, la segunda puerta. Muchas gracias.*

¡Conteste!

| | |
|---|---|
| ¿Adónde va la señorita? ¿A la oficina del Sr. López? | No, no va a la oficina del Sr. López. |
| ¿Adónde va entonces? | Va a la oficina del Sr. García. |

— *Es la segunda puerta a la derecha.*
— *Muchas gracias.*

¡Conteste!

| | |
|---|---|
| ¿Qué puerta es, la primera? | No, no es la primera. |
| ¿Es la segunda? | Sí, es la segunda. |
| ¿La segunda puerta a la derecha o la segunda puerta a la izquierda? | La segunda puerta a la derecha. |

¡Ahora escuche, por favor!

Escuche a Amanda. Escuche a Felipe.

— *Buenos días, Amanda.*
— *Buenos días, Felipe.*
— *¿Adónde va?*
— *Voy al trabajo. ¿Y Ud.?*
— *Yo también.*

¡Conteste!

| | |
|---|---|
| ¿Va a su casa Amanda? | No, no va a su casa. |
| ¿Adónde va? | Va al trabajo. |

¡Escuche!

— *Voy al trabajo. ¿Y Ud.?*
— *Yo también.*
— *¿Dónde trabaja ahora?*
— *Trabajo con mi hermano, en la fábrica.*

¡Conteste!

| | |
|---|---|
| ¿Trabaja Felipe con su padre? | No, no trabaja con su padre. |
| ¿Con quién trabaja? | Trabaja con su hermano. |
| ¿Trabaja en una oficina? | No, no trabaja en una oficina. |
| ¿Dónde trabaja? | Trabaja en una fábrica. |

¡Escuche!

— *¿Toma Ud. el autobús aquí?*
— *Oh, no. Voy a pie. Son sólo 10 minutos. ¿Y Ud.?*
— *Yo tomo el autobús.*

¡Conteste!

| | |
|---|---|
| ¿Toma el autobús Amanda? | No, no lo toma. |
| ¿Cómo va a su trabajo? | Va a su trabajo a pie. |
| Y Felipe, ¿también va a pie? | No, no va a pie. |
| ¿Qué hace? | Toma el autobús. |

¡Escuche!

— *Yo tomo el autobús.*
— *¿No va a la fábrica con su hermano?*
— *No, no vamos juntos. Pero volvemos juntos en el coche de él.*

¡Conteste!

| | |
|---|---|
| ¿Van al trabajo juntos Felipe y su hermano? | No, no van al trabajo juntos. |
| Pero vuelven juntos, ¿verdad? | Sí, vuelven juntos. |
| ¿Vuelven en autobús o en coche? | Vuelven en coche. |
| ¿En el coche de Felipe o en el coche de su hermano? | En el coche de su hermano. |

¡Escuche!

— *¿Cuántos obreros tienen Uds. en la fábrica?*
— *Tenemos 50 obreros.*

¡Conteste!

| | |
|---|---|
| ¿Tienen 80 obreros? | No, no tienen 80 obreros. |
| ¿Cuántos obreros tienen? | Tienen 50 obreros. |
| ¿Dónde están los obreros, en la fábrica o en la oficina? | Están en la fábrica. |

¡Escuche!

— *¿Cuántas horas trabaja Ud., Amanda?*
— *Trabajo 8 horas, Felipe. ¿Y Ud.?*
— *Nosotros trabajamos 9 horas.*

¡Conteste!

| | |
|---|---|
| ¿Trabaja Amanda 9 horas? No, . . . | No, Amanda no trabaja 9 horas. |
| ¿Cuántas horas trabaja ella? | Ella trabaja 8 horas. |
| ¿Trabajan también 8 horas Felipe y su hermano? No, ellos . . . | No, ellos no trabajan 8 horas. |
| ¿Cuántas horas trabajan ellos, 8 horas o 9 horas? | Ellos trabajan 9 horas. |

¡Escuche!

— *¿A qué hora se empieza a trabajar en su oficina?*
— *Se empieza a las 9.*
— *Nosotros empezamos a las 8 y salimos a las 6.*

¡Conteste!

¿A qué hora se empieza a trabajar en la oficina de Amanda? ¿A las 8?
No, no se empieza a trabajar a las 8.
¿A qué hora se empieza a trabajar?
Se empieza a trabajar a las 9.
Y Felipe y su hermano, ¿también empiezan a las 9? No, . . .
No, no empiezan a las 9.
Ellos empiezan a las 8, ¿verdad?
Sí, ellos empiezan a las 8.
¿Y a qué hora salen? ¿A las 6?
Sí, salen a las 6.

¡Escuche!

— *Bueno, Amanda. Aquí viene mi autobús. Hasta luego.*
— *Hasta luego.*

¡Conteste!

¿Qué dicen Amanda y Felipe?
Dicen "hasta luego."
¿Viene el autobús de Felipe?
Sí, viene el autobús de Felipe.
¿Lo toma Felipe?
Sí, lo toma.
¿Lo toma también Amanda?
No, ella no lo toma.

¡Conteste Ud., por favor!

¿Con quién habló Felipe en la calle?
Habló con Amanda.
¿Dijo él "buenas noches" a Amanda?
No, no dijo "buenas noches" a Amanda.
¿Qué dijo él?
Dijo "buenos días."
¿Y qué contestó ella?
Contestó "buenos días."
¿Tomó Felipe el autobús?
Sí, lo tomó.
¿Adónde fue Felipe, a su fábrica?
Sí, fue a su fábrica.
¿Fue a la fábrica también Amanda?
No, ella no fue a la fábrica.
¿Adónde fue Amanda?
Fue a su oficina.
Y Ud., ¿habló con ellos?
No, no hablé con ellos.
¿Dijo Ud. "buenos días" a Amanda?
No, no dije "buenos días" a Amanda.
¿Tomó Ud. el autobús?
No, no lo tomé.
¿Fue Ud. a la fábrica?
No, no fui a la fábrica.
¿Contestó Ud. a Felipe?
No, no contesté a Felipe.
¿Contestó Ud. mis preguntas?
Sí, las contesté.
¿Entendió Ud. todas estas preguntas?
Sí, las entendí.
¿Hice yo muchas preguntas?
Sí, Ud. hizo muchas preguntas.

Muy bien.

Yo hice muchas preguntas y Ud. las contestó, las entendió y las contestó.

Muy bien. Está excelente.
Fin de la cinta número 8.
Muchas gracias y hasta luego.

## Cinta Número 9

Novena cinta.

**(perro)**

¡Oh, oh! ¿Qué es eso? — Es un perro.

**(otro perro)**

¿Es éste el mismo perro? — No, no es el mismo perro.
Ah, entonces, ¿es otro perro? — Sí, es otro perro.

Bien. ¡Escuche!

**(máquina de escribir eléctrica)**

¿Es eso una máquina de escribir? — Sí, es una máquina de escribir.

**(máquina de escribir manual)**

Y esto, ¿qué es? ¿La misma máquina? — No, no es la misma máquina.
¿Cómo son las dos máquinas, iguales o diferentes? — Son diferentes.

Muy bien.

Mi apellido es Rodríguez.
Dígame su apellido, por favor.

¿Me dice Ud. su apellido? — Sí, le digo mi apellido.
Bien. ¿Me dijo su dirección? — No, no le dije mi dirección.
¿Qué me dijo Ud.? — Le dije mi apellido.
Y yo, ¿le dije mi dirección? — No, no me dijo su dirección.

Excelente.

Por favor, déme un cigarrillo. Muchas gracias.

¿Me da Ud. un cigarrillo? Sí, . . . — Sí, le doy un cigarrillo.
Y yo, ¿le doy un cigarrillo? — No, no me da un cigarrillo.
¿Le doy algo? — No, no me da nada.

¡Repita por favor!

algo — nada

Yo le doy algo.
Yo no le doy nada.

¿Escucha Ud. música en su casa? Sí, . . . — Sí, escucho música en mi casa.
¿Está escuchando música ahora? No, ahora . . . — No, ahora no estoy escuchando música.
¿Está escuchando algo? — Sí, estoy escuchando algo.
¿Qué está escuchando? — Estoy escuchando la cinta.
¿Escribe Ud. mucho? Sí, . . . — Sí, escribo mucho.
¿Está escribiendo algo en este momento? No, . . . — No, en este momento no estoy escribiendo nada.

Muy bien. Excelente.

Ahora, repita por favor.

alguien — nadie

¿Hay alguien en esta clase?
En esa clase no hay nadie.

(teléfono)

Mm. . . ¡No hay nadie!
¿Hay alguien al otro lado? — No, no hay nadie.
¿Estoy hablando con alguien? — No, no está hablando con nadie.

Ahora, escuche.
La señora de Pérez va a comprar algo.
¡Escuche!
Está hablando con alguien.

— *Buenos días, señora.*
— *Buenos días.*
— *¿Qué le doy, señora?*
— *Déme cinco kilos de azúcar, por favor.*

¡Conteste!

¿Compra algo la señora? — Sí, compra algo.
¿Qué compra, vino o azúcar? — Compra azúcar.
Y Ud., ¿compra algo también? — No, no compro nada.
¿Quién compra algo, el señor o la señora? — La señora compra algo.
¿Habla con alguien la señora? — Sí, habla con alguien.
¿Habla con alguien en francés? — No, no habla con nadie en francés.

¡Escuche!

— *Déme cinco kilos de azúcar, por favor.*
— *Aquí los tiene, señora. Cinco kilos de azúcar.*

¡Conteste!

¿Le da él algo? — Sí, le da algo.
¿Qué le da, azúcar? — Sí, le da azúcar.
Y Ud., ¿le da algo a la señora? No, . . . — No, no le doy nada.

¡Escuche!

— *Aquí los tiene, señora. Cinco kilos de azúcar. ¿Le doy algo más, señora?*
— *Sí, un kilo de café.*

¡Conteste!

¿Compra algo más la señora? — Sí, compra algo más.
¿Qué compra, vino o café? — Compra café.

¡Escuche!

— *Hágame un paquete, por favor.*
— *Sí, señora. ¿Le mando el paquete a su casa?*
— *Sí, mándeme el paquete a mi casa, por favor.*

¡Conteste!

| | |
|---|---|
| ¿Hace él un paquete? | Sí, hace un paquete. |
| ¿Lo manda? | Sí, lo manda. |
| ¿Manda el paquete a la señora? | Sí, le manda el paquete. |

¡Repita por favor!

Manda el paquete. Lo manda.
Manda el paquete a la señora. Le manda el paquete.

¡Escuche!

— *Mándeme el paquete a mi casa por favor. ¿Sabe Ud. dónde vivo?*
— *Sí, señora. En la calle Manzanares, ¿verdad?*

¡Conteste!

| | |
|---|---|
| ¿Sabe él dónde vive la señora? | Sí, sabe dónde vive. |
| ¿Sabe Ud. dónde vive? Sí, . . . | Sí, sé dónde vive. |
| ¿Sabe Ud. dónde vivo yo? No, . . . | No, no sé dónde vive. |

Bien.

| | |
|---|---|
| ¿Fue a comprar café la Sra. de Pérez? | Sí, fue a comprar café. |
| Y Ud., ¿fue también con ella? | No, no fui con ella. |
| ¿Compró algo la señora? | Sí, compró algo. |
| Y Ud., ¿compró también algo? No, . . . | No, no compré nada. |
| ¿Hizo el paquete la señora? | No, ella no lo hizo. |
| ¿Quién lo hizo, ella o él? | Él lo hizo. |
| ¿Le mandó el paquete a su casa? | Sí, le mandó el paquete a su casa. |
| Y Ud., ¿hizo también un paquete para la señora? No, . . . | No, no hice un paquete para la señora. |
| ¿Le mandó Ud. un paquete? | No, no le mandé un paquete. |
| ¿Le mandó Ud. algo? | No, no le mandé nada. |
| ¿Vino esa señora a la oficina de Ud.? | No, no vino a mi oficina. |
| ¿Estuvo ella en su oficina ayer? | No, no estuvo en mi oficina ayer. |
| ¿Estuvo Ud. en su oficina ayer? Sí, . . . | Sí, estuve en mi oficina ayer. |

Muy bien. Excelente.

¡Ahora escuche!
La señora de Pérez va a comprar café y azúcar.

¡Repita por favor!

— *¡Buenos días, señora!*
— *Buenos días.*
— *¿Qué le doy señora?*
— *Déme cinco kilos de azúcar, por favor.*
— *Aquí los tiene señora, 5 kilos de azúcar. ¿Le doy algo más, señora?*
— *Sí, un kilo de café. Hágame un paquete, por favor.*
— *Sí, señora. ¿Le mando el paquete a su casa?*
— *Sí, mándeme el paquete a mi casa, por favor. ¿Sabe Ud. dónde vivo?*
— *Sí, señora. En la calle Manzanares, ¿verdad?*

Muy bien. Muchas gracias.
Fin de la novena cinta.

Hasta la próxima cinta.
Hasta la próxima vez.

## Cinta Número 10

¡Escuche por favor!

**(tocando a la puerta)**

— *¡Sí, pase!*
— *Buenos días, señor profesor.*
— *Buenos días, Juanito.*

¡Conteste!

| | |
|---|---|
| ¿Entró Juanito? Sí, Juanito . . . | Sí, Juanito entró. |
| ¿Vino también Felipe? | No, Felipe no vino. |
| ¿Vino Amanda? | No, Amanda no vino. |
| ¿Quién vino? | Vino Juanito. |

Bien. Un poco de gramática.
El presente y el pretérito.

| | |
|---|---|
| Juanito viene. ¿Pretérito? | Juanito vino. |
| Felipe y Amanda vienen. | Felipe y Amanda vinieron. |
| Ellos entran. | Ellos entraron. |
| Amanda entra. | Amanda entró. |
| Yo entro. | Yo entré. |

Ahora el verbo "salir."

| | |
|---|---|
| Yo salgo. | Yo salí. |
| Ud. sale. | Ud. salió. |
| Felipe sale. | Felipe salió. |
| Los dos salen. | Los dos salieron. |

Bien.

Otro verbo: "ir."

| | |
|---|---|
| Voy al café. | Fui al café. |
| Me voy. | Me fui. |
| La señora se va. | La señora se fue. |
| Nos vamos. | Nos fuimos. |
| Ellos van al cine. | Ellos fueron al cine. |

Otro verbo más: "estar."

| | |
|---|---|
| Estoy en el banco. | Estuve en el banco. |
| Él está en México. | Él estuvo en México. |
| Estamos en Colombia. | Estuvimos en Colombia. |
| Mis amigos están aquí. | Mis amigos estuvieron aquí. |

Bien. Ahora el pretérito.

| | | |
|---|---|---|
| Yo bajo. | ¿y el pretérito? | Yo bajé. |
| subo | ¿pretérito? | subí |
| cierro | | cerré |
| abro | | abrí |
| hago | | hice |

| | |
|---|---|
| digo | dije |
| traigo | traje |
| pongo | puse |
| doy | dí |
| tengo | tuve |

Tengo una lección. — Tuve una lección.
Tengo una lección de español. — Tuve una lección de español.

Muy bien. Pero ahora, ¡basta de gramática!

¡Ahora, escuche!

Escuche a Felipe y Amanda. Hoy se van de paseo. Van a Chapultepec.

¡Escúchelos!

— *Buenos días, Amanda.*
— *Buenos días, Felipe. ¿Adónde vamos hoy?*
— *Vamos a Chapultepec.*

¿Escuchó Ud.? — Sí, escuché.
¿Entendió las palabras de Amanda? — Sí, las entendí.
¿Entendió también a Felipe? — Sí, lo entendí también.
¿Es una calle Chapultepec? — No, no es una calle.
¿Es una avenida o un parque? — Es un parque.

Bien.

¡Escuche!

— *Ésta es la parada del autobús, Amanda.*
— *Sí, ¿pero dónde está el autobús?*
— *¡No está!*

¡Conteste!

¿Llegó a la parada Felipe? — Sí, llegó a la parada.
¿Llegó con Amanda? — Sí, llegó con Amanda.
¿Llegaron juntos? — Sí, llegaron juntos.
¿Está el autobús? — No, no está.
¿Lo están esperando ahora? — Sí, lo están esperando.

**(llega el autobús)**

— *Llegó el autobús. Suba, Amanda.*

¡Conteste!

¿Llegó el autobús? — Sí, llegó.
¿Lo esperaron mucho? — No, no lo esperaron mucho.
¿Subió Amanda? — Sí, subió.
¿Subió con Felipe? — Sí, subió con Felipe.
¿Subieron juntos? — Sí, subieron juntos.
¿Tomaron el autobús para ir a su casa? — No, no lo tomaron para ir a su casa.
Entonces, ¿para ir adónde? — Para ir a Chapultepec.

**(bus andando)**

— *Estamos en nuestra parada, Amanda.*
— *¡Ah, ya llegamos!*
— *Sí, aquí bajamos.*

**(bus parando)**

— *Un momento Amanda, primero bajo yo.*
— *Gracias, Felipe.*

¡Conteste por favor!

¿Bajó del autobús Amanda? — Sí, bajó.
¿Quién bajó primero? — Felipe bajó primero.
¿Y quién bajó después? — Amanda bajó después.

¡Escuche!

— *¡Qué bonito! ¡Qué bonito es el parque!*
— *Amanda, mire allá arriba: el castillo.*
— *Sí. ¡Qué bonito es el Castillo de Chapultepec!*

¡Conteste!

¿Entraron al parque? — Sí, entraron al parque.
¿Están mirando el castillo ahora? — Sí, lo están mirando.
¿Es bonito ese castillo? — Sí, es bonito.
¿Quién lo dijo, Felipe o Amanda? — Amanda lo dijo.

¡Escuche!

— *Y su hermano, ¿se quedó en la casa hoy?*
— *No, salió con su esposa.*

¡Conteste por favor!

¿Tiene Felipe un hermano? — Sí, tiene un hermano.
¿Quién preguntó por él? — Amanda preguntó por él.
¿Se quedó en casa el hermano? — No, no se quedó en casa.
¿Qué hizo? — Salió.
¿Con quién salió? — Salió con su esposa.

¡Escuche!

— *Bueno. Creo que ahora volvemos a la casa, ¿no?*
— *Sí, Felipe. Vamos.*
— *Llegó nuestro autobús.*
— *Ay, sí. Se terminó nuestro paseo.*

Ahora escuche. Escuche a Felipe y Amanda.

¡Escúchelos!

— *Buenos días, Amanda.*
— *Buenos días, Felipe. ¿Adónde vamos hoy?*
— *Vamos a Chapultepec.*
— *Ésta es la parada del autobús.*
— *Sí, ¿pero dónde está el autobús?*

— *¡No está!*
— *Llegó el autobús. Suba Amanda.*
— *Estamos en nuestra parada Amanda.*
— *¡Ah, ya llegamos!*
— *Sí, aquí bajamos. Un momento Amanda, primero bajo yo.*
— *Gracias, Felipe. ¡Qué bonito! ¡Qué bonito es el parque!*
— *Amanda, mire allá arriba: el castillo.*
— *Sí. ¡Qué bonito es el Castillo de Chapultepec!*
— *Bueno. Creo que ahora volvemos a la casa, ¿no?*
— *Sí, Felipe. Vamos.*
— *Llegó nuestro autobús.*
— *Ay, sí. Se terminó nuestro paseo.*

Bien. Creo que vamos a decir "hasta luego" a Amanda y a Felipe.

Aquí se termina nuestra cinta.
Fin de la cinta número 10.
Muchas gracias y hasta luego.

## Cinta Número 11

¡Escuche por favor!

**(abriendo ventana; ruido de tráfico)**

¿Qué hice yo? ¿Abrí algo?
¿Qué abrí yo? ¿La puerta?
¿Qué abrí?
¿Ve Ud. algo?
¿Oye Ud. algo?
¿Qué oye? ¿El ruido de la calle?
¿Hay mucho ruido?
¿Es bonito el ruido?
¡Claro que no!

Sí, abrió algo.
No, no abrió la puerta.
Abrió la ventana.
No, no veo nada.
Sí, oigo algo.
Sí, oigo el ruido de la calle.
Sí, hay mucho ruido.
No, no es bonito.

Bueno, cerraré la ventana entonces.

**(cerrando ventana)**

Dígame por favor, ¿qué hice?
¿Oye Ud. el ruido ahora?

Cerró la ventana.
No, ahora no lo oigo.

**(gente hablando español)**

¿Oye Ud. hablar?
¿Qué idioma oye hablar?

Sí, oigo hablar.
Oigo hablar español.

**(canción española)**

¿Oye hablar ahora?
¿Qué oye, hablar o cantar?

No, ahora no oigo hablar.
Oigo cantar.

¡Escuche por favor!

— *¡Don Rufino! ¡Don Rufino! Venga, por favor, don Rufino.*

¿Oye Ud. a una mujer?
¿La oye cantar?

Sí, oigo a una mujer.
No, no la oigo cantar.

— *¡Don Rufino! ¡Don Rufino!*

¿La oye llamar?
Sí, la oigo llamar.
¿A quién llama ella?
Llama a don Rufino.
¿Conoce Ud. a don Rufino?
No, no lo conozco.
Pero ella lo conoce, ¿verdad?
Sí, ella lo conoce.

Bien. Ahora, un poco de gramática.

¿Qué es correcto? ¿"Veo una persona" o "Veo a una persona"?
Veo a una persona.

Y una cosa, ¿veo o veo a?
Veo una cosa.

¡Conteste con "veo"!

¿su oficina?
Veo su oficina.
¿mi profesor?
Veo a mi profesor.
¿su secretaria?
Veo a su secretaria.
¿el Sr. Pino?
Veo al Sr. Pino.

¡Ahora, repita!

Oye una cosa.
Oye a una persona.

¡Conteste con "Ud. oye"!

¿el ruido?
Ud. oye el ruido.
¿la señorita?
Ud. oye a la señorita.
¿la voz de la señorita?
Ud. oye la voz de la señorita.
¿los niños?
Ud. oye a los niños.

¡Ahora, conteste con "él ve"!

¿esas chicas?
Él ve a esas chicas.
¿algo?
Él ve algo.
¿nada?
Él no ve nada.
¿alguien?
Él ve a alguien.
¿nadie?
Él no ve a nadie.

¡Ahora, conteste con "ella conoce"!

¿esa ciudad?
Ella conoce esa ciudad.
¿mis padres?
Ella conoce a mis padres.
¿mi hermano?
Ella conoce a mi hermano.
¿mi casa?
Ella conoce mi casa.

Excelente.

Pero, basta ya de gramática.
Ahora, escuche por favor.
Oiga lo que dice esta señorita.
Oiga lo que dice don Rufino Pino.

— *Son las dos. Ya son las dos y don Rufino no llega. Y ahora se va el tren, se va el tren de don Rufino.*

¡Conteste!

¿Espera la señorita a alguien? — Sí, espera a alguien.
¿A quién espera? — Espera a don Rufino.
¿Lo espera en la estación? — Sí, lo espera en la estación.

**(pasos de hombre)**

— *¡Oh, don Rufino! Aquí llega.*
— *Buenas tardes, señorita, buenas tardes.*

¡Conteste!

¿Dónde está don Rufino? — Está en la estación.
Entonces, ¿vio a la señorita? — Sí, la vio.

¡Escuche!

— *Buenas tardes, señorita.*
— *El tren se fue sin Ud. don Rufino. Ya se fue el tren.*
— *Sí, lo sé, señorita, lo sé. El tren no me esperó.*

¡Conteste!

¿Se fue el tren? — Sí, se fue.
¿No esperó a don Rufino? — No, no lo esperó.
¿No llegó a tiempo don Rufino? — No, no llegó a tiempo.
¡Mm, qué pena!

¡Escuche!

— *Le traje el dinero, don Rufino, y le compré su pasaje.*
— *Oh, gracias, señorita, gracias.*

¡Conteste!

¿Trajo el dinero la señorita? — Sí, lo trajo.
¿Le compró un pasaje a don Rufino? — Sí, le compró un pasaje.

¡Escuche!

— *Señorita, ¿hay otro tren a Rosario hoy?*
— *No lo sé, don Rufino. Vamos a ver el horario.*
— *Aquí está el horario. Mm . . . "Tren expreso a Rosario a las 16."*
— *A las 16. Excelente.*

¡Conteste!

¿Hay otro tren hoy? — Sí, hay otro tren hoy.
¿A qué hora sale? ¿A las 16? — Sí, sale a las 16.
Las 16 son las 4 de la tarde, ¿no? — Sí, son las 4 de la tarde.

¡Escuche!

— *Su boleto, don Rufino, aquí está su boleto. Tómelo, póngalo en su bolsillo.*
— *¿En el bolsillo? Pero señorita, tengo muchas cosas en los bolsillos; después. Démelo después.*

¡Conteste!

¿Toma el boleto don Rufino? — No, no lo toma.
¿Dice que lo tomará después? — Sí, dice que lo tomará después.

¡Escuche!

— *Y ahora, señorita, ¿qué hacemos?*
— *¿No llama por teléfono a su señora, don Rufino?*
— *Ahora no, señorita, al llegar. La llamaré al llegar.*

¡Conteste!

¿Llama a su esposa ahora don Rufino? — No, no la llama ahora.
¿La llamará después? — Sí, la llamará después.
¿La llamará al llegar a Rosario? — Sí, la llamará al llegar a Rosario.

¡Escuche!

— *Le traje el periódico, don Rufino, y su señora le mandó este libro.*
— *Bien. Muchas gracias, señorita.*

¡Conteste!

¿Le trajo algo a don Rufino la señorita? — Sí, le trajo algo.
¿Qué le trajo? — Le trajo el periódico y un libro.

¡Escuche!

— *El tren expreso a Pergamino, Rosario y Córdoba, entrando a la estación. El tren expreso a Pergamino, Rosario y Córdoba.*
— *Llegó su tren, don Rufino. ¡Suba!*
— *Subiré aquí, señorita, . . . hasta luego.*
— *Buen viaje, don Rufino.*
— *Adiós y muchas gracias, señorita. Gracias por el periódico. Gracias por el libro. Gracias por el dinero. Gracias, señorita, gracias.*

— *¡Don Rufino, don Rufino! ¡Ah, Dios mío! No tomó el boleto, y tampoco le di el dinero, y ahora va a Rosario. ¡No tiene un peso en el bolsillo! No tiene ni dinero ni boleto.*

Y así termina nuestra cinta número 11.
Gracias y hasta luego.

## Cinta Número 12

¡Escuche!

**(mujer cantando)**

¡Alguien canta! Canta una canción.

¿Le gusta a Ud. esa canción? Sí, . . . — Sí, me gusta esa canción.

Bien. ¡Ahora, por favor, repita!

Me gusta una cosa.
Me gustan muchas cosas.

¡Conteste por favor!

| | |
|---|---|
| ¿Le gusta la música? | Sí, me gusta la música. |
| ¿Le gustan las canciones? | Sí, me gustan las canciones. |
| ¿Le gusta el ruido? | No, no me gusta el ruido. |

Bien. ¡Escuche!

**(vaca)**

| | |
|---|---|
| ¿Qué es eso? ¿Una vaca? | Sí, es una vaca. |
| La vaca nos da la leche, ¿no? | Sí, nos da la leche. |
| ¿Qué más nos da? ¿Nos da también la carne? | Sí, nos da también la carne. |
| ¿Come Ud. carne? | Sí, como carne. |
| ¿Está comiendo carne en este momento? | No, no estoy comiendo carne en este momento. |
| Pero le gusta comer carne, ¿verdad? | Sí, me gusta comer carne. |

Muy bien.

| | |
|---|---|
| ¿Qué le gusta comer al desayuno? ¿Le gusta comer huevos? | Sí, me gusta comer huevos. |
| ¿Y le gusta tomar café? | Sí, me gusta tomar café. |
| ¿Le gustan los jugos de frutas? | Sí, me gustan los jugos de frutas. |

Y ahora hablaremos de mí.

| | |
|---|---|
| ¿Qué me gusta comer a mí? ¿Me gusta el pan? Sí, . . . | Sí, le gusta el pan. |
| ¿Me gusta la carne al desayuno? No, . . . | No, no le gusta la carne al desayuno. |

Muy bien.

Escuche ahora al Sr. Cordero. El Sr. Cordero habla por teléfono con su esposa, la señora Carlota de Cordero.

**(teléfono suena)**

— *¡Diga!*
— *Carlota, soy yo. ¿Vamos a cenar al restaurante esta noche?*
— *¡Oh, sí querido! ¡Qué buena idea!*

¡Conteste!

| | |
|---|---|
| ¿Habla con alguien el Sr. Cordero? | Sí, habla con alguien. |
| ¿Habla por teléfono? | Sí, habla por teléfono. |
| ¿Con quién habla? ¿Con su esposa? | Sí, habla con su esposa. |

— *¡Diga!*
— *Carlota, soy yo.*

¡Conteste!

| | |
|---|---|
| ¿Se llama María la Sra. de Cordero? | No, no se llama María. |
| ¿Cómo se llama? | Se llama Carlota. |

¡Escuche!

— *¡Oh, sí querido, qué buena idea!*
— *Bien. Entonces a las 9 en "La gallina verde." ¿Sí?*
— *Sí, querido. En "La gallina verde" a las 9.*

¡Conteste!

¿Irá el marido al restaurante a las 8? — No, no irá al restaurante a las 8.
¿A qué hora irá? ¿A las 8 o a las 9? — Irá a las 9.
Y la señora, ¿también irá a las 9? — Sí, también irá a las 9.
"La gallina verde." ¿Se llama así el restaurante? Sí, así . . . — Sí, así se llama.

Bueno. Escuche.

**(música y voces)**

— *¡Qué mujer ésta! ¡Qué mujer! Son ya las 10 y Carlota no llega. ¡Qué mujer!*

¿Está en el restaurante el Sr. Cordero? — Sí, está en el restaurante.
Pero su esposa no llega, ¿verdad? — No, no llega.

**(pasos de mujer)**

— *Hola, querido. ¿Qué tal?*
— *¡Oh, por fin, Carlota, por fin!*

¡Conteste!

¿Llegó la señora por fin? — Sí, por fin llegó.
¿Llegó a las 9? — No, no llegó a las 9.
¿Llegó hace una hora? — No, no llegó hace una hora.

¡Escuche!

— *Estoy esperando desde las 9, Carlota. ¡Hace una hora que espero!*

¡Conteste!

¿Esperó el Sr. Cordero 2 horas? — No, no esperó 2 horas.
¿Cuánto tiempo esperó? — Esperó una hora.
¿Le gusta esperar al Sr. Cordero? — No, no le gusta esperar.
Y a Ud., ¿le gusta esperar? No, . . . — No, no me gusta esperar.

¡Escuche!

— *Bueno querido, ¿qué comemos ahora?*
— *¡Qué comemos! ¡Qué comemos!*
— *Pues, sí. ¿Qué comemos? Perdona querido, pero cuando estoy en un restaurante, a mí me gusta comer.*

¡Conteste!

¿Qué le gusta hacer a ella en el restaurante? — Le gusta comer.
Y a Ud., ¿le gusta comer en un restaurante? Sí, . . . — Sí, me gusta comer en un restaurante.

¡Escuche!

— *¡Camarero, el menú, por favor!*
— *Sí, señor. Aquí tiene el menú.*

¡Conteste!

| | |
|---|---|
| ¿A quién llamó el señor? | Llamó al camarero. |
| ¿Le trajo el camarero la cuenta? | No, no le trajo la cuenta. |
| ¿Qué le trajo él? | Le trajo el menú. |

¡Escuche!

— *A ver. ¿Una entrada o una sopa? Sardinas, aceitunas, jamón . . .*
— *Una sopa para mí. Un caldo de pollo.*
— *¿Con huevo, señora?*
— *Sí, con huevo.*
— *Para mí también.*
— *Muy bien, señor.*

¡Conteste por favor!

| | |
|---|---|
| ¿Piden ellos pescado? | No, no piden pescado. |
| ¿Qué piden ellos? ¿Caldo de pollo? | Sí, piden caldo de pollo. |

¡Escuche!

— *¿Y de segundo plato, señores? ¿Qué les traigo? ¿Pescado? ¿Un bisté?*
— *A mí me gustaría un bisté.*
— *Sí, tráiganos bisté.*
— *Muy bien. Dos bistés.*

¡Conteste!

| | |
|---|---|
| ¿Qué pidieron los esposos? ¿Bisté? | Sí, pidieron bisté. |
| ¿Cuántos bistés pidieron? | Pidieron dos bistés. |

¡Escuche!

— *¿Con qué les traigo los bistés, señores? ¿Con papas fritas?*
— *No, yo prefiero arroz.*
— *Bueno, con arroz. ¿Y para Ud., señor?*
— *Para mí con verduras.*

¡Conteste por favor!

| | |
|---|---|
| ¿Pidió verduras el señor? | Sí, pidió verduras. |
| ¿Pidió también verduras la señora? | No, ella no pidió verduras. |
| ¿Prefiere ella otra cosa? | Sí, ella prefiere otra cosa. |
| ¿Qué prefiere? | Prefiere arroz. |

¡Escuche!

— *¿Y de postre señores, helados o frutas?*
— *Yo prefiero un helado.*
— *Sí, un helado para la señora. ¿Y Ud., señor?*
— *A mí, tráigame fresas con crema.*
— *Muy bien, señor, un helado y fresas con crema. Muchas gracias.*

¡Conteste!

| | |
|---|---|
| ¿Quién pidió las fresas con crema, el señor o la señora? | El señor las pidió. |
| ¿Qué prefiere la señora? | Prefiere helado. |

Muy bien.

Ahora vamos a repetir algunas cosas.
Vamos a hablar del Sr. Cordero y de su esposa.

| | |
|---|---|
| ¿Qué hicieron en el restaurante? ¿Almorzaron o cenaron? | Cenaron. |
| ¿Qué pidieron primero, el menú o la cuenta? | Pidieron el menú. |
| ¿Pagaron antes de comer? | No, no pagaron antes de comer. |
| ¿Cuándo pagaron? | Pagaron después de comer. |
| ¿Le dieron una propina al camarero? | Sí, le dieron una propina. |

Bien. La cena terminó y la cinta también.
Fin de la cinta número doce.

## Cinta Número 13

Escuche esto, por favor.

— *Quisiera contarle algo verdaderamente increíble.*

| | |
|---|---|
| ¿Oyó Ud. la frase? | Sí, la oí. |
| Repita la frase entonces. ¡Ah! Ud. no puede repetir, ¿verdad? | No, no puedo repetir. |
| ¿Entendió la frase? No, . . . | No, no la entendí. No puedo repetir porque no entendí la frase. (Repita) |
| ¿Por qué no puede repetir? | No puedo repetir porque no entendí la frase. |

Bien.

| | |
|---|---|
| ¿Está Ud. escuchando una cinta de alemán o de español? | Estoy escuchando una cinta de español. |
| ¿Y para qué? Para aprender este idioma, ¿no? | Sí, para aprender este idioma. |
| ¡Ah! Ud. quiere aprender español, ¿no? | Sí, quiero aprender español. |
| ¿No quiere aprender alemán? | No, no quiero aprender alemán. |
| Yo quiero ir a Berlín. ¿Qué idioma tengo que aprender? | Tiene que aprender alemán. |
| Carlos quiere ir a Londres. ¿Qué idioma tiene que aprender? | Tiene que aprender inglés. |

Muy bien. Repitamos ahora estos verbos.

Verbo "querer":

| | |
|---|---|
| ¿Yo . . . ? | Yo quiero. |
| ¿Ud. . . . ? | Ud. quiere. |
| ¿Nosotros . . . ? | Nosotros queremos. |
| ¿Ellos . . . ? | Ellos quieren. |

Ahora "poder":

| | |
|---|---|
| ¿Yo . . . ? | Yo puedo. |
| ¿Ud. . . . ? | Ud. puede. |
| ¿Nosotros . . . ? | Nosotros podemos. |
| ¿Ellos . . . ? | Ellos pueden. |

Bien. Basta de verbos. Ahora entremos a la oficina de la Compañía de Teléfonos. Estamos en Chile. Oigamos lo que dice el señor de la oficina. Oigamos lo que dice una señora.

— *¿Qué guía busca, señora?*
— *Busco la guía de Santiago.*

¡Conteste!

¿Quiere un teléfono la señora?
¿Quiere una guía?
¿La quiere para buscar un número?

No, no quiere un teléfono.
Sí, quiere una guía.
Sí, la quiere para buscar un número.

¡Escuche!

— *¿Encontró su número, señora?*
— *Sí, el 2-5-4-8-3-6 de Santiago.*

¡Conteste!

¿Encontró el número la señora?
¿Dónde lo encontró?

Sí, lo encontró.
Lo encontró en la guía.

¡Escuche!

— *Perdone, señor, ¿qué cabina tengo que tomar?*
— *Tome la cabina 10, señora.*
— *Cabina 10. Gracias, señor.*

¡Conteste!

¿Puede tomar la cabina 5 la señora?
¿Qué cabina tiene que tomar?

No, no puede tomar la cabina 5.
Tiene que tomar la cabina 10.

¡Escuche!

— *Dígame, por favor. ¿Pago después o tengo que pagar ahora?*
— *La llamada se paga después, señora.*

¡Conteste!

¿Tiene que pagar la señora? Sí, . . .
¿Cuándo tiene que pagar, antes o después de la llamada?
Y Ud., ¿tiene que pagar cuando hace una llamada?

Sí, tiene que pagar.
Tiene que pagar después de la llamada.
Sí, tengo que pagar cuando hago una llamada.

¡Escuche! (teléfono)

— *¿Aló? ¿Aló? Quisiera hablar con el Sr. Reyes, por favor. Octavio Reyes.*

¡Conteste!

¿Habla a Santiago la señora?
¿Quiere hablar con su hermano? No, . . .
¿Con quién quiere hablar? ¿Con una señorita o con un señor?

Sí, habla a Santiago.
No, no quiere hablar con su hermano.
Quiere hablar con un señor.

— *¡Aló! ¿Cómo dice, señorita? ¿El Sr. Reyes no está? ¿Salió? ¿Vuelve a las 5? ¡Oh!*

¡Conteste!

| | |
|---|---|
| ¿Puede hablar con el Sr. Reyes la señora? | No, no puede hablar con él. |
| ¿Por qué no? | Porque salió. |
| ¿A qué hora vuelve? | Vuelve a las 5. |

— *¿Ya terminó, señora?*
— *Sí, terminé. Gracias, señor.*

¡Conteste!

| | |
|---|---|
| ¿Habla todavía la señora? | No, ya no habla. |
| ¿Está todavía en la cabina? | No, ya no está en la cabina. |
| ¿Terminó ya? | Sí, ya terminó. |
| ¿Habló ya a Santiago? | Sí, ya habló a Santiago. |

¡Escuche!

— *Perdone, señor. ¿Cuánto tengo que pagar?*
— *A ver . . . Ud. habló 2 minutos . . . Son 20 escudos.*

¡Conteste!

| | |
|---|---|
| ¿Cuánto tiene que pagar la señora? ¿50 escudos o 20 escudos? | Tiene que pagar 20 escudos. |

— *Ud. habló 2 minutos . . . Son 20 escudos.*
— *¿20 escudos? Tengo un billete de 100. ¿Me puede cambiar?*
— *Sí, señora. Aquí tiene: 80 escudos.*
— *Muchas gracias, señor.*

¡Conteste!

| | |
|---|---|
| ¿Qué le da la señora al señor, un billete de 1000 o un billete de 100? | Le da un billete de 100. |
| ¿Es poco, o es demasiado? | Es demasiado. |
| ¿Puede cambiarle el señor? | Sí, puede cambiarle. |
| ¿Tiene que darle el vuelto? | Sí, tiene que darle el vuelto. |
| ¿Cuánto tiene que darle? | Tiene que darle 80 escudos. |

Muy bien.

Ahora hablemos un poco.

| | |
|---|---|
| ¿Le gusta a Ud. hablar por teléfono? Sí, . . . | Sí, me gusta hablar por teléfono. |
| ¿Quiere Ud. llamarme por teléfono? Sí, . . . | Sí, quiero llamarlo por teléfono. |
| ¿Tiene Ud. mi número? No, . . . | No, no lo tengo. |
| ¿Puede llamarme si no tiene mi número? | No, no puedo llamarlo si no tengo su número. |
| ¿Qué necesita para llamarme? | Necesito su número para llamarlo. |
| Bueno. Pero . . . ¡Yo no tengo teléfono! ¿Puede Ud. llamarme si yo no tengo teléfono? | No, no puedo llamarlo si Ud. no tiene teléfono. |

Bien. Ahora entremos a la oficina de la Compañía de Teléfonos.

¡Repita por favor!

— *¿Qué guía busca, señora?*
— *Busco la guía de Santiago.*
— *¿Encontró su número, señora?*
— *Sí, el 2-5-4-8-3-6 de Santiago. Perdone, señor. ¿Qué cabina tengo que tomar?*
— *Tome la cabina 10, señora.*
— *Cabina 10. Gracias, señor. Dígame, por favor. ¿Pago después o tengo que pagar ahora?*
— *La llamada se paga después, señora.*

(teléfono)

— *¿Aló? Quisiera hablar con el Sr. Reyes, por favor. Octavio Reyes.*
*¿Cómo dice, señorita? ¿El Sr. Reyes no está? ¿Salió? ¿Vuelve a las 5? ¡Oh!*
— *¿Ya terminó, señora?*
— *Sí, terminé. Gracias, señor. Perdone, señor. ¿Cuánto tengo que pagar?*
— *A ver . . . Ud. habló 2 minutos . . . Son 20 escudos.*
— *¿20 escudos? Tengo un billete de 100. ¿Me puede cambiar?*
— *Sí, señora. Aquí tiene: 80 escudos.*
— *Muchas gracias, señor.*

Bueno. Gracias. Basta por hoy de teléfonos.

Fin de la cinta número trece.

Muchas gracias y hasta luego.

## Cinta Número 14

Empecemos hoy con un poco de gramática.

¡Conteste!

| | |
|---|---|
| ¿Puede Ud. fumar en un restaurante? Sí, . . . | Sí, puedo fumar en un restaurante. |
| ¿Puedo yo fumar en un restaurante? | Sí, Ud. puede fumar en un restaurante. |

¡Repita! En un restaurante se puede fumar.

¡Conteste!

| | |
|---|---|
| ¿Se puede fumar en la calle? | Sí, se puede fumar en la calle. |
| ¿Se puede fumar sin cigarrillos? No, . . . | No, no se puede fumar sin cigarrillos. |
| ¿Se puede viajar en Europa sin pasaporte? | No, no se puede viajar en Europa sin pasaporte. |

¡Repita! Para viajar en Europa hay que tener un pasaporte.

| | |
|---|---|
| Y para fumar, hay que tener cigarrillos, ¿verdad? | Sí, para fumar hay que tener cigarrillos. |
| Se puede fumar puros también, ¿verdad? | Sí, se puede fumar puros. |
| ¿Se puede viajar en tren sin boleto? | No, no se puede viajar en tren sin boleto. |
| ¿Qué hay que tener para viajar en tren? | Para viajar en tren, hay que tener un boleto. |
| ¿Y para viajar en avión? | Para viajar en avión, hay que tener un boleto también. |
| ¿Qué hay que tener para comprar algo? ¿Dinero? | Sí, para comprar algo, hay que tener dinero. |
| Para comprar muchas cosas, hay que tener mucho dinero, ¿verdad? | Sí, para comprar muchas cosas, hay que tener mucho dinero. |

Muy bien.

Creo que esto es bastante.
Ahora, pasemos a otra cosa.

¿Recuerda Ud. a don Rufino Pino? Sí, . . . — Sí, lo recuerdo.

¡Magnífico!

— *Buen viaje, don Rufino.*
— *Adiós y muchas gracias, señorita. Gracias por el periódico. Gracias por el libro. Gracias por el dinero. Gracias, señorita . . .*
— *¡Don Rufino, don Rufino! ¡Ay, Dios mío! No tomó el boleto, y tampoco le di el dinero. Y ahora va a Rosario y no tiene un peso en el bolsillo. No tiene ni dinero ni boleto.*

¡Conteste!

¿Se fue don Rufino? — Sí, se fue.
Y la señorita, ¿le dio el boleto? — No, no le dio el boleto.

Mm . . . ¡Qué problema! ¡Qué lío!

¡Escuche!

— *Disculpe, señora. ¿Está ocupado este asiento?*
— *No, no. Está desocupado.*

¡Conteste!

¿Busca don Rufino un asiento? — Sí, busca un asiento.
¿Están ocupados todos los asientos? — No, todos no están ocupados.
Algunos están desocupados todavía, ¿verdad? — Sí, algunos están desocupados todavía.
¿Encontró un asiento don Rufino? — Sí, encontró un asiento.

¡Escuche!

— *Disculpe, señora. ¿Está ocupado este asiento?*
— *No, no. Está desocupado.*
— *Magnífico, señora. Muchas gracias. Así voy a poder leer.*

¡Conteste!

¿Va a leer el diario don Rufino? — Sí, va a leerlo.
No lo olvidó en la estación, ¿verdad? — No, no lo olvidó en la estación.
Pero olvidó su boleto y su dinero, ¿no? — Sí, olvidó su boleto y su dinero.

¡Qué lío!

Pero escuchemos ahora. Viene alguien.

— *Buenos tardes, señores pasajeros. Sus boletos, por favor. Los boletos señores pasajeros. Todos sus boletos, por favor.*

¡Conteste!

¿Vino alguien? — Sí, alguien vino.
¿Qué quiere ese señor? — Quiere los boletos.
Ah, entonces es el guarda, ¿verdad? — Sí, es el guarda.

¡Escuchemos!

— *Todos los boletos, por favor. Gracias, señora. ¿Ud. va a Pergamino? Llega a las 19 horas.*

¡Conteste!

| | |
|---|---|
| ¿Qué vio el guarda? ¿Vio el boleto del Sr. Pino o el boleto de una señora? | Vio el boleto de una señora. |
| ¿Va a Pergamino la señora? | Sí, va a Pergamino. |
| ¿Olvidó ella su boleto? | No, no lo olvidó. |

¡Escuchemos!

— *Boletos, señores pasajeros. Gracias, señores. Uds. van a Córdoba. En Rosario tienen que tomar el otro tren.*

¡Conteste!

| | |
|---|---|
| ¿Van también a Pergamino esos señores? No, . . . | No, ellos no van a Pergamino. |
| ¿Adónde van, a Pergamino o a Córdoba? | Van a Córdoba. |
| ¿Tienen que tomar otro tren más los señores? | Sí, tienen que tomar otro tren más. |
| ¿Llega el segundo tren hasta Córdoba? | Sí, el segundo tren llega hasta Córdoba. |
| ¿Y este tren llega hasta Córdoba? No, . . . | No, este tren no llega hasta Córdoba. |
| El segundo tren va de Rosario a Córdoba, ¿verdad? | Sí, el segundo tren va de Rosario a Córdoba. |
| ¿Está cerca de aquí Córdoba? No, . . . | No, no está cerca de aquí. |
| ¿Está lejos? | Sí, está lejos. |

Bueno. Escuchemos ahora al guarda.
El guarda habla con don Rufino.

— *Y Ud., señor, su boleto, por favor.*

¡Conteste!

| | |
|---|---|
| ¿Qué quiere el guarda ahora? | Quiere el boleto de don Rufino. |

¡Escuche!

— *Su boleto, por favor.*
— *Disculpe, señor. ¡No entiendo! En este bolsillo no está. Y en este otro bolsillo . . . tampoco está. No sé, no lo encuentro.*

¡Conteste!

| | |
|---|---|
| ¿Encuentra él su boleto? | No, no lo encuentra. |
| ¿Lo tiene don Rufino? | No, no lo tiene. |
| No lo encuentra porque no lo tiene, ¿verdad? | Sí, no lo encuentra porque no lo tiene. |
| ¿Olvidó su boleto en la estación? | Sí, lo olvidó en la estación. |
| No lo tiene porque lo olvidó, ¿verdad? | Sí, no lo tiene porque lo olvidó. |

— *Disculpe, señor. En este bolsillo no está.*
— *¿No encuentra su boleto, señor? No importa. No importa. Puedo verlo al volver a este coche.*

¡Conteste!

| | |
|---|---|
| ¿Quiere ver el boleto ahora el guarda? | No, no quiere verlo ahora. |
| ¿Tiene que volver a este coche? | Sí, tiene que volver a este coche. |
| ¿Verá el boleto al volver? | Sí, lo verá al volver. |

Bien.

Y ahora, escuchemos lo que dice el guarda después de volver.

— *¿Adónde va Ud., señor? ¿Va a Pergamino?*
— *¿A Pergamino? Pues . . . creo que no. Creo que no voy a Pergamino.*
— *Discúlpeme, señor. Pero, ¿adónde va? ¿Va a Córdoba?*
— *¿A Córdoba? No, creo que no voy a Córdoba.*
— *Oiga, señor. Perdóneme, pero Ud. tiene que saber adónde va. ¿Va a Rosario? ¿A Tucumán? ¿A Jujuy?*
— *Vea señor, la verdad es que no sé. Olvidé el boleto y sin el boleto no le puedo decir adónde voy.*

¡Qué problema! Sin boleto don Rufino no puede llegar lejos.

Pero nosotros llegamos al fin de la cinta.
Fin de la cinta número 14.
¡Hasta luego!

## Cinta Número 15

¡Escuche!

**(reloj dando la 1)**

| | |
|---|---|
| ¿Qué hora es? | Es la una. |
| ¡Repita! El reloj muestra la una. | |
| Bien. | |
| Cuando el reloj muestra la una y 15 minutos, decimos . . . | Es la una y cuarto. |
| Repita: Es la una y cuarto. | |
| Y cuando muestra la una y 30 minutos, ¿qué decimos? | Decimos es la una y media. |
| Y cuando muestra la una y 45 minutos, ¿qué hora es? | Es un cuarto para las dos. |

**(reloj dando las 2)**

| | |
|---|---|
| ¿Qué hora es? | Son las 2. |
| Repita: Son las dos de la tarde. Son las 14. | Son las 14. |
| Son las 3 de la tarde, ¿o . . . ? | Son las 15. |
| Son las 4 de la tarde, ¿o . . . ? | Son las 16. |

Bien. Con esto basta. Ahora veamos un poco de gramática.
El presente y el pretérito. Hoy y ayer.

| | |
|---|---|
| Hoy me acuesto a las 10. (Repita) ¿Y ayer? Ayer me acosté . . . | Ayer me acosté a las 10. |
| Repita: Hoy Ud. se acuesta a las 10. ¿Y ayer? | Ayer Ud. se acostó a las 10. |
| Hoy los niños se acuestan temprano. (Repita) ¿Y ayer? | Ayer los niños se acostaron temprano. |
| Hoy no me levanto tarde. (Repita) ¿Y ayer? | Ayer no me levanté tarde. |
| Hoy no nos levantamos temprano. (Repita) ¿Y ayer? | Ayer no nos levantamos temprano. |

Eso es un despertador.

**(despertador)**

| | |
|---|---|
| ¡Suena el despertador! (Repita) ¿Y ayer? | Ayer sonó el despertador. |
| El despertador para. (Repita) ¿Y ayer? | Ayer el despertador paró. |

Magnífico. Pero escuchemos ahora una conversación. Hablan Enrique e Isabel. Él está de visita en la casa de ella.

— *Dígame, Isabel, ¿qué hora es ya?*
— *Faltan 5 para las 9, Enrique.*

¡Conteste!

| | |
|---|---|
| ¿Son 5 para las 10 o 5 para las 9? | Son 5 para las 9. |
| Todavía no es muy tarde, ¿eh? | No, todavía no es muy tarde. |

¡Escuche!

— *¿Le gustaría otra taza de café, Enrique?*
— *Oh, no. Gracias, Isabel.*

¡Conteste!

| | |
|---|---|
| ¿Quiere tomar más café Enrique? | No, no quiere tomar más café. |
| ¿Y qué quiere Isabel? ¿Quiere que él tome más café? | Sí, quiere que él tome más café. |
| ¿Quiere que Enrique tome otra taza de café? | Sí, quiere que Enrique tome otra taza de café. |

— *¿Le gustaría otra taza de café, Enrique?*
— *Lo siento, Isabel, pero tengo que irme.*
— *Pero Enrique, todavía no son las 9. Es demasiado temprano para irse.*

¡Conteste!

| | |
|---|---|
| Es demasiado temprano para irse, ¿no? | Sí, es demasiado temprano para irse. |
| Pero Enrique quiere irse, ¿verdad? | Sí, Enrique quiere irse. |
| No quiere quedarse, ¿no? | No, no quiere quedarse. |
| Y ella. ¿Quiere que él se vaya? | No, no quiere que él se vaya. |
| ¿Quiere que se quede más tiempo? | Sí, quiere que se quede más tiempo. |

¡Escuche!

— *Lo siento, Isabel, pero tengo que irme. Tengo que ir a trabajar. Mañana me tengo que levantar temprano, Isabel.*

¡Conteste!

| | |
|---|---|
| ¿Se tiene que levantar temprano Enrique? | Sí, se tiene que levantar temprano. |

¡Oh, pobre hombre! Pero . . . escuchemos otro poco.

— *Mañana me tengo que levantar temprano, Isabel. Es necesario que yo esté en la oficina temprano. Es necesario que sea puntual.*

¡Conteste!

| | |
|---|---|
| ¿Es puntual Enrique? | Sí, es puntual. |
| ¿Es necesario que Enrique sea puntual? | Sí, es necesario que sea puntual. |
| ¿Es necesario que esté temprano en el trabajo? | Sí, es necesario que esté temprano en el trabajo. |
| ¿Y él está ahí temprano? | Sí, está ahí temprano. |

¡Escuche!

— *Es necesario que yo esté en la oficina temprano.*
— *Sí, claro. Pero, ¿a qué hora se levanta Ud.?*
— *Tengo que levantarme a las 7 de la mañana.*
— *¿A las 7? ¡Pero eso no es nada! Yo tengo que levantarme mucho más temprano.*

¡Conteste!

| | |
|---|---|
| ¿A qué hora se levanta Enrique? | Se levanta a las 7. |
| ¿Pero Isabel se levanta antes de las 7? | Sí, se levanta antes de las 7. |
| ¿Se levanta más temprano que él? | Sí, se levanta más temprano que él. |

¡Escuche!

— *Yo tengo que levantarme mucho más temprano.*
— *¡Cómo! ¿Ud. trabaja, Isabel?*
— *Claro, yo también estoy trabajando en una oficina.*

¡Conteste!

| | |
|---|---|
| ¿Tiene que ir a la oficina Isabel? | Sí, tiene que ir a la oficina. |
| ¿Trabajan los dos en la misma oficina? | No, no trabajan en la misma oficina. |

— *Yo también estoy trabajando en una oficina.*
— *Pero, por favor, Isabel, no me hable de trabajo.*
— *A Ud. no le gusta trabajar demasiado, ¿eh, Enrique?*

¡Conteste!

| | |
|---|---|
| ¿Quiere Enrique que ella hable de trabajo? | No, no quiere que hable de trabajo. |
| A ella no le importa, ¿verdad? | No, no le importa. |

¡Escuche!

— *Por favor, Isabel, no me hable de trabajo.*
— *No le gusta trabajar demasiado, ¿eh, Enrique?*
— *Por supuesto que me gusta trabajar. Pero también me gusta descansar.*

¡Conteste!

| | |
|---|---|
| ¿Le gusta trabajar a Enrique? | Sí, le gusta trabajar. |
| Pero también le gusta descansar, ¿no? | Sí, también le gusta descansar. |

¡Escuche!

— *Mañana me tengo que levantar temprano, Isabel. Si yo no me acuesto temprano, no sirvo para nada.*
— *Bueno, entonces, si es así . . .*
— *¿Perdón? ¿Qué me dijo, Isabel?*
— *Digo que, si tiene que irse, es mejor que se vaya ahora mismo.*

¡Conteste!

¿Quiere Isabel que Enrique se vaya? — Sí, quiere que se vaya.
¿Cómo? ¿Ya no quiere que se quede? — No, ya no quiere que se quede.

¡Ay, qué mal anda esto! Escuchemos.

— *Es mejor que se vaya ahora mismo.*
*Bueno, pues. Tome su sombrero. Buenas noches.*
— *Gracias. Buenas noches, Isabel.*

¡Conteste!

¿Quiere ella que él tome su sombrero? — Sí, quiere que lo tome.
¿Y él lo toma? — Sí, lo toma.
¿Quiere que él se vaya? — Sí, quiere que se vaya.
¿Y él se va? — Sí, se va.

— *Bueno, pues. Tome su sombrero. Buenas noches.*
— *Buenas noches, Isabel.*

**(puerta)**

— *¡Uf! ¡Qué hombre más antipático! Bueno. Es mejor que yo también me vaya a la cama.*

Bueno. Será mejor que nosotros también nos vayamos.

Fin de la cinta número 15.
Hasta mañana, Isabel.
Y a Uds., amigos, ¡hasta la próxima cinta!

## Cinta Número 16

Ahora, conteste todo con "sí."

¿Va Ud. a salir esta noche? — Sí, voy a salir esta noche.
Entonces, ¿quiere bañarse? — Sí, quiero bañarme.
Para bañarse se quita la ropa, ¿no? — Sí, para bañarme me quito la ropa.
Después se pone otra ropa, ¿no? — Sí, después me pongo otra ropa.

¡Escuche por favor!

¿Oye Ud. la música? — No, no la oigo.

¡Vaya! El radio no está prendido.
Voy a prenderlo.

**(El radio está prendido)**

¿Prendo el radio? — Sí, lo prende.
¿Prendo la grabadora? No, . . . — No, no la prende.
Su grabadora está prendida, ¿verdad? — Sí, está prendida.
¿Quién prendió esta grabadora? — Yo la prendí.
¿Quién prendió el radio? — Ud. lo prendió.

Oh, la música está muy fuerte.
Mejor voy a apagar el radio.
Ya. Lo apagué.

¿Qué apagué yo, la luz o el radio? — Apagó el radio.
¿Apagó Ud. la luz? No, . . . — No, no la apagué.

Muy bien.
Y ahora, un poco de gramática.
El presente y el pretérito.

Repita: Hoy Carlos se lava. ¿Ayer? — Ayer Carlos se lavó.
Hoy yo me lavo. (Repita) ¿Ayer? — Ayer yo me lavé.
Hoy los niños no se lavan. ¿Ayer? — Ayer los niños no se lavaron.

Bueno.

Otro verbo: vestir

Carlos se viste. (Repita) ¿Ayer? — Ayer Carlos se vistió.

Yo me visto. ¿Ayer? — Ayer yo me vestí.

Repita: Yo me vestí; Ud. se vistió.

Y ahora, el verbo "dormir":

Yo duermo bien. ¿Ayer? — Ayer yo dormí bien.
Ud. duerme bien. ¿Ayer? — Ayer Ud. durmió bien.

Espléndido. Ya hemos hecho bastante gramática.
Escuchemos ahora una historia.

Don Pepe Jiménez vuelve a su casa después del trabajo. Está cansado.
Hoy el Sr. Jiménez ha trabajado mucho.

¡Conteste!

¿Qué ha hecho el Sr. Jiménez hoy?
¿Ha trabajado? — Sí, ha trabajado.
¿Ha trabajado poco o mucho? — Ha trabajado mucho.
¿Está cansado el Sr. Jiménez ahora? — Sí, ahora está cansado.
¿Vuelve cansado del trabajo? — Sí, vuelve cansado del trabajo.

Escuche al Sr. Jiménez.

— *Pero, ¿qué es esto? ¡Luz, luz, por favor! No hay luz.*

¡Conteste!

¿Pide algo el Sr. Jiménez? — Sí, pide algo.
¿Qué pide? — Pide luz.
¿Cómo está la casa? ¿Está oscura? — Sí, está oscura.
¿No hay luz en la casa? — No, no hay luz.
¿Se puede ver cuando no hay luz en la casa? — No, no se puede ver cuando no hay luz en la casa.

¡Escuchemos!

— *Luz, luz, por favor! ¡Esperanza! ¡Esperanza! ¿Por qué no viene? ¿Por qué no hay luz?*
— *Voy, voy, don Pepe. Ya voy.*

¡Conteste!

¿Quién es Esperanza? Es la muchacha de servicio, ¿verdad? — Sí, es la muchacha de servicio.

¡Escuche!

— *¡Esperanza! ¿Por qué no viene? ¿Por qué no hay luz?*
— *Voy, don Pepe, voy. Aquí estoy.*
— *¿Qué pasa con la luz? ¿Por qué no se prende? ¡No se ve nada en esta casa!*

¡Conteste!

¿Se ve algo en la casa? — No, no se ve nada.
¿Porque no hay luz? — Sí, porque no hay luz.

¡Escuche!

— *Esperanza, ¿qué pasa con la luz? No se ve nada en esta casa.*
— *Lo siento, don Pepe. Estamos sin electricidad.*
— *¿Y Ud. todavía no ha llamado a la compañía?*
— *Claro que llamé. Pero todavía no han venido.*

¡Conteste!

¿Llamó a la compañía la muchacha? — Sí, llamó a la compañía.
¿Vinieron ya? — No, todavía no han venido.
¿Arreglaron ya la luz? — No, todavía no han arreglado la luz. Todavía no la han arreglado.

Y nosotros. ¿Escuchamos ya el fin de la cinta? — No, todavía no lo hemos escuchado.
¿Y Ud. lo escuchó ya? — No, todavía no lo he escuchado.

Bien. Sigamos entonces.

— *Oiga, Esperanza.*
— *Sí, don Pepe.*
— *No tengo mucho tiempo. Tengo que salir enseguida.*

¡Conteste!

¿Tiene mucho tiempo don Pepe? — No, no tiene mucho tiempo.
¿Tiene que salir enseguida? — Sí, tiene que salir enseguida.

— *Oiga, Esperanza. Tengo que salir enseguida. Tengo que lavarme inmediatamente.*
— *Sí, don Pepito. Claro que puede lavarse. Aquí tiene una vela.*

¡Conteste!

¿Quiere lavarse don Pepe? — Sí, quiere lavarse.
¿Puede hacerlo inmediatamente? — Sí, puede hacerlo inmediatamente.

¡Escuche!

— *Claro que puede lavarse. Aquí tiene una vela.*
— *Magnífico. Gracias, Esperanza. Con esta vela, podré ver. Pero mejor me voy a bañar.*

¿Qué va a hacer don Pepe? ¿Lavarse o bañarse? — Va a bañarse.

¡Escuche!

— *Magnífico. Pero mejor me voy a bañar.*
— *Oh, lo siento, don Pepe. No va a poder bañarse. No hay aqua caliente, don Pepe.*
— *¡Cómo! ¿Tampoco hay aqua?*

¡Conteste!

¿Va a poder bañarse el Sr. Jiménez? — No, no va a poder bañarse.
Agua caliente no hay, ¿verdad? — No, agua caliente no hay.

¡Escuche!

— *No hay agua caliente, don Pepe.*
— *¿Y por qué no hay agua caliente?*
— *Hoy he lavado mucho, don Pepe. Le lavé todas sus camisas.*
— *¡Qué bueno, Esperanza!*

¡Conteste!

¿Qué ha hecho la muchacha hoy? ¿Ha lavado mucha ropa? — Sí, ha lavado mucha ropa.
¿Lavó todas las camisas la muchacha? — Sí, las lavó todas.
Y esto le gusta a don Pepe, ¿no? — Sí, le gusta.

¡Escuche!

— *Le lavé todas sus camisas.*
— *¡Qué bueno, Esperanza! Por favor, tráigame una camisa enseguida.*
— *Ah, lo siento tanto, don Pepito. Pero no puedo. Las camisas no están planchadas.*

¡Conteste!

¿Están planchadas las camisas? — No, no están planchadas.
¡Cómo! ¿Esperanza todavía no las ha planchado? — No, todavía no las ha planchado.

¡Escuche!

— *Lo siento tanto, don Pepito. Las camisas no están planchadas.*
— *¡Caramba, Esperanza! Sin camisa no voy a poder salir. ¿Y por qué no me plancha una camisa?*
— *¿Cómo quiere que la planche? Cuando no hay luz, ¡no hay electricidad!*

Así es la vida hoy día. Y así, hemos llegado al fin de nuestra cinta.
¡Hasta luego!

Fin de la cinta número 16.

## Cinta Número 17

¡Escuche!

— *Aquí está su café, señor.*
— *Muchas gracias. ¡Uf! Esté demasiado caliente. No lo puedo tomar.*

¡Ahora conteste!

¿Puede tomar su café ese señor? — No, no lo puede tomar.
¿Y por qué? — Porque está demasiado caliente.

El señor espera dos minutos.

¿Está tan caliente el café ahora? — No, ahora ya no está tan caliente.
Y si deja pasar 20 minutos, ¿cómo estará el café? ¿Frío? — Sí, estará frío.
Pero antes estaba caliente, ¿no? — Sí, antes estaba caliente.

Ahora otra cosa:

Cuando trajeron el café, la taza estaba llena, ¿verdad? — Sí, estaba llena.
Pero ahora no está llena, ¿no? — No, ahora no está llena.
¿Cómo está ahora? — Ahora está vacía.

Escuchemos a nuestro amigo don Pepe.

— *¡Esperanza, no me puedo poner esta camisa! ¡Está sucia!*
— *Ay, don Pepe. ¡Cuando yo la dejé aquí, estaba limpia!*

¡Conteste!

¿Puede ponerse la camisa don Pepe? — No, no puede ponérsela.
¡Cómo! ¿Es que está sucia? — Sí, está sucia.
¿Y cómo estaba antes? — Antes estaba limpia.
Pero no importa. La muchacha la volverá a lavar, ¿no? — Sí, la volverá a lavar.
¿Y cómo estará la camisa entonces? — Entonces estará limpia.
Si yo trabajo muchas horas, yo me canso. Y Ud., ¿también se cansa? — Sí, también me canso.
Hoy he trabajado 9 horas. ¿Cómo estoy? — Está cansado.
El lunes trabajé 12 horas. ¿Cómo estaba después? — Estaba cansado. Estaba muy cansado.

Magnífico. Pasemos ahora a otra cosa.

Repita: Ahora el Sr. Pérez está en esta ciudad. ¡Conteste empezando con "Antes"! — Antes estaba en otra ciudad.
Ahora trabaja en este país. (Repita) ¿Y antes? — Antes trabajaba en otro país.
Ahora es empleado de una nueva firma. ¿Y antes? — Antes era empleado de otra firma.
Ahora tiene un nuevo trabajo. ¿Y antes? — Antes tenía otro trabajo.
Ahora él es. ¿Y antes? — Antes él era.
Ahora Ud. es. ¿Y antes? — Antes Ud. era.
Ahora yo soy. ¿Y antes? — Antes yo era.
Ahora nosotros somos. ¿Y antes? — Antes nosotros éramos.
Ahora ellos son. ¿Y antes? — Antes ellos eran.

Ahora Ud. está. ¿Y antes? — Antes Ud. estaba.
Ahora yo estoy. ¿Y antes? — Antes yo estaba.
Ahora tiene. ¿Y antes? — Antes tenía.
Ahora hace. ¿Y antes? — Antes hacía.
Ahora dice. ¿Y antes? — Antes decía.

Ahora va. ¿Y antes? — Antes iba.
Ahora voy. ¿Y antes? — Antes iba.
Ahora vamos. ¿Y antes? — Antes íbamos.

Excelente. Hemos hecho mucho gramática.

Escuchemos a Carlos y a María.

— *Mire que bonita está la playa hoy, María.*
— *¡Oh sí, Carlos, qué linda está!*

¡Conteste!

Carlos y María están en la playa, ¿verdad? — Sí, están en la playa.
¿Cómo está la playa hoy? ¿Está bonita? — Sí, está bonita.

¡Escuche!

— *No comprendo, Carlos. Hoy es domingo, pero no hay nadie en la playa.*
— *Pero todavía es muy temprano, María.*

¡Conteste!

¿Es domingo hoy? Sí, . . . — Sí, es domingo.
¿Hay gente en la playa? — No, no hay gente.
¿Y por qué? — Porque es muy temprano.

— *¡Ah! Y hace bastante calor. Se ve que estamos en primavera.*
— *Es verdad, María. Estamos en primavera, pero hace tanto calor como en verano.*

¡Conteste!

¿Hace frío? — No, no hace frío.
Hace tanto calor como en verano, ¿no? — Sí, hace tanto calor como en verano.

¡Escuche!

— *Bueno, María. ¡Al agua! ¡A nadar!*
— *Ya. Corramos al agua, Carlos. A ver quién llega primero. ¡Uy, no! ¡Qué espanto! ¡Qué fría está!*
— *Si no está tan fría.*

¡Conteste!

¿Corren ellos al agua? — Sí, corren al agua.
¿Está caliente el agua? — No, no está caliente.
¿Cómo está? — Está fría.

¡Escuche!

— *Carlos, el agua está demasiado fría. No puedo quedarme más. Voy a salir.*
— *Yo también voy a salir pronto, María.*

¡Conteste!

¿Se van a quedar en el agua? — No, no se van a quedar en el agua.
¿Van a salir pronto? — Sí, van a salir pronto.
¿Está demasiado fría el agua? — Sí, está demasiado fría.

¡Escuche!

— *María, ¿qué hay para comer?*
— *Sándwiches.*
— *¡Mm! ¡Sándwiches! ¿Y de qué son?*
— *Unos son de pollo y los otros son de jamón.*

¡Conteste!

¿Tiene hambre Carlos? — Sí, tiene hambre.
¿Trajo algo para comer María? — Sí, trajo algo para comer.
¿Trajo sándwiches de pollo? — Sí, trajo sándwiches de pollo.
¿Y qué otros sándwiches trajo? — Trajo sándwiches de jamón.

¡Escuche!

— *¡Mm! ¡Sándwiches! Están muy sabrosos, María.*
— *Ya lo creo, Carlos. ¡Como que los hice yo!*

Bien. Y ahora escuchemos a Carlos y a María.

¡Repita!

— *Mire que bonita está la playa hoy, María.*
— *¡Oh sí, Carlos, qué linda está! No comprendo, Carlos. Hoy es domingo, pero no hay nadie en la playa.*
— *Pero todavía es muy temprano, María.*
— *Y hace bastante calor. Se ve que estamos en primavera.*
— *Es verdad, María. Pero hace tanto calor como en verano. Bueno, María. Al agua. A nadar.*
— *Ya. Corramos al agua. A ver quién llega primero. ¡Uy, no! ¡Qué espanto! ¡Qué fría está! Carlos, el agua está demasiado fría. No puedo quedarme más.*
— *Yo también voy a salir pronto, María. María, ¿qué hay para comer?*
— *Traje sándwiches.*
— *¡Mm! ¡Sándwiches! ¿Y de qué son?*
— *Unos son de pollo y los otros son de jamón.*
— *Están muy sabrosos, María.*
— *Ya lo creo Carlos. ¡Como que los hice yo!*

Bien. Como la cinta se acaba, dejemos a nuestros amigos en la playa.
Deseémosles que pasen un buen día. Será entonces, hasta la próxima cinta.

Fin de la cinta número 17.

## Cinta Número 18

**(mal tiempo)**

¿Qué pasa? ¿Hace buen tiempo? — No, no hace buen tiempo.
¿Qué tiempo hace? — Hace mal tiempo. Está lloviendo.
Está lloviendo fuerte, ¿verdad? — Sí, está lloviendo fuerte.
¿Se moja Ud. si sale sin paraguas cuando está lloviendo? — Sí, me mojo.
Y si yo salgo sin paraguas, ¿qué me pasa? — Ud. se moja.
¿Cómo está mi ropa entonces? — Está mojada.
Tengo que ponerme ropa seca, ¿verdad? — Sí, tiene que ponerse ropa seca.
Y si no me cambio la ropa, ¿me puedo resfriar? — Sí, se puede resfriar.
Y Ud. ¿Se resfría a veces en invierno? Sí, a veces . . . — Sí, a veces me resfrío en invierno.
¿Es agradable estar resfriado? — No, no es agradable estar resfriado.

En Londres llueve a menudo, ¿verdad? — Sí, en Londres llueve a menudo.
¿Nieva a veces? Sí, a veces . . . — Sí, a veces nieva.
Y en Caracas, ¿nieva a veces? No, . . . — No, en Caracas no nieva nunca.
Rara vez hace frío, ¿verdad? — Sí, rara vez hace frío.
Generalmente hace calor, ¿verdad? — Sí, generalmente hace calor.
Pero ¿hace sol siempre? No, . . . — No, no siempre hace sol.

Muy bien.

Ahora repita estas frases.

En un lugar hace calor.
Una persona tiene calor.
Una cosa está caliente.

¡Conteste!

¿Qué le pasa a Ud. cuando hace calor?
¿Tiene calor? — Sí, tengo calor.
¿Y qué me pasa a mí? — Ud. tiene calor.
¿Hace calor en la ciudad en verano? — Sí, en verano hace calor en la ciudad.
¿Queremos ir a la playa cuando hace calor? — Sí, queremos ir a la playa cuando hace calor.
El mar está agradable, ¿verdad? — Sí, está agradable.
Pero la arena está caliente, ¿verdad? — Sí, está caliente.
Y el mar, ¿está tan caliente como la arena? — No, no está tan caliente como la arena.
Y en invierno, ¿cómo está el mar? — En invierno está frío.
¿Y por qué está frío? — Porque hace frío.
¿Y Ud. tiene frío en invierno? Sí, . . . — Sí, en invierno tengo frío.

Bien.

Pero escuchemos ahora a nuestros amigos Carlos y María.
Carlos viene a la casa de María 2 días después del paseo a la playa.

— *At . . . , at . . . ¡atchú!*
— *¡Salud!*
— *Gracias. ¡Ay!*
— *Pero María, ¿qué le pasa?*
— *¡Ay! ¡Estoy tan resfriada! Ya le dije, Carlos. El agua estaba demasiado fría.*

¡Conteste!

¿Qué le pasa a María? — Está resfriada.
¿Se resfrió en la playa? — Sí, se resfrió en la playa.
Y Carlos ¿está resfriado también? — No, no está resfriado.

¡Escuche!

— *¡Atchú!*
— *Salud. María, por favor, Ud. tiene que ir a ver al médico.*
— *¿Ir al médico? ¿Por un resfrío? ¡Oh no, Carlos! Tomaré alguna medicina y se pasará.*

¡Conteste!

¿Qué quiere Carlos que haga María? — Quiere que vaya al médico.
Y ella, ¿quiere ir? — No, no quiere ir.
¿Qué quiere tomar ella? ¿Una medicina? — Sí, quiere tomar una medicina.

¡Escuche!

— *María, ¿tiene alguna medicina en la casa?*
— *No, pero iré a la farmacia y compraré lo que necesito.*
— *¿Ir a la farmacia? ¡No! Ud. está demasiado enferma para salir.*

¡Conteste!

¿Adónde quiere ir María? — Quiere ir a la farmacia.
¿Puede ir a la farmacia? No, . . . — No, no puede ir a la farmacia.
¿Y por qué no puede ir? — Porque está enferma.
¿Quiere Carlos que ella vaya? — No, no quiere que vaya.

¡Escuche!

— *Ud. está demasiado enferma para salir, María. Déjeme que vaya yo.*
— *¡Gracias Carlitos! ¡Qué bueno es Ud. conmigo!*

¡Conteste!

¿Quiere Carlos ir a la farmacia? — Sí, quiere ir a la farmacia.
¿Le pide él que ella lo deje ir? — Sí, le pide que lo deje ir.
Y ella ¿lo deja ir? — Sí, lo deja ir.

Escuchemos otro poco más.

— *Le compraré vitamina C y una medicina muy buena que hay. Pero Ud. no salga de la casa.*
— *No, no. Me quedaré aquí.*

¿Se quedará en la casa María? — Sí, se quedará en la casa.
¿Quién comprará las medicinas? ¿Él o ella? — Él las comprará.

— *¡Un momento, Carlos!*
— *¿Qué pasa?*
— *Está lloviendo. Lleve mi paraguas.*
— *¿Su paraguas? ¡No! ¡Qué importa! Un poco de lluvia no hace mal.*

¡Conteste!

¿Qué le pide María a Carlos? ¿Le pide que lleve el paraguas? — Sí, le pide que lleve el paraguas.
¿Y él lo lleva? — No, no lo lleva.
¿Le importa a él la lluvia? — No, no le importa.

Escuchemos ahora el fin. Ha pasado media hora desde que Carlos salió.

— *Aquí . . . ¡Atchís! Aquí estoy.*
— *¡Carlitos! ¡Viene completamente mojado!*
— *¡Atchís! Y aquí tiene . . . at . . . at . . . ¡atchís! . . . las medicinas.*
— *¡Parece que se resfrió!*

¡Conteste!

¿Qué le pasa a Carlos? Se mojó, ¿verdad? — Sí, se mojó.
Parece que se resfrió, ¿eh? — Sí, parece que se resfrió.
Parece que los 2 están enfermos, ¿verdad? — Sí, parece que los 2 están enfermos.

Es verdad. Los 2 están enfermos.

Muy bien.

Pero escuchemos ahora a Carlos y María. Carlos viene a la casa de María después del paseo a la playa.

— *¡Atchí!*
— *Salud.*
— *Gracias.*
— *Pero María, ¿qué le pasa?*
— *¡Ay! ¡Estoy tan resfriada! Ya le dije, Carlos. El agua estaba demasiado fría.*
— *María, por favor, Ud. tiene que ir a ver al médico.*
— *¡Oh no, Carlos! Tomaré alguna medicina y se pasará.*
— *¿Tiene alguna medicina en la casa?*
— *No, pero iré a la farmacia y compraré lo que necesito.*
— *¿Ir a la farmacia? Ud. está demasiado enferma para salir. Déjeme que vaya yo.*
— *Gracias, Carlitos. ¡Qué bueno es Ud. conmigo! ¡Un momento, Carlos! Está lloviendo. Lleve mi paraguas.*
— *¡Qué importa! Un poco de lluvia no hace mal.*

* * *

— *Aquí . . . ¡Atchís! Aquí estoy.*
— *¡Carlitos! ¡Viene completamente mojado!*
— *¡Atchís! Y aquí tiene . . . ¡atchís!. . . las medicinas.*
— *¡Parece que se resfrió!*

¡Caramba! Mejor es que me vaya. Parece que va a llover.

Fin de la cinta número 18.

## Cinta Número 19

Por favor, repita Ud. estas frases.

Ayer por la mañana empezó a llover.
Llovió mucho.
A mediodía dejó de llover.
Por la tarde siguió lloviendo.

Ahora complete mis frases con el verbo "llover."

| | |
|---|---|
| Por la mañana empezó . . . | Por la mañana empezó a llover. |
| A mediodía dejó . . . | A mediodía dejó de llover. |
| Por la tarde siguió . . . | Por la tarde siguió lloviendo. |
| A las 6 dejó . . . | A las 6 dejó de llover. |
| Por la noche volvió . . . | Por la noche volvió a llover. |

Bien.

Y ahora el verbo "leer."

| | |
|---|---|
| Empecé . . . | Empecé a leer. |
| Seguí . . . | Seguí leyendo. |
| Me cansé . . . | Me cansé de leer. |
| Dejé . . . | Dejé de leer. |

Excelente. Pero basta ya de gramática.

Escuchemos ahora a dos damas que ya conocemos. Son la señorita María Donoso y la señora Carlota de Cordero. Empecemos a escuchar.

— *Buenos días, doña Carlota.*
— *Buenos días, María. ¿Cómo está Ud.?*
— *Bien gracias. ¿Y Ud., señora? ¿Y su esposo?*
— *Él está bien, gracias.*

¡Conteste!

| | |
|---|---|
| ¿Con quién está hablando la señorita María? | Está hablando con doña Carlota. |
| ¿Está hablando también con el marido de doña Carlota? | No, no está hablando con él. |

Sigamos escuchando.

— *¡Cómo pasa el tiempo, doña Carlota! Ya estamos en octubre. En noviembre voy a tomar mis vacaciones.*

¡Conteste!

| | |
|---|---|
| ¿Va a trabajar en noviembre la señorita María? | No, no va a trabajar en noviembre. |
| ¿Qué va a hacer? | Va a salir de vacaciones. |
| ¿Falta poco para las vacaciones de ella? | Sí, falta poco. |

¡Escuche!

— *En noviembre voy a tomar mis vacaciones.*
— *Noviembre es demasiado pronto para nosotros. Mi marido y yo vamos a salir en enero.*

¡Conteste!

| | |
|---|---|
| ¿Van a tomar sus vacaciones en noviembre los Cordero? | No, no las van a tomar en noviembre. |
| ¿Cuándo las van a tomar? | Las van a tomar en enero. |
| ¿Qué es enero en Europa? ¿Invierno? | Sí, es invierno. |
| Pero en Argentina y Chile enero es verano, ¿verdad? | Sí, es verano. |

Sigamos escuchando.

— *Mi marido y yo vamos a salir en enero.*
— *¿Adónde irán esta vez, señora?*
— *Iremos a la playa, como de costumbre.*

¡Conteste!

| | |
|---|---|
| ¿Adónde irá la señora de Cordero? | Irá a la playa. |
| ¿Irá sola? | No, no irá sola. |
| ¿Con quién irá? | Irá con su marido. |
| ¿Van siempre a la playa? | Sí, van siempre a la playa. |
| Y este año, ¿irán a la playa como de costumbre? | Sí, irán a la playa como de costumbre. |

Sigamos escuchando.

— *¿Mi marido y yo? Iremos a la playa, como de costumbre.*
— *Pero, doña Carlota, su esposo me ha dicho que prefiere los Andes.*
— *Lo sé, lo sé, María. Pero a mí las montañas no me gustan en absoluto.*

¡Conteste!

¿Le gustan las montañas al Sr. Cordero? Sí, le gustan.
¿Y a su mujer también? No, a ella no le gustan.
¿No le gustan en absoluto? No, no le gustan en absoluto.
¿Cómo son los Andes? ¿Son altos? Sí, son muy altos.
¿Qué es lo contrario de alto? Lo contrario de alto es bajo.

¡Escuche!

— *A mí las montañas no me gustan en absoluto.*
— *¡Ay, señora! ¡Pero las montañas son tan lindas! Los Andes son tan hermosos en verano como en invierno.*

¡Conteste!

¿Son hermosos los Andes? Sí, son hermosos.
¿Son hermosos en todas las estaciones? Sí, son hermosos en todas las estaciones.
¿Qué es lo contrario de hermoso? Lo contrario de hermoso es feo.

Sigamos escuchando.

— *¡Ay, señora! ¡Pero las montañas son tan lindas!*
— *Yo necesito el mar, María. A mí me encanta la playa. Este año quiero tomar mucho pero mucho sol.*

¡Conteste!

¿Necesita el mar la señora? Sí, necesita el mar.
¿Le encanta la playa? Sí, le encanta la playa.
¿Le encanta el sol? Sí, le encanta el sol.

¡Escuche!

— *Yo necesito el mar, María. A mí me encanta la playa.*
— *Pero, señora, su esposo dice que quiere hacer excursiones en la montaña.*

¡Conteste!

¿Quién quiere hacer excursiones? ¿El señor o la señora Cordero? El Sr. Cordero quiere hacer excursiones.
¿Quién quiere tomar el sol en la playa? La Sra. Cordero quiere tomar el sol en la playa.
¿No están de acuerdo los Cordero? No, no están de acuerdo.

Sigamos escuchando.

— *Pero, señora, su esposo dice que quiere hacer excursiones en la montaña.*
— *Ah, sí. A mi marido le encantan las excursiones. Pero a mí no me gustan en absoluto.*

¡Conteste!

¿Le gustan las excursiones a la señora? No, no le gustan.
Pero a su marido le encantan, ¿verdad? Sí, le encantan.
¿Están de acuerdo los dos? No, no están de acuerdo.
¿No están de acuerdo en absoluto? No, no están de acuerdo en absoluto.

¡Escuchemos!

— *A mi marido le encantan las excursiones. Pero a mí no me gustan en absoluto. Yo no sirvo para las excursiones. Yo necesito descansar. Quiero dormir mucho durante las vacaciones.*
— *Pero su esposo dijo que . . .*
— *Oh, María, mi marido dice siempre tantas cosas. Pero a él también le hace bien el mar. En la playa podrá nadar todos los días.*

¡Conteste!

¿Le hace bien el mar al señor? — Sí, le hace bien el mar.
¿Y le hace mal la montaña a la señora? — Sí, le hace mal.
¿Qué podrá hacer en la playa el señor? — Podrá nadar.

Bien.

Terminemos de escuchar.

— *Oh, María, mi marido dice siempre tantas cosas. En la playa podrá nadar todos los días.*
— *Entonces, señora, ¿no irán a los Andes?*
— *¿A los Andes? Oh, María, Ud. todavía no está casada. Todavía no conoce a los hombres. Iremos al mar. Iremos a una linda playa. A la misma del año pasado.*

¡Conteste!

Entonces, el mar le hace bien a la señora, ¿no? — Sí, le hace bien.
¿Y le hará bien al marido? — Sí, le hará bien.
¿Les hará bien a los dos? — Sí, les hará bien.
Pero su marido no está de acuerdo, ¿verdad? — No, no está de acuerdo.
Pero pronto estará de acuerdo, ¿no? — Sí, pronto estará de acuerdo.
Y Ud. también está de acuerdo, ¿verdad? — Sí, también estoy de acuerdo.

Bueno. Creo que esto será una buena lección para todos nosotros. Así hemos terminado de estudiar nuestra cinta 19. Deseémosles a los Cordero que pasen unas felices vacaciones.

Fin de la cinta número 19.

## Cinta Número 20

Repita esta frase. Trate de repetirla lentamente.

"Hay cuatro cuadros en el cuarto."

¿Puede Ud. decirla igual que yo? — No, no puedo decirla igual que Ud.
¿Trata Ud. de pronunciar bien? — Sí, trato de pronunciar bien.
¿Trata Ud. de hablar como yo? Sí, . . . — Sí, trato de hablar como Ud.

Ahora pasemos a otra cosa.

¿Escribe cartas el director de su escuela? Sí, . . . — Sí, escribe cartas.
¿Las escribe él o las escribe la secretaria? — Las escribe la secretaria.

Repita: El director no las escribe él mismo
El director las hace escribir.

¡Conteste!

| | |
|---|---|
| ¿Las hace escribir a máquina? Sí, . . . | Sí, las hace escribir a máquina. |
| ¿Quién las escribe a máquina? | Su secretaria las escribe a máquina. |
| ¿Lava su coche él mismo? No, . . . | No, no lo lava él mismo. |
| ¿Lo hace lavar? Sí, . . . | Sí, lo hace lavar. |
| ¿Dónde lo hace lavar? | Lo hace lavar en el garaje. |

Muy bien. Pasemos ahora a la historia de esta cinta. Escuchemos a Carlos y María. Hoy María debe tomar el avión para Madrid. Carlos la llevará al aeropuerto.

— *María, ¿hizo ya sus maletas?*
— *Sí, Carlos, están listas. Allá están.*
— *Bien. Voy a llevarlas al coche inmediatamente.*

¡Conteste!

| | |
|---|---|
| ¿Hizo ya sus maletas María? | Sí, ya las hizo. |
| ¿Las hizo ella sola? Sí, . . . | Sí, las hizo sola. |
| ¿Están listas ya? | Sí, ya están listas. |
| ¿Está lista para salir María? | Sí, está lista para salir. |

¡Escuche!

— *María, ¿a qué hora parte su avión?*
— *A las 14.20.*
— *Ya es la una y media. Estamos atrasados.*

¡Conteste!

| | |
|---|---|
| ¿Tienen mucho tiempo Carlos y María? | No, no tienen mucho tiempo. |
| ¿Están atrasados? | Sí, están atrasados. |

¡Escuche!

— *Ya es la una y media, María. Estamos atrasados. Tenemos que apurarnos.*

¡Conteste!

| | |
|---|---|
| ¿Tienen que apurarse Carlos y María? | Sí, tienen que apurarse. |
| ¿Debe tomar el avión María? | Sí, debe tomarlo. |
| ¿Está apurada María? | Sí, está apurada. |
| ¿Está apurado Carlos? | Sí, está apurado también. |

¡Escuche!

— *Apúrese, Carlitos.*
— *Sí, sí, María. Me estoy apurando.*

**(El motor no anda.)**

¡Conteste!

| | |
|---|---|
| ¿Qué pasa? ¿No anda el motor? | No, no anda. |
| ¿Puede hacerlo andar Carlos? | No, no puede hacerlo andar. |
| Está tratando de hacerlo andar, ¿verdad? | Sí, está tratando de hacerlo andar. |

**(El motor anda.)**

| | |
|---|---|
| ¿Anda el motor ahora? | Sí, ahora anda. |

**(El motor se para.)**

¿Qué pasó? ¿Se paró el motor? — Sí, se paró.

¡Escuche!

— *Ay, Dios mío, Carlitos. ¡Voy a perder el avión!*
— *Pero por favor, no perdamos más tiempo. Baje, María. Haré parar un taxi. ¡Taxi! ¡Taxi!*

**(El taxi para.)**

¡Conteste!

Ese taxi paró, ¿verdad? — Sí, paró.
¿Quién lo hizo parar? — Carlos lo hizo parar.

— *Al aeropuerto. Ligero, por favor que estamos atrasados.*
— *Sí, señor.*
— *Ya llegamos, María.*
— *Gracias a Dios que llegamos a tiempo.*

¡Conteste!

¿Adónde llegaron? ¿Al aeropuerto? — Sí, llegaron al aeropuerto.
¿Llegaron a tiempo? — Sí, llegaron a tiempo.
¿María no perdió el avión? — No, no perdió el avión.

¡Escuche!

— *María, ¿cuánto tiempo va a pasar en Madrid?*
— *Tres meses.*
— *¡Tanto!*

¡Conteste!

¿Cuánto tiempo va a pasar en Madrid María? — Va a pasar tres meses en Madrid.
¿Le gusta eso a Carlos? — No, no le gusta.
¿Está contento Carlos? — No, no está contento.
¿Está triste? — Sí, está triste.
¿Está triste porque ella se va? — Sí, está triste porque ella se va.

¡Escuche!

— *¡Tanto! ¿Y por qué tanto?*
— *Es por mi hermana. Mi hermana me necesita en Madrid, Carlos.*

¡Conteste!

¿A quién va a visitar María? — Va a visitar a su hermana.
¿Ha llamado a María la hermana? — Sí, la ha llamado.
¿Le ha pedido que vaya a Madrid? — Sí, le ha pedido que vaya a Madrid.

¡Escuche!

— *Van a ser meses muy largos.*
— *Pero yo le escribiré Carlos. Le escribiré todos los días.*
— *¡Oh, María!*

¡Conteste!

¿Escribirá María? — Sí, escribirá. Escribirá todos los días.
¿Quiere a Carlos? — Sí, lo quiere.
¿Y Carlos también la quiere? — Sí, también la quiere.

¡Escuche!

— *Vamos, vamos. No esté triste, María. Los meses pasarán volando.*
— *¿Y Ud. me escribirá? ¿No me olvidará?*

— (altoparlante) *Su atención, por favor. Señores pasajeros de Iberia con destino a Buenos Aires, Sao Paulo, Rio de Janeiro, y Madrid, sírvanse pasar al avión por la puerta número 3.*

— *Adiós, María.*
— *Adiós, Carlos.*

¡Conteste!

¿Se fue María? — Sí, se fue.
¿Dejó a Carlos? — Sí, lo dejó.
¿Se quedó solo Carlos? — Sí, se quedó solo.
Pero María volverá, ¿no? — Sí, volverá.
¿Sabemos cuándo volverá? — No, no lo sabemos.

Muy bien. Pasemos ahora a Carlos y María. María debe tomar el avión para Madrid.

— *María, ¿hizo ya sus maletas?*
— *Sí, Carlos. Allá están.*
— *Bien. ¿A qué hora parte su avión?*
— *A las 14.20.*
— *Ya es la una y media. Estamos atrasados.*
— *Apúrese, Carlitos.*
— *Sí, sí, María. Me estoy apurando.*

**(El motor no anda.)**

— *Ay Dios mío, Carlitos. ¡Voy a perder el avión!*
— *Pero por favor, no perdamos más tiempo. Baje, María. Haré parar un taxi. ¡Taxi! ¡Taxi! Al aeropuerto. Ligero, por favor que estamos atrasados.*
— *Sí, señor.*
— *Gracias a Dios que llegamos a tiempo.*
— *María, ¿cuánto tiempo va a pasar en Madrid?*
— *Tres meses.*
— *¡Tanto!*
— *Pero yo le escribiré, Carlos. Le escribiré todos los días.*
— *Oh, María. Vamos, vamos. No esté triste, María. Los meses pasarán volando.*
— *¿Y Ud. me escribirá? ¿No me olvidará?*

— (altoparlante) *Su atención, por favor. Señores pasajeros de Iberia . . .*

— *Adiós, María.*
— *Adiós, Carlos.*

Y así, amigos y amigas, hemos llegado al fin de nuestra cinta número veinte.
Pero no digamos "adiós." Digamos "¡hasta luego!"

Fin de la cinta número 20.

## Dictados

Dictado #1 (Ejercicio 84)

Mi amigo el Sr. Pino olvida todo. Yo no olvido nada. Ayer el Sr. Pino olvidó su boleto. Yo no olvidé comprar mi pasaje. No olvide Ud. su sombrero en el tren. Cuando subo al tren, busco siempre un asiento. Ayer don Rufino también buscó un asiento.

Dictado #2 (Ejercicio 90)

Ca, que, qui, co, cu, cua, cue, cui, cuo. ¿Cuánto cuestan estos cuadros? Unos cuestan cuatro pesos con cuarenta y otros cuestan cinco pesos con cincuenta. ¿Cuál quiere Ud.? Quisiera ese cuadro de la izquierda. ¿Puede Ud. cambiarme este billete de quinientos? Claro que sí.

Dictado #3 (Ejercicio 96)

Ga, gue, gui, go, gu. Aquí tengo algo interesante. Alguien llegó esta mañana y me dejó esta guitarra. Cuando yo llegué la encontré encima de la mesa. No sé quién la pidió. Yo no la pagué. ¿Quién la pagó? Alguien a quien no conozco. ¿Conoce Ud. la nueva guía de teléfonos?

Dictado #4 (Ejercicio 101)

¿Zeta o Ce? Almuerzo. Almuerza. Almuerce Ud. ¿Almorzó Ud.? Sí, ya almorcé. ¿Cuándo empezó Ud. a estudiar? Empecé hace doce o catorce días. ¿Tiene Ud. un lápiz? No uso lápices. Uso casi siempre un bolígrafo. Algunas veces escribo a máquina. Pero esta vez escribiré a mano.

Dictado #5 (Ejercicio 107)

En el periódico que recibí el miércoles, leí un artículo sobre una fábrica de fósforos y plásticos. Es la fábrica más grande de esta república. Está en la Avenida de México, a pocos kilómetros de aquí. El artículo está en la décima página. Está después de la página de la política y antes de la página de la música.

Dictado #6 (Ejercicio 113)

Ai; aí; oi; oí. Yo oigo. Yo oí. Todos los días yo oía. Yo oigo las noticias del radio. Pero me gusta oír las noticias de la policía en un idioma que no es el mío. No me gusta la lluvia. Cuando yo vivía en esa fría ciudad, llovía todos los días. Llovía a diario. La lluvia caía y caía. Hacía frío de noche y a mediodía.

## Cinta de Conversación

Esta es la última cinta de nuestro Curso Básico de Español. Es una cinta diferente. Todo cuanto queremos que haga Ud. es que se siente, se quite los zapatos y escuche. Hablaremos rápido, algunas veces tan rápido como lo hacen en América del Sur o en España. Y si puede Ud. seguirnos en nuestros diálogos puede Ud. decirse a sí mismo "¡Caramba! ¡Verdaderamente entiendo el español!"

Bien. Empecemos con el desayuno en un pequeño café de América Latina. Escuchemos al camarero, a un señor inglés y a una señora española.

El desayuno

Camarero — ¿Va a desayunar, señor?
Señor — Sí, por favor.
Camarero — ¿Qué le traigo?
Señor — Tráigame un jugo de pomelo y dos huevos.
Camarero — Perdone, señor. No entendí. ¿Qué me dijo por favor?
Señor — Le dije un jugo de pomelo.

Camarero — ¿Jugo de qué, señor?
Señor — Un jugo de pomelo.
Camarero — Ah, no. Eso no tenemos.
Señor — Entonces, dos huevos.
Camarero — Perdón. ¿Dijo Ud. uvas?
Señor — No, huevos. Dos huevos.
Camarero — ¡Ah! ¿Huevos fritos?
Señor — Sí, con tostadas.
Camarero — Perdone, pero tostadas no hay. ¿Le traigo bollitos?
Señor — Sí, está bien.
Camarero — Dos huevos fritos y dos bollitos. ¿Con mantequilla?
Señor — Sí, por favor.
Señora — Camarero, por favor.
Camarero — Sí, señora.
Señora — Un exprés y un bollito.
Camarero — ¡Cómo no, señora! Un exprés y un bollito. ¡Perfecto! ¡Pero ése! ¿Qué dijo ése? "Jugo de pomelo; con tostadas, y huevos." ¿Qué desayuno es ése?

Las costumbres son diferentes . . . las costumbres de vestirse, divertirse, beber, comer, cenar, y también las de desayunar. Pero ahora el desayuno ha terminado. Vayamos a trabajar. Pero no lleguemos tarde como el Sr. Pérez, quien no encontró su coche en el garaje y tuvo que disculparse ante su jefe. Pobre Sr. Pérez. ¡Escuchémoslo!

En la oficina de la fábrica

Sr. García — Buenos días, Sr. Pérez.
Sr. Pérez — Buenos días, Sr. Director.
Sr. García — ¿No está Ud. bien?
Sr. Pérez — ¿Yo, Sr. Director? Sí, estoy muy bien.
Sr. García — ¡Pero son las 11! Y, Ud. sabe, nosotros aquí empezamos a las 9.
Sr. Pérez — Tomé un taxi para venir aquí.
Sr. García — ¡Ah! ¿No vino en su coche?
Sr. Pérez — No. Mi mujer tomó el coche hoy. No sé. No entiendo para qué. Yo . . .
Sr. García — Bueno. Pero Ud. llegó aquí a las 11.
Sr. Pérez — Primero fui a la parada del autobús. Esperé 20 minutos y . . .
Sr. García — Esperó 20 minutos y el autobús no llegó, ¿no?
Sr. Pérez — Así es. Entonces tomé un taxi y . . .
Sr. García — Sr. Pérez, son las 11. Por favor, empiece Ud. a trabajar ahora.

El Sr. Pérez está trabajando, finalmente sí está trabajando. No perderá más tiempo. Pero los dos señores a quienes escuchamos ahora, el Sr. Ruiz y su amigo, el Sr. Alfaro, no están tan ocupados. Están solamente conversando. ¿Sobre qué? ¡Ah! Sobre la Señorita Donoso. Pero, ¿por qué? ¿Quién es ella? Ella es la secretaria del Sr. Ruiz. Es linda, es muy bonita. Pero algunas veces eso no es bastante para una secretaria, ¿verdad? Son las 10 de la mañana. Aquí están el Sr. Alfaro y el Sr. Ruiz.

La linda secretaria

Sr. Alfaro — Buenos días, Sr. Ruiz. ¿Cómo está Ud.?
Sr. Ruiz — Bien, gracias. ¿Y Ud., Sr. Alfaro?
Sr. Alfaro — Muy bien, gracias. Dígame, Sr. Ruiz. Esa señorita es nueva aquí, ¿verdad?
Sr. Ruiz — Sí. Es la Señorita Donoso.
Sr. Alfaro — ¡Es muy bonita, muy bonita!
Sr. Ruiz — Sí, no es fea, pero . . .
Sr. Alfaro — ¿Pero qué?
Sr. Ruiz — Escuche. ¿La oye escribir a máquina? Es muy lenta. Y no escribe una página correcta.
Sr. Alfaro — ¡Pero es muy linda! ¡Qué ojos azules tiene! ¡Y ese pelo rubio! ¡Y qué manos, pequeñas y . . . !

Sr. Ruiz — Bueno, amigo. Dígame, ¿me trajo las cartas de su firma?
Sr. Alfaro — ¿Las cartas? Están aquí. Las mandamos el martes.
Sr. Ruiz — Ah, entonces, llamaremos a mi linda secretaria. ¡Srta. Donoso, venga un momento, por favor!
Srta. Donoso — ¡Sí, señor director! Le traje su café. ¿Dónde lo pongo? ¿Está bien aquí?
Sr. Ruiz — ¡Oh no, señorita! No ponga el café encima de los papeles. Póngalo en el escritorio, por favor. Gracias. Vea Ud., amigo. Esto no es un exprés, es un café con leche.
Sr. Alfaro — ¿No le gusta el café con leche?
Sr. Ruiz — Yo no tomo leche. Todos los días pido café exprés. Pero la Srta. Donoso no lo entiende.
Sr. Alfaro — Pero, . . . ¡qué bonita es!
Sr. Ruiz — Bueno. Entonces, las cartas de su firma. ¡Señorita Donoso, por favor! ¿Ve Ud.? ¡Está hablando por teléfono!
Sr. Alfaro — ¿Y qué tiene de malo? Ese es su trabajo, ¿no?
Sr. Ruiz — Ah, sí. Pero ella, cuando está en la oficina, habla con su madre, habla con su padre, con su hermana, con su amigo Juan, con su amigo Pedro, con su amigo . . .
Sr. Alfaro — ¿Habla con sus amigos? Ah, ahora lo entiendo. Empiezo a entender . . .
Sr. Ruiz — Sí, sí, sí, mi secretaria es muy bonita, pero . . .

"Pero" dijo él. Una palabra pequeña. "Pero" que dice mucho más que una frase muy larga. ¿No es así? Bien. Si el Sr. Ruiz tiene problemas con su linda secretaria, don Rufino Pino tiene problemas con él mismo. Escuche Ud. a una señorita llamando a don Rufino en una estación del tren en la Argentina.

Señorita — ¡Don Rufino! ¡Don Rufino!

Pero don Rufino no responde. Oiga lo que dice esta señorita. Oiga lo que dice don Rufino Pino.

Señorita — Oh, son las dos. Ya son las dos y don Rufino no llega. Y ahora se va el tren. Se va el tren de don Rufino. (Llega un señor de 80 años.) Aquí llega.
Sr. Pino — Buenas tardes, señorita. Buenas tardes.
Señorita — El tren se fue sin Ud. Ya se fue el tren.
Sr. Pino — Sí, lo sé, señorita. Lo sé. El tren no me esperó.
Señorita — Le traje el dinero, don Rufino, y le compré su pasaje.
Sr. Pino — Gracias. Señorita, ¿hay otro tren a Rosario hoy?
Señorita — No lo sé, don Rufino. Vamos a ver el horario. Aquí está el horario. "Tren expreso a Rosario a las 16."
Sr. Pino — A las 16. Excelente.
Señorita — Aquí está su boleto. Tómelo. Póngalo en su bolsillo.
Sr. Pino — Pero, señorita, tengo muchas cosas en los bolsillos. Démelo después. Y ahora, señorita, ¿qué hacemos?
Señorita — ¿No llama por teléfono a su señora, don Rufino?
Sr. Pino — Ahora no. La llamaré al llegar.
Señorita — Le traje el periódico, don Rufino. Y su señora le mandó este libro.
Sr. Pino — Bien. Muchas gracias, señorita.
El altoparlante — El tren expreso a Pergamino, Rosario y Córdoba, entrando a la estación. El tren expreso a Pergamino, Rosario y Córdoba.

Señorita — Llegó su tren, don Rufino. ¡Suba!
Sr. Pino — Hasta luego.
Señorita — Buen viaje, don Rufino.
Sr. Pino — Adiós. Y muchas gracias, señorita. Gracias por el periódico. Gracias por el libro. Gracias por el dinero. Gracias, señorita.

**(Sale el tren.)**

Señorita — ¡Don Rufino! ¡Don Rufino! ¡Ay, Dios mío! No tomó el boleto y tampoco le di el dinero. Y ahora va a Rosario y no tiene un peso en el bolsillo. No tiene ni dinero ni boleto.

(en el tren)

Sr. Pino — Disculpe, señora. ¿Está ocupado este asiento?
Señora — No, no. Está desocupado.
Sr. Pino — Magnífico, señora. Muchas gracias. Así voy a poder leer.
Conductor — Buenas tardes, señores pasajeros. Sus boletos, por favor. Gracias, señores. ¿Y Ud., señor? Su boleto, por favor.
Sr. Pino — Disculpe, señor. No entiendo. En este bolsillo no está. Y en este otro bolsillo tampoco está. No sé. No lo encuentro.
Conductor — ¿Adónde va Ud., señor? ¿Va a Pergamino?
Sr. Pino — ¿A Pergamino? Pues . . . creo que no. Creo que no voy a Pergamino.
Conductor — Discúlpeme, señor. Pero Ud. tiene que saber adónde va. ¿Va a Rosario? ¿A Tucamán? ¿A Jujuy?
Sr. Pino — Vea, señor. La verdad es que no sé. Olvidé el boleto y sin el boleto no le puedo decir adónde voy.

Bueno, bueno, eso sí que fue un chiste, pero no tan chistoso para don Rufino. No tiene boleto, ni dinero. Pero había luz en el tren y pudo leer su periódico. Pero, ahora sin electricidad, otro de nuestros amigos, don Pepe, está sin luz en su casa; no puede leer su periódico ni afeitarse tampoco, y a don Pepe esto no le gusta. ¡Don Pepe quiere luz!

Qué pasa, ¿no hay electricidad?

Sr. Jiménez — ¡Pero qué es esto! ¡Luz, luz, por favor! No hay luz. ¡Esperanza! ¡Esperanza!
Esperanza — Ya voy, don Pepe.
Sr. Jiménez — ¿Por qué no viene? ¿Por qué no hay luz?
Esperanza — Voy, voy, don Pepe. Ya voy. Aquí estoy.
Sr. Jiménez — ¿Qué pasa con la luz? ¿Por qué no se prende? No se ve nada en esta casa.
Esperanza — Lo siento, don Pepe. Estamos sin electricidad.
Sr. Jiménez — ¿Y Ud. todavía no ha llamado a la compañía?
Esperanza — Claro que llamé. Pero todavía no han venido.
Sr. Jiménez — Oiga, Esperanza. No tengo mucho tiempo. Tengo que salir enseguida. Tengo que lavarme inmediatamente.
Esperanza — Sí, don Pepito. Claro que puede lavarse. Aquí tiene una vela.
Sr. Jiménez — Magnífico. Con esta vela podré ver. Pero mejor me voy a bañar.
Esperanza — Oh, lo siento, don Pepe. No va a poder bañarse.
Sr. Jiménez — ¡Cómo! ¿Tampoco hay agua?
Esperanza — No hay agua caliente, don Pepe. Le lavé todas sus camisas.
Sr. Jiménez — ¡Qué bueno, Esperanza! Por favor, tráigame una camisa enseguida.
Esperanza — ¡Ay, lo siento tanto, don Pepito! Pero no puedo. Las camisas no están planchadas.
Sr. Jiménez — ¡Caramba, Esperanza! Sin camisa no voy a poder salir. ¿Y por qué no me plancha una camisa?
Esperanza — ¿Cómo quiere que la planche? Cuando no hay luz, ¡no hay electricidad!

Es verdad. Cuando no hay luz, no hay electricidad. Y sin electricidad todo se para en nuestra civilización mecanizada.

(música)

Ah, esta música es agradable, ¿verdad? ¿Le gusta a Ud.? ¿Le gustará a una dulce niña de 18 años? ¿A María, la linda secretaria, y a Carlos, su amigo? Carlos no dice que María escribe mal a máquina o que usa demasiado el teléfono, o que . . . ¡Oh, oh, no! A él le gusta ella así como es. Pero no tenemos para qué decirlo.

Escuchemos a Carlos y a María.

Carlos — Buenos días, María.
María — Hola, Carlos, ¿cómo está?
Carlos — Dígame una cosa, María.
María — ¿Sí?
Carlos — ¿Puede darme la dirección de su jefe?
María — ¡Claro, cómo no! Aquí la tiene. Escríbala.
Carlos — Muchas gracias, María.
María — Pero dígame, Carlos. ¿Por qué quiere saber la dirección de mi jefe? ¿Para qué la necesita?
Carlos — Es porque quiero ir a hablar con él.
María — Pero . . . ¡Carlos!
Carlos — ¿Sí, María?
María — ¿Por qué tiene que hablar con él?
Carlos — Me gustaría trabajar en su firma.
María — ¡Cómo! ¿Dice que quiere trabajar en nuestra firma?
Carlos — Sí, María. ¿Entiende Ud.? Si trabajo en su firma, podré estar todos los días cerca de Ud.
María — ¡Ay, Carlos, qué cosas dice Ud. . . . !

"Ay, Carlos, qué cosas dice Ud. . . ." Pero la história continúa . . . como bien sabemos.

Carlos quiere a María

La señorita María es una chica muy bonita. Pero no es puntual. ¡Eso sí que no! No llega a tiempo a ninguna parte.

Sus horas de trabajo, por ejemplo, son desde las 9 hasta las 6. Pero ella llega a la oficina a las 9 y media o un cuarto para las 10 y a veces más tarde también.

"Discúlpeme por el atraso, señor" — le dice a su jefe — "lo siento." Pero al día siguiente es la misma cosa. De nuevo se atrasa.

Y con los amigos, por supuesto, es todavía peor. Por ejemplo, con Carlos. ¿Qué le dijo ella a Carlos esta mañana?

"¡Oh, sí, Carlos, con mucho gusto! Almorzaremos juntos. ¿A la una y veinte? ¿Enfrente del restaurante? Sí, sí, Carlitos. Estaré a la una y veinte."

A la una y veinte Carlos, por supuesto, está ya enfrente del restaurante, con una docena de rosas rojas en la mano. Lleva su mejor traje, su corbata nueva . . . ¿Y qué hace? Pues . . . espera.

Espera y espera. Son ya las dos y media y él todavía está esperando a María. Y ni mira su reloj, pues Carlos quiere mucho a María.

Por fin, un cuarto para las 3, llega la señorita. Simpática, encantadora, linda como una flor. "Hola, Carlitos. ¡Tengo un hambre! ¡Y es tan tarde ya! Falta poco para que sean las 3 . . . ¿No es un poco tarde para almorzar? ¿Por qué tenemos que almorzar tan tarde? "

Pero Carlos no le dice nada. Ni mira su reloj. Y le da las rosas . . .

¡Carlos quiere tanto a María!

Buen apetito, Carlos. Buen provecho, María.

Carlos — Camarero, el menú, por favor. Pero sí, algún vino. Una botella de vino. Vino tinto. . . . La cuenta, por favor. . . . ¡Vamos! Sí, sí, sí, sí, vamos. . . . Hasta luego, María. ¿Cuándo nos vemos?
María — Bueno, no sé. Yo . . .
Carlos — Si Ud. quiere, mañana por la mañana pasaré por su casa y la llevaré a su oficina. Como papá se va de viaje, yo andaré en el coche.
María — ¡Pero Ud. me dijo que mañana tiene que ir a la universidad!
Carlos — Oh, es verdad. Entonces, ¿mañana a la hora de almuerzo, como hoy?
María — ¿Almuerzo? No puedo. Tengo que ir al salón de belleza.
Carlos — ¿Ah, sí? No importa, puedo esperarla con el coche enfrente del salón.
María — Pero, es que no sé a qué hora voy a estar lista.
Carlos — Entonces, ¿mañana por la noche?
María — No, Carlos. Lo siento. Mañana no nos podemos ver.
Carlos — ¿Y por qué no?
María — ¡Es imposible! Tengo que escribirle a mi hermana. Hace varias semanas que está esperando mi carta.
Carlos — Y no puede . . .
María — ¡Ay, no, Carlitos! No puedo. De verdad que no puedo.
Carlos — Mañana es miércoles. El jueves, entonces.
María — Mire, Carlos. El jueves tengo que ir a la ópera.
Carlos — ¿A la ópera? ¿Pero estará libre a mediodía entonces?
María — No, Carlos. Lo siento.
Carlos — Caramba. Ni siquiera a mediodía. Y dígame, ¿con quién va a la ópera?
María — ¡Oh, Carlos . . . ! ¡Ahí viene mi autobús! Ud. ya tiene mi nueva dirección, ¿no?
Carlos — No, María, no la tengo. Y no tengo ni siquiera el número de su teléfono.
María — Tengo que tomar este autobús. ¿Por qué no sube conmigo, Carlos?
Carlos — Pero, María, Ud. sabe que tengo que ir al banco a cobrar mi cheque. Y ya son casi las 4.
María — ¡Qué malo es Ud. conmigo, Carlos! ¡Ni siquiera tiene unos minutos para mí!

"¡Ay, ni siquiere tiene unos minutos para mí!" ¡Unos minutos! Pero más importante todavía, ¿la verá él otra vez? ¿Y cuándo? ¡Ah! El domingo . . . y en la playa.

Carlos — ¡Mire qué bonita está la playa hoy, María!
María — Oh, sí, Carlos. ¡Qué linda está! No comprendo, Carlos. Hoy es domingo, pero no hay nadie en la playa.
Carlos — Pero todavía es muy temprano, María.
María — Y hace bastante calor. Se ve que estamos en primavera.
Carlos — Es verdad, María. Estamos en primavera, pero hace tanto calor como en verano. Bueno, María. ¡Al agua! ¡A nadar!
María — Ya. Corramos al agua. ¡A ver quién llega primero! ¡Oh, qué espanto! ¡Qué fría está!
Carlos — ¡Si no está tan fría!
María — ¡Carlos, el agua está demasiado fría! No puedo quedarme más. Voy a salir.
Carlos — Yo también voy a salir pronto, María. María, ¿qué hay para comer?
María — Sándwiches.
Carlos — ¡Mm! ¡Sándwiches! ¿Y de qué son?
María — Unos son de pollo y los otros son de jamón.
Carlos — Están muy sabrosos, María.
María — Ya lo creo, Carlos. ¡Como que los hice yo!

Deben estar buenos esos sándwiches después de nadar. ¿Pero no dijo ella que el agua estaba fría . . . fría . . . fría . . . fría?

María — At . . . at . . . ¡Atchís!
Carlos — ¡Salud!
María — Gracias.
Carlos — Pero, María, ¿qué le pasa?
María — ¡Ay! ¡Estoy tan resfriada! Ya le dije, Carlos. El agua estaba demasiado fría.
Carlos — María, por favor, Ud. tiene que ir a ver al médico.
María — ¡Oh, no, Carlos! Tomaré alguna medicina y se pasará.
Carlos — ¿Tiene alguna medicina en la casa?
María — No, pero iré a la farmacia y compraré lo que necesito.
Carlos — ¿Ir a la farmacia? Ud. está demasiado enferma para salir. Déjeme que vaya yo.
María — Gracias, Carlitos. ¡Qué bueno es Ud. conmigo! ¡Un momento, Carlos! Está lloviendo. Lleve mi paraguas.
Carlos — ¿Qué importa? Un poco de lluvia no hace mal.

(Pasan 5 minutos y Carlos todavía no vuelve, pasa media hora, pasan 40 minutos)

Carlos — (Entrando al cuarto) Aquí . . . ¡atchís! . . . aquí estoy.
María — ¡Carlitos! Viene completamente mojado . . .
Carlos — ¡Atchís! Y aquí tiene . . . at . . . at . . . ¡atchís! . . . las medicinas.
María — Parece que se resfrio.

Ahora ambos tienen un resfriado. Bueno, eso fue en primavera, en mayo o en junio, hace mucho tiempo. El verano fue magnífico, magnífico, para Carlos y magnífico para María. Pero ahora es otoño. No, no invierno. No el invierno todavía . . . pero sí . . . "el adiós." María debe tomar el avión.

¿Me escribirá todos los días?

Carlos — María, ¿hizo ya sus maletas?
María — Sí, Carlos, allá están.
Carlos — Bien. ¿A qué hora parte su avión?
María — A las catorce y veinte.
Carlos — ¡Ya es la una y media! Estamos atrasados.
María — ¡Apúrese, Carlitos!
Carlos — Sí, sí, María. Me estoy apurando.
María — ¡Ay, Dios mío, Carlitos! Voy a perder el avión.
Carlos — Pero por favor, no perdamos más tiempo. ¡Baje, María! Haré parar un taxi. ¡Taxi! ¡Taxi! Al aeropuerto. Ligero, por favor, que estamos atrasados.
Chofer — Sí, señor.
María — ¡Gracias a Dios que llegamos a tiempo!
Carlos — María, ¿cuánto tiempo va a pasar en Madrid?
María — Tres meses.
Carlos — ¡Tanto!
María — Pero yo le escribiré, Carlos. Le escribiré todos los días.
Carlos — ¡Oh, María! Vamos, vamos. No esté triste, María. Los meses pasarán volando.
María — ¿Y Ud. me escribirá? ¿No me olvidará?
Alto-parlante — Su atención, por favor. Señores pasajeros de Iberia con destino a Buenos Aires . . .
Carlos — Adiós, María.
María — Adiós, Carlos.

Bon voyage, María. ¡Buen viaje! Y nuestros mejores deseos para Ud. Carlos. ¿Volveremos a escucharlos otra vez? ¿Volverá a escribirle María, todos los días? ¿Volverá ella al lado de Carlos? ¿Volveremos a escuchar a María en nuestra próxima cinta?

¡Cuántas preguntas hay! ¡Y qué poco sabemos del futuro!

**Dos palabras a nuestros alumnos**

Querido alumno,

Ud. acaba de terminar nuestro Primer Curso y ya no es un principiante en la lengua castellana.

En las primeras páginas de su libro, hay un prefacio sobre el Método Berlitz escrito en español, solamente para los profesores. Con estas últimas palabras seguiremos también hablando de nuestro método y, naturalmente, lo haremos en español. Pero esta vez ya podemos hablarle directamente a Ud. Pues hoy Ud. ya no está en el curso elemental de español. Ahora Ud. ya sabe leer y escribir en español. Ahora Ud. ya habla y entiende nuestro idioma. ¡Felicitaciones!

Ud. ha oído nuestro lema, ¿verdad? "Loqui Loquendo Discitur." "Sólo hablando se aprende . . ." Era un lema de los antiguos romanos. Y es una verdad que M. D. Berlitz supo comprender. Ahora Ud. también sabe que él tenía razón. Por eso le pedimos que lo repita a todos los que quieren aprender otro idioma. "Sólo hablando se aprende a hablar."

Quizás Ud. ha estado ya en un país donde se habla español. O quizás está preparándose para un viaje a alguno de los países de nuestro vasto mundo hispánico. Sí, es así, lo felicitamos por su deseo de aprender el idioma antes de partir.

En nuestro Segundo Curso, se continúa el estudio de la lengua y el estudio de la cultura hispánica. En él hablaremos de la geografía de Hispanoamérica y España, y de sus escuelas, su arte, sus industrias, y de la vida en las grandes ciudades hispánicas. Tenemos un segundo libro, habrá más cintas para escuchar en su casa. Habrá uno o más profesores que hablarán con Ud. y lo ayudarán a hablar cada vez mejor. Un día Ud. llegará por fin a México o Caracas, a Madrid, Buenos Aires o Santiago, o a otro de los muchos centros que tiene el mundo hispánico. Y ese día Ud. no será sólo un turista; será casi como un hispano que vuelve a su país.

Fin de nuestro curso.